# SHERLOCK HOLMES

## SIR ARTHUR CONAN DOYLE

# AS AVENTURAS DE SHERLOCK HOLMES

Tradução: Michele de Aguiar Vartuli

Copyright © Introdução, 2011, Mark Gatiss
Copyright © 2013, Companhia Editora Nacional

Diretor Superintendente: Jorge Yunes
Diretora Editorial Adjunta: Silvia Tocci Masini
Editores: Cristiane Maruyama, Marcelo Yamashita Salles
Editora Júnior: Nilce Xavier
Preparação: Vivian Miwa Matsushita
Produtora Editorial: Solange Reis
Coordenação de Arte: Márcia Matos
Estagiária de Arte: Camila Simonetti

Publicado em 2011 pela BBC Books, um selo da Ebury Publishing, empresa do grupo Random House.

Este livro foi publicado como acompanhamento da série de televisão Sherlock, transmitida na BBC1 em 2011.
Sherlock é uma produção da Hartswood Films para a BBC Wales, em coprodução com a MASTERPIECE.
Produtores executivos: Beryl Vertue, Mark Gatiss e Steven Moffat
Produtora executiva da BBC: Bethan Jones
Produtora executiva da MASTERPIECE: Rebecca Eaton
Produtora da série: Sue Vertue

CIP-BRASIL. CATALOGAÇÃO NA PUBLICAÇÃO
SINDICATO NACIONAL DOS EDITORES DE LIVROS, RJ

D784a

    Doyle, Arthur Conan, Sir, 1859-1930
    As aventuras de Sherlock Holmes / Sir Arthur Conan Doyle ; [tradução Michele de Aguiar Vartuli]. - 1. ed. - São Paulo : Companhia Editora Nacional, 2013.

    Tradução de: The adventures of Sherlock Holmes
    ISBN 978-85-04-01855-4

    1. Holmes, Sherlock (Personagem fictício) - Ficção. 2. Watson, John H. (Personagem fictício) - Ficção. 3. Detetives particulares - Inglaterra - Ficção. 4. Ficção policial inglesa. I. Vartuli, Michele de Aguiar, 1965-. II. Título.

13-04982                                                CDD: 823
                                                       CDU: 821.111-3

1ª edição - São Paulo - 2013
Todos os direitos reservados

NACIONAL

Av. Alexandre Mackenzie, 619 – Jaguaré
São Paulo – SP – 05322-000 – Brasil – Tel.: (11) 2799-7799
www.editoranacional.com.br – editoras@editoranacional.com.br
CTP, Impressão e acabamento IBEP Gráfica

# Sumário

Introdução ..................................................... 5

1. Um Escândalo na Boêmia ........................... 11
2. A Liga dos Ruivos ...................................... 49
3. Uma Questão de Identidade ....................... 85
4. O Mistério de Boscombe Valley ................. 113
5. As Cinco Sementes de Laranja .................. 151
6. O Homem com o Lábio Deformado ............ 181
7. A Aventura do Carbúnculo Azul ................. 217
8. A Aventura da Faixa Pintada ..................... 249
9. A Aventura do Polegar do Engenheiro ....... 289
10. A Aventura do Nobre Solteiro .................. 321
11. A Aventura do Diadema de Berilos .......... 355
12. A Aventura da Casa das Faias ................. 393

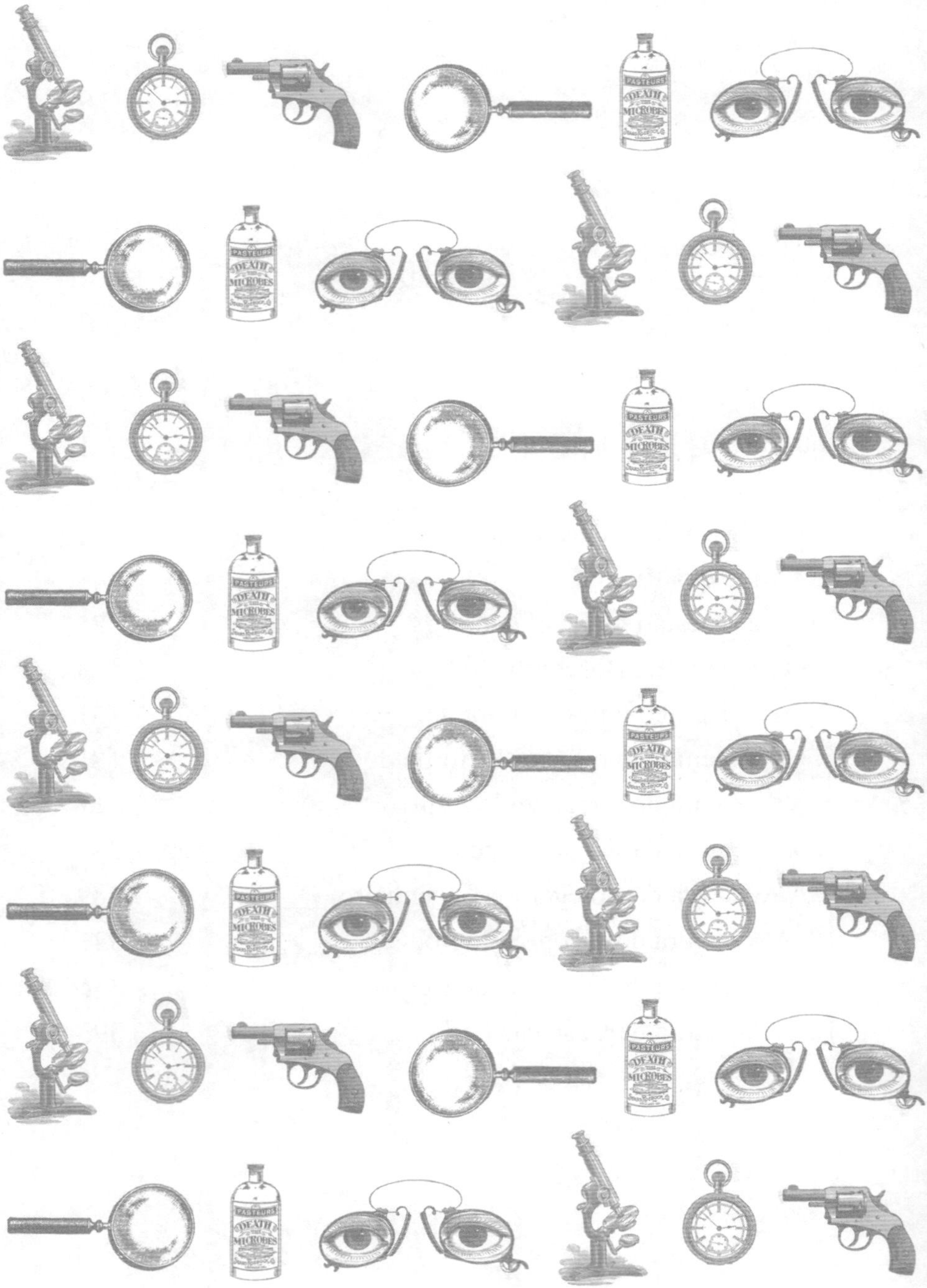
PASTEURS
DEATH
MICROBES

# INTRODUÇÃO

Tirei da estante o velho cachimbo preto de roseira, espetei minha correspondência ainda fechada na moldura da lareira com um canivete e mergulhei em devaneios. Uma tormenta equinocial uiva na janela e um desconhecido puxa desesperadamente o cordão da campainha. Estou pronto para a aventura. Você está?

É verdadeiramente uma honra e um prazer ter a oportunidade de escrever a introdução para *As Aventuras de Sherlock Holmes*. Para começar, elas continuam sendo, para mim, as melhores histórias de Holmes. Contos escritos por Arthur Conan Doyle na primeira onda do sucesso literário e na irresistível maré de ideias geniais e brilhantes que pareciam se derramar de sua mente absurdamente criativa.

Porém, há outro motivo para que essas histórias permaneçam tão próximas ao meu coração: são os primeiros casos de Holmes e Watson que eu li.

Não sei dizer ao certo quando tomei conhecimento da amizade mais imorredoura da literatura, mas sei que eu tinha um retrato de Holmes (com a legenda "O Grande Detetive") espetado na parede da minha sala de aula aos 7 anos de idade, e que exibições dos maravilhosos filmes com Basil Rathbone e Nigel Bruce já haviam marcado para sempre a minha imaginação. Como a criança desesperadamente impopular que eu era, andava por aí com um pequeno cachimbo curvo de plástico amarelo, cheio de tabaco com aroma de coco (era a década de 1970!) ou grama recém-cortada, dependendo da situação dos meus bolsos, tentando deduzir coisas sobre o comportamento do meu pai a partir do tamanho da cinza do seu cigarro Embassy No. 3. Não me lembro de ter chegado muito além de descobrir que ele pisara na lama e acendera um cigarro enquanto assistia a *Nationwide*.\*

De qualquer forma, eu nunca havia lido nenhuma das histórias originais, até um fatídico sábado em que, convalescendo de rubéola, ganhei um agrado: uma ida à livraria WH Smith, e a compra do livro que eu quisesse. Ali, aninhada entre todos os possíveis candidatos à minha reluzente moedinha de 50 *pence*, estava uma linda, gorda brochura violeta da Pan, com uma ilustração colorizada de Sidney Paget na capa: *As Aventuras de Sherlock Holmes*. Tudo nela prometia o êxtase do mistério e o fascínio levemente perturbador da era vitoriana, pela qual eu já

---

\* Programa veiculado pela BBC de 1969 a 1983, combinava análise política, notícias esportivas e relacionadas ao mundo do entretenimento. (N. T.)

era loucamente apaixonado. Mas primeiro vinha a introdução. Não me lembro muito bem dela agora, a não ser que terminava com este sentimento comovente: "Gostaria de estar lendo estas histórias pela primeira vez". Lembro que, naquela noite, me ajeitei na cama e fiquei empolgado com a ideia. Eu *estava*!

E ali, naquelas páginas, descobri pela primeira vez os horríveis detalhes do polegar do Sr. Hatherley, conheci a famigerada Irene Adler e o grosseiro Jabez Wilson. Nelas descobri a curiosa importância de Um Rato, o conteúdo do envelope que condenou Elias Openshaw à morte, Isa Whitney e a Barra de Ouro, os segredos guardados por um ganso de Natal e o horror tétrico dos Roylott de Stoke Moran. Cheio de melodramas lúridos e gloriosos, tão encorpados quanto veludo escarlate vitoriano, *As Aventuras* era tudo que eu esperava, e mais. No coração de cada história, porém, estava a história de uma amizade tocante e não declarada entre dois homens que não poderiam ser mais diferentes. O prático, direito, formidável Watson, e o etéreo, frio e arrogante Holmes. Amei os dois desde o momento em que li "para Sherlock Holmes, ela é sempre *a* mulher", instantaneamente cativado pela possibilidade de romance, pela melancólica sugestão de perda. Nessas histórias, vemos detalhes deliciosos do número 221B da Baker Street, as primeiras referências a casos que jamais leremos (a Câmara Paradol! A Sociedade de Mendigos Amadores! A loucura do coronel Warburton!) e mais provas do gênio frio, mas estarrecedor de Holmes.

Quando Steven Moffat e eu tivemos a ideia de modernizar as histórias (ou modernizá-las *de novo*, porque Rathbone e Bruce chegaram lá primeiro!), não foi por falta de amor àquele lindo mundo do fim da era vitoriana. Na verdade, foi um desejo de quase literalmente soprar para longe a neblina que acabara consumindo aquela amizade imorredoura. Os detalhes, parecia-nos, haviam *se tornado* Holmes e Watson. Queríamos voltar às brilhantes histórias originais e descobrir o que nos fizera amá-los inicialmente. Ao fazer isso, com um certo sucesso, fico feliz em dizer, conseguimos dramatizar certas coisas pouco ou nunca abordadas em adaptações anteriores. O fatídico primeiro encontro no Hospital Bart's, Holmes espancando cadáveres para verificar a extensão dos hematomas após a morte, o ferimento de guerra curiosamente móvel de Watson, a ignorância estarrecedora de Holmes sobre assuntos que não lhe interessam — como o fato de que a Terra gira ao redor do Sol! Ficamos comovidos e encantados com a reação aos nossos garotos de Baker Street, mas é sempre a Doyle que retornamos. Todas as vezes que um problema surge, a resposta está com Sir Arthur. Por exemplo, esta pérola que encontrei ao reler "Uma Questão de Identidade". Holmes e Watson observam uma mulher que procura hesitantemente o endereço deles: "Já vi esses sintomas antes — disse Holmes, jogando o cigarro no fogo. — Oscilação na calçada sempre indica um *affaire de cœur*. Ela quer conselhos, mas não sabe ao certo se a questão não é delicada demais para ser comunicada. Ainda assim, mesmo nisso podemos

# INTRODUÇÃO

discriminar. Quando uma mulher foi seriamente injustiçada por um homem, não oscila mais, e o sintoma mais comum é o cordão da campainha arrancado".

Não dá para ser mais puro ou mais maravilhoso do que isso.

Depois de devorar *As Aventuras*, fui acometido pelo tolo desejo de ler todas as histórias, e sair correndo para comprar *The Complete Sherlock Holmes*. Naturalmente, como Steven gosta de salientar, só um nerd total imaginaria que o fato de ter lido todas as histórias de Sherlock Holmes seria visto como um emblema de honra no playground! Lamento até hoje não ter levado mais tempo para saboreá-las melhor. Ainda possuo aquela edição tremendamente surrada, e embora ame cada página amarelada e fique encantado com a miríade de prazeres que ela contém, aquela primeira série de histórias, *As Aventuras*, continuam as minhas favoritas.

Portanto, para citar aquela introdução da brochura da Pan de tanto tempo atrás, gostaria de estar lendo estas histórias pela primeira vez. Se você nunca virou estas páginas sagradas antes, se nunca mergulhou num mundo de casas de ópio e padrastos satânicos, de pedras preciosas banhadas em sangue e vingativas sociedades secretas, eu invejo você. De verdade. Vai passar os melhores momentos de sua vida.

**Mark Gatiss**

*Ator, roteirista e escritor britânico. Escreveu roteiros para as séries inglesas* Doctor Who *e* Sherlock, *nas quais também participou como ator.*

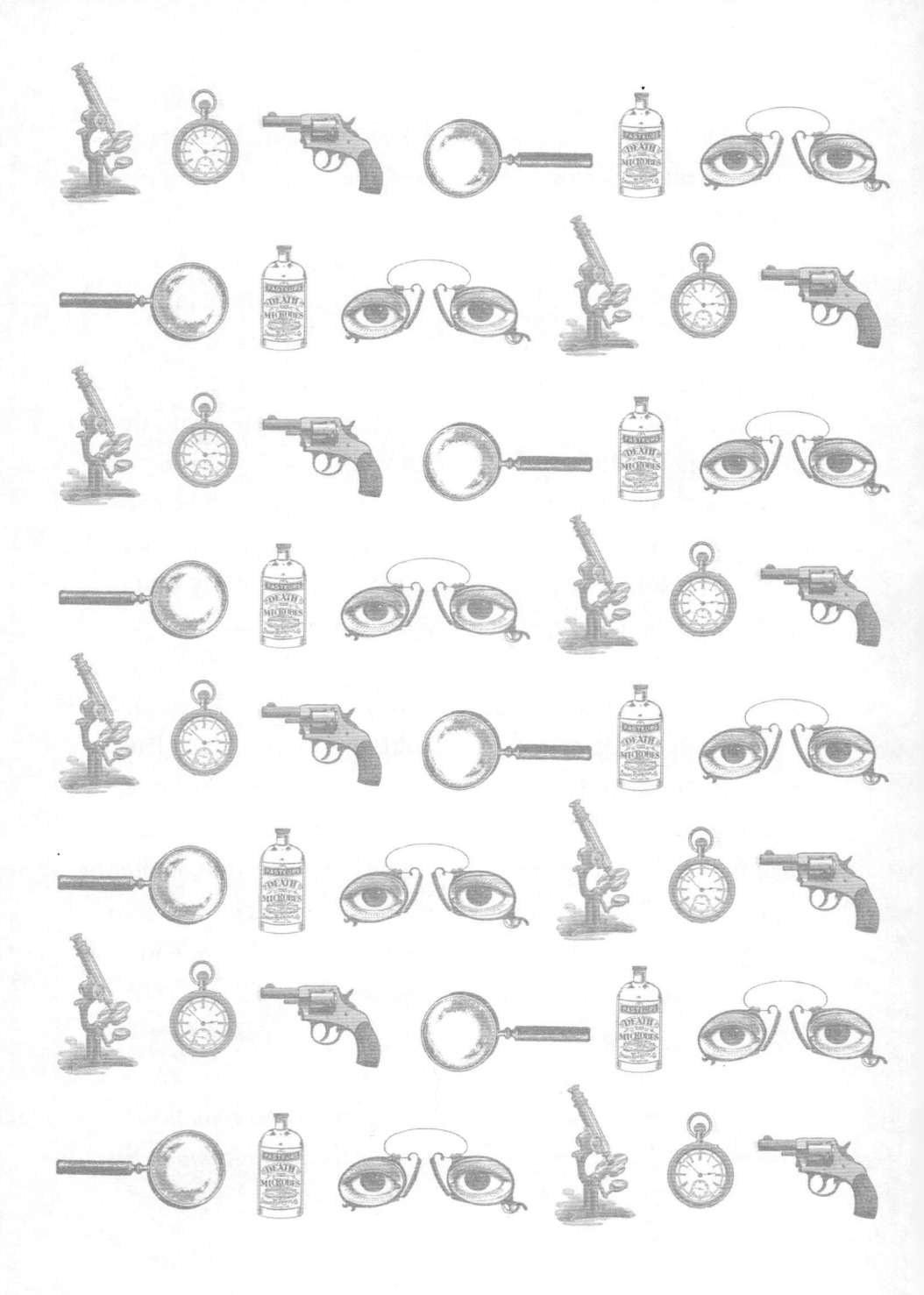
PASTEURS
DEATH
MICROBES

## *um*
# UM ESCÂNDALO NA BOÊMIA

I

Para Sherlock Holmes, ela é sempre *a* mulher. Raramente o ouvi mencioná-la por qualquer outro nome. Aos seus olhos, ela eclipsa todas do seu sexo e predomina sobre elas. Não que ele sentisse qualquer emoção semelhante a amor por Irene Adler. Qualquer emoção — e essa em particular — era detestável para sua mente fria, precisa, porém admiravelmente equilibrada. Ele era, imagino, a mais perfeita máquina de raciocínio e observação que o mundo já vira, mas como amante, teria se colocado numa posição falsa. Nunca falava das paixões mais suaves a não ser com troça e desdém. Eram objetos admiráveis para o observador — excelentes para erguer o véu que camufla os motivos e as ações dos homens.

Mas para alguém tão treinado no racional, admitir tais intrusões em seu temperamento sensível e precisamente ajustado significaria introduzir um fator de distração que poderia pôr em dúvida todos os seus resultados mentais. Areia num instrumento delicado, ou uma trinca numa de suas poderosas lentes, seriam coisas menos perturbadoras do que uma forte emoção, para uma natureza como a dele. No entanto, só existia uma mulher para ele, e essa mulher era a saudosa Irene Adler, de duvidosa e questionável memória.

Eu pouco vira Holmes ultimamente. Meu casamento nos afastara. Minha felicidade total, e os interesses caseiros que surgem ao redor do homem que se vê pela primeira vez senhor de sua situação, eram suficientes para absorver toda a minha atenção; enquanto Holmes, que abominava qualquer forma de convívio social com toda a sua alma boêmia, permaneceu em nossos aposentos na Baker Street, trancado com seus livros antigos, alternando semanas entre a cocaína e a ambição, a letargia da droga e a energia feroz de sua natureza astuta. Continuava, como sempre, profundamente atraído pelo estudo do crime e ocupava suas imensas faculdades e seus extraordinários poderes de observação seguindo as pistas e esclarecendo os mistérios, abandonados como insolúveis pela polícia oficial. De vez em quando, eu ouvia algum relato vago de seus feitos: de como foi convocado a Odessa no caso do assassinato de Trepoff, de como esclareceu a singular tragédia dos irmãos Atkinson em Trincomalee, e finalmente, da missão que ele desempenhara tão delicada e exitosamente para a família real da Holanda. Além desses sinais de atividade, porém, dos quais ficava a par junto com todos os leitores da imprensa diária, eu pouco sabia sobre meu antigo amigo e colega.

Uma noite — foi em 20 de março de 1888 —, eu estava regressando de uma visita a um paciente (pois havia voltado à medicina civil) quando meu caminho me fez enveredar pela Baker Street. No momento em que passei pela porta de que me lembrava tão bem, e que em minha mente sempre estará associada ao meu idílio, e aos incidentes sombrios do Estudo em Vermelho, fui acometido pelo agudo desejo de ver Holmes de novo, e saber como ele andava empregando seus poderes extraordinários. Seus aposentos estavam bem iluminados, e, ao olhar para cima, vi sua figura alta e magra passar duas vezes em silhueta atrás das cortinas. Estava andando pelo quarto rápida e ansiosamente, com a cabeça apoiada no peito e as mãos unidas às costas. Para mim, que conhecia cada humor e hábito seu, essa atitude e os gestos contavam uma história. Ele estava trabalhando de novo. Erguera-se de seus sonhos induzidos por drogas e se ocupara de algum novo problema. Toquei a campainha e fui introduzido à sala que já fora em parte minha.

Sua atitude não foi efusiva. Raramente era, mas acho que ele ficou feliz em me ver. Mal dizendo uma palavra, mas com olhar gentil, me indicou uma poltrona, jogou-me sua caixa de charutos e apontou para as garrafas de bebida e de soda no canto. Em seguida, parou diante da lareira e me olhou de alto a baixo, à sua singular maneira introspectiva.

— O casamento lhe fez bem — ele comentou. — Acho que você engordou três quilos e meio desde a última vez que o vi, Watson.

— Três — respondi.

— De fato, eu deveria ter pensado um pouco mais. Só um bocadinho mais, imagino, Watson. E está praticando a medicina novamente, observo. Você não me disse que pretendia voltar a trabalhar.

— Então, como sabe?

— Estou vendo, deduzi isso. Sei também que você andou se molhando muito ultimamente, e que tem uma criada estabanada e descuidada.

— Meu caro Holmes — eu disse —, isso é demais. Você certamente teria ido para a fogueira, se vivesse há alguns séculos. É verdade que fiz uma caminhada pelo campo na quinta-feira e cheguei em casa ensopado, mas como já troquei de roupa, não consigo imaginar como deduziu isso. Quanto a Mary Jane, ela é incorrigível, e minha esposa já avisou que irá dispensá-la, mas, mais uma vez, não vejo como você chegou a essa conclusão.

Ele riu baixinho e esfregou as mãos longas e nervosas.

— É a coisa mais simples — disse —; meus olhos me dizem que no lado de dentro do seu sapato esquerdo, bem onde o clarão da lareira o ilumina, o couro está riscado por seis cortes quase paralelos. Obviamente, foram causados por alguém que raspou muito descuidadamente as bordas da sola para remover o barro grudado nela. Daí, como vê, minha dupla dedução de que você enfrentou o mau tempo e deixou seus sapatos aos cuidados de um espécime particularmente ruim da vassalagem londrina. Quanto à medicina, se um cavalheiro entra nos meus aposentos cheirando a iodofórmio, com uma marca preta de nitrato de prata no indicador direito e um volume do lado direito da cartola, que revela onde escondeu seu estetoscópio, eu seria muito lerdo se não o reconhecesse como um membro praticante da profissão médica.

Não pude deixar de rir com a facilidade com que ele explicava seu processo de dedução.

— Ao lhe ouvir apresentar suas razões — comentei —, a coisa sempre me parece tão ridiculamente simples que eu poderia facilmente fazer o mesmo, mas a cada nova instância do seu raciocínio, fico embasbacado até você explicar o processo. No entanto, acredito que meus olhos sejam tão bons quanto os seus.

— Certamente — ele respondeu, acendendo um cigarro e se jogando sobre uma poltrona. — Você vê, mas não observa. A distinção é clara. Por exemplo, já viu frequentemente os degraus que levam da entrada até esta sala.

— Frequentemente.

— Quão frequentemente?

— Bem, algumas centenas de vezes.

— Quantos são, então?

— Quantos? Não sei.

— Exato! Você não observou. No entanto, viu. É disso mesmo que estou falando. Agora, eu sei que são 17 degraus, porque não só os vi, mas também observei. A propósito, já que você se interessa por esses pequenos problemas, e já que teve a bondade de narrar uma ou outra de minhas experiências corriqueiras, pode se interessar por isto. — Ele me passou uma folha de papel grosso e rosado, que estava aberta sobre a mesa. — Chegou com as últimas correspondências — disse. — Leia em voz alta.

O bilhete não tinha data, nem assinatura ou endereço.

"O senhor será visitado hoje à noite, às 19h45", dizia, "por um cavalheiro que deseja consultá-lo numa questão da mais profunda urgência. Seus recentes serviços a uma das famílias reais da Europa demonstraram que podem-se confiar ao senhor assuntos cuja importância dificilmente poderia ser exagerada. Tal relato sobre o senhor todas as fontes nos fizeram. Esteja em seus aposentos, então, na hora marcada, e não estranhe se o visitante usar uma máscara."

— Isso é de fato um mistério — comentei. — O que você imagina que signifique?

— Ainda não tenho dados. É um erro capital tecer teorias antes de obter dados. Insensivelmente, a pessoa começa a torcer os fatos para adequá-los às teorias, em vez de adequar as teorias aos fatos. Mas o bilhete em si. O que deduz dele?

Examinei cuidadosamente a letra e o papel na qual estava escrita.

— O homem que escreveu isto é presumivelmente abastado — declarei, tentando imitar os processos do meu colega. — Papel assim não deve custar menos de meia coroa o maço. É peculiarmente duro e resistente.

— Peculiar, essa é a palavra certa — disse Holmes. — Não é papel inglês, de forma alguma. Olhe-o contra a luz.

Fiz isso e vi um grande *E* com um pequeno *g*, um *P*, e um grande *G* com um *t* pequeno gravados na textura do papel.

— O que me diz disso? — perguntou Holmes.

— O nome do fabricante, sem dúvida; ou melhor, seu monograma.

— De modo algum. O *G* seguido de um *t* é a abreviação de "Gesellschaft", que significa "Companhia" em alemão. É uma abreviação comum, como nossa "Cia.". *P*, naturalmente, é de "Papier". Agora, o "Eg". Consultemos nosso dicionário geográfico continental. — Ele puxou um pesado volume marrom da estante. — Eglow, Eglonitz — aqui está: Egria. É um país de língua alemã[*] — na Boêmia, não distante de Carlsbad. "Notável por ter sido o local da morte de Wallenstein, e por suas numerosas fábricas de vidro e de papel." Ha,

---

[*] Em 1888, a unificação dos muitos estados germânicos independentes no que viria a ser a Alemanha ainda não estava completa. (N. T.)

ha, meu rapaz, o que acha disso? — Seus olhos brilhavam, e ele soltou uma baforada triunfante de fumaça azul do cigarro.

— O papel foi feito na Boêmia — eu disse.

— Exatamente. E o homem que escreveu este bilhete é alemão. Note a construção peculiar da frase: "Tal relato sobre o senhor todas as fontes nos fizeram". Um francês ou um russo não poderiam ter escrito isso. Só os alemães são tão descorteses com os verbos. Só resta, portanto, descobrir o que deseja esse alemão que escreve em papel boêmio e prefere usar uma máscara a revelar seu rosto. E aí vem ele, se não me engano, para dirimir todas as nossas dúvidas.

Enquanto ele falava, ouviu-se o som marcante de cascos de cavalos e rodas raspando na calçada, seguido por um forte puxão na campainha. Holmes assobiou.

— Uma parelha, pelo som — disse. — Sim — continuou, espiando pela janela. — Um belo *brougham** e uma parelha de beldades. 150 guinéus cada. Haverá dinheiro neste caso, Watson, se não houver nada mais.

— Acho que é melhor que eu vá embora, Holmes.

— De modo algum, doutor. Fique onde está. Sinto-me perdido sem meu Boswell.** E este caso promete ser interessante. Seria uma pena perdê-lo.

---

* Carruagem fechada de quatro rodas, com o assento do cocheiro descoberto na frente. (N. T.)

** James Boswell (1740-1795), advogado e memorialista inglês. Seu nome se tornou sinônimo de admirador e estudioso devotado por ele ser o biógrafo fiel de Samuel Johnson. (N. T.)

— Mas seu cliente...

— Não se preocupe com ele. Posso precisar de sua ajuda, e ele também. Aí vem ele. Sente-se naquela poltrona, doutor, e preste atenção em nós.

Um passo lento e pesado, que se fizera ouvir na escada e no corredor, parou imediatamente à porta. Em seguida, uma batida alta e autoritária.

— Entre! — disse Holmes.

Entrou um homem que não devia medir menos de 1,97 m de altura, com o peito e os membros de um Hércules. Sua roupa era rica, de uma riqueza que, na Inglaterra, seria vista como beirando o mau gosto. Pesadas faixas de astracã se cruzavam nas mangas e na frente do casaco trespassado, ao passo que a capa azul-escura jogada sobre os ombros era forrada de seda cor de fogo e presa ao pescoço com um broche que consistia num flamejante berilo maciço. Botas que iam até o meio das canelas, arrematadas com rica pele marrom no alto, completavam a impressão de bárbara opulência que toda a aparência do indivíduo sugeria. Ele carregava um chapéu de aba larga na mão, e usava sobre a parte superior do rosto, estendendo-se até abaixo das bochechas, uma máscara preta de festa, que aparentemente acabara de colocar, já que sua mão ainda estava nela quando entrou. Pela parte de baixo do rosto, parecia um homem de personalidade forte, com lábios grossos e salientes, e um queixo longo e reto que sugeria resolução levada aos extremos da teimosia.

— Recebeu meu bilhete? — ele perguntou com voz grave e áspera e forte sotaque alemão. — Avisei que viria. — Ele olhava alternadamente para cada um de nós, como se não soubesse ao certo a quem se dirigir.

— Por favor, sente-se — disse Holmes. — Este é meu amigo e colaborador, Dr. Watson, que ocasionalmente tem a bondade de me ajudar em meus casos. Com quem tenho a honra de falar?

— Pode me chamar de conde Von Kramm, nobre boêmio. Suponho que esse cavalheiro, seu amigo, seja um homem honrado e discreto, a quem eu possa confidenciar um assunto da mais extrema importância. Caso contrário, eu preferiria me comunicar a sós com o senhor.

Levantei-me para sair, mas Holmes me segurou pelo pulso e me fez sentar de novo.

— Somos nós dois ou ninguém — disse. — Pode dizer diante deste cavalheiro qualquer coisa que diria a mim.

O conde deu de ombros.

— Então devo começar — disse — fazendo os dois prometerem o mais absoluto segredo por dois anos; ao fim desse prazo, o assunto não terá importância alguma. No presente momento, não é exagero dizer que ele é de tal peso que pode exercer influência sobre a história europeia.

— Prometo — disse Holmes.

— Eu também.

— Perdoem-me pela máscara — continuou nosso estranho visitante. — A augusta pessoa que me contratou deseja que não conheçam o seu agente, e devo confessar desde já que o título pelo qual acabo de me chamar não é exatamente meu.

— Eu já sabia — disse Holmes, secamente.

— As circunstâncias são muito delicadas, e toda precaução deve ser tomada para abafar o que poderia se tornar um imenso escândalo e comprometer seriamente uma das famílias reais da Europa. Para ser franco, a questão envolve a grande Casa de Ormstein, os reis hereditários da Boêmia.

— Isso eu também já sabia — murmurou Holmes, ajeitando-se na poltrona e fechando os olhos.

Nosso visitante olhou com alguma surpresa aparente para a figura lânguida e relaxada do homem que sem dúvida lhe fora indicado como o pensador mais incisivo e o agente mais energético da Europa. Holmes voltou a abrir os olhos lentamente e olhou para seu gigantesco cliente com impaciência.

— Se Vossa Majestade aceitasse relatar o seu caso — ele comentou —, eu ficaria em melhores condições de lhe aconselhar.

O homem saltou de sua poltrona e andou de um lado para o outro da sala, numa agitação incontrolável. Então, num gesto de desespero, arrancou a máscara do rosto e atirou-a ao chão.

— Tem razão — exclamou —; eu sou o rei. Por que deveria tentar esconder isso?

— Por quê, de fato? — murmurou Holmes. — Vossa Majestade mal abrira a boca e eu já estava ciente de que me dirigia a Wilhelm Gottsreich Sigismond von Ormstein, grão--duque de Cassel-Felstein e herdeiro do trono da Boêmia.

— Mas o senhor pode entender — disse nosso estranho visitante, sentando-se novamente e passando a mão na testa alta e branca —, pode entender que não estou acostumado a tratar de tais negócios pessoalmente. No entanto, a questão era tão delicada que eu não poderia confiá-la a um agente sem me colocar à sua mercê. Vim em segredo de Praga com o propósito de consultá-lo.

— Então consulte, por favor — disse Holmes, cerrando os olhos mais uma vez.

— Em resumo, os fatos são os seguintes: há uns cinco anos, durante uma longa visita a Varsóvia, conheci a famosa aventureira Irene Adler. Sem dúvida, o nome lhe deve ser familiar.

— Faça a gentileza de procurá-la no meu arquivo, doutor — murmurou Holmes sem abrir os olhos. Havia muitos anos, ele adotara um sistema para sumarizar todos os parágrafos relativos a pessoas e coisas, de modo que era difícil mencionar um assunto ou pessoa sobre o qual ele não pudesse imediatamente dar informações. Nesse caso, encontrei a biografia dela entre a de um rabino hebreu e a de um comandante da Marinha que escrevera uma monografia sobre peixes marinhos de águas profundas.

— Deixe-me ver! — disse Holmes. — Hum! Nascida em Nova Jersey no ano de 1858. Contralto, hum! La Scala, hum! Prima-dona da Ópera Imperial de Varsóvia, sim! Aposentada dos palcos operísticos, ha! Morando em Londres, com certeza! Vossa Majestade, pelo que entendo, se envolveu com esta jovem, escreveu-lhe algumas cartas comprometedoras, e agora deseja recuperar essa correspondência.

— Precisamente. Mas como...

— Houve um casamento secreto?

— Não.

— Nenhum documento ou certificado legal?

— Nenhum.

— Então não compreendo Vossa Majestade. Se essa jovem apresentar suas cartas para fazer chantagem ou qualquer outra finalidade, como irá provar sua autenticidade?

— Há a caligrafia.

— Bah! Falsificação.

— Meu papel de carta particular.

— Roubado.

— Meu selo pessoal.

— Imitado.

— Minha fotografia.

— Comprada.

— Ambos estamos na fotografia.

— Oh, céus! Isso é muito ruim! Vossa Majestade, de fato, cometeu uma indiscrição.

— Eu estava louco, fora de mim.

— Comprometeu-se gravemente.

— Eu era só príncipe herdeiro então. Era jovem. Mal fiz 30 anos agora.

— Ela precisa ser recuperada.

— Já tentamos e fracassamos.

— Vossa Majestade precisa pagar. A fotografia precisa ser comprada.

— Ela não vende.

— Roubada, então.

— Cinco tentativas foram feitas. Por duas vezes, ladrões a meu soldo vasculharam sua casa. Uma vez, interceptamos sua bagagem enquanto ela viajava. Duas vezes preparamos emboscadas. Nada disso surtiu efeito.

— Nem sinal da fotografia?

— Absolutamente nenhum.

Holmes riu.

— É um probleminha e tanto — disse.

— Mas muito sério para mim — retrucou o rei, em tom admoestador.

— De fato. E o que ela propõe fazer com a fotografia?

— Arruinar-me.

— Mas como?

— Estou para me casar.

— Fiquei sabendo.

— Com Clotilde Lothman von Saxe-Meningen, segunda filha do rei da Escandinávia. O senhor deve conhecer os rígidos princípios de sua família. Ela mesma é a própria delicadeza personificada. Se a sombra de uma dúvida for lançada sobre a minha conduta, tudo estará perdido.

— E Irene Adler?

— Ameaça enviar-lhes a fotografia. E fará isso. Sei que fará. O senhor não a conhece, mas ela tem uma alma de aço. Tem o rosto da mais linda das mulheres e a mente do mais determinado dos homens. Para não me ver casado com outra mulher, não há limite para o que ela fará, nenhum.

— Tem certeza de que ela ainda não a enviou?

— Tenho.

— E por quê?

— Porque ela disse que a enviaria no dia em que o compromisso fosse anunciado publicamente. Isso acontecerá na próxima segunda-feira.

— Oh, então ainda temos três dias — disse Holmes, bocejando. — Ainda bem, porque tenho um ou dois assuntos importantes para resolver, no momento. Vossa Majestade ficará, é claro, em Londres nos próximos dias?

— Certamente. Vai me encontrar no Hotel Langham, sob o nome de conde Von Kramm.

— Então enviarei um bilhete para informar sobre o progresso do caso.

— Por favor. Aguardarei ansiosamente.

— E quanto a dinheiro?

— O senhor tem carta branca.

— Absolutamente?

— Garanto que eu daria uma das províncias do meu reino para ter aquela fotografia.

— E quanto às despesas atuais?

O rei sacou de sua capa uma grossa bolsa de camurça e a pôs sobre a mesa.

— Aqui estão trezentas libras em ouro e setecentas em cédulas — disse.

Holmes rabiscou um recibo numa folha de seu caderno e o entregou.

— E o endereço da *mademoiselle*? — perguntou.

— Briony Lodge, Serpentine Avenue, St John's Wood.

Holmes anotou o endereço.

— Mais uma pergunta — disse. — A fotografia está emoldurada?

— Está.

— Então boa noite, Majestade, e acredito que logo lhe daremos boas notícias. E boa noite, Watson — ele acrescentou, enquanto as rodas do *brougham* real giravam rua abaixo. — Se tiver a bondade de me visitar amanhã à tarde, às 15h, gostaria de discutir este assunto com você.

II

Precisamente às 15h, eu estava na Baker Street, mas Holmes ainda não regressara. A senhoria me informou que ele saíra de casa pouco depois das oito da manhã. Sentei-me perto da lareira, de qualquer forma, com a intenção de aguardá-lo, por mais que se demorasse. Eu já estava profundamente interessado na investigação, pois, embora ela não fosse cercada por nenhuma das sombrias e estranhas características associadas com os dois crimes que eu já relatara, a natureza do caso e a elevada posição do cliente lhe conferiam, ainda assim, uma particularidade toda sua. De fato, à parte a natureza da investigação que meu amigo tinha em mãos, havia algo em seu domínio magistral de qualquer situação, e em seu raciocínio sagaz e incisivo, que transformava num prazer, para mim, o estudo do seu sistema de trabalho, e o acompanhamento dos métodos rápidos e sutis pelos quais ele desemaranhava os mistérios mais inextricáveis. Tão acostumado estava eu ao seu invariável sucesso que a possibilidade de seu fracasso cessara de passar-me pela mente.

Eram quase quatro horas quando a porta se abriu, e um cavalariço aparentemente ébrio, desalinhado e de costeletas, com o rosto afogueado e roupa pouco apresentável, entrou na sala. Mesmo acostumado como estava à assombrosa habilidade do meu amigo no uso de disfarces, tive de olhar três vezes até me certificar de que era mesmo ele. Com um gesto, ele desapareceu em seu quarto, de onde emergiu cinco minutos depois, trajado em *tweed* e respeitável, como de costume. Enfiando as mãos nos bolsos, esticou as pernas diante do fogo e riu gostosamente por alguns minutos.

— Ora, realmente! — exclamou, e então tossiu e riu novamente até que se viu obrigado a se reclinar, pálido e exausto, na poltrona.

— O que foi?

— É muito engraçado. Garanto que você jamais poderia adivinhar como passei a manhã, ou o que acabei fazendo.

— Nem consigo imaginar. Suponho que tenha observado os hábitos, e talvez a casa, da Srta. Irene Adler.

— Deveras, mas a sequência disso foi um tanto fora do comum. Contarei tudo, porém. Saí de casa pouco depois das oito da manhã, caracterizado como um cavalariço desempregado. Existe uma maravilhosa camaradagem e irmandade entre palafreneiros. Seja um deles e você ficará sabendo de tudo o que há para se saber. Logo encontrei Briony Lodge. É um palacetezinho delicado, com um jardim nos fundos, mas dando diretamente para a estrada, de dois andares. Fechadura Chubb na porta. Uma grande sala de estar à direita, bem mobiliada, com janelas altas, indo quase até o chão, e aqueles absurdos trincos ingleses de janelas que até uma criança consegue abrir. Atrás não havia nada de notável, a não ser o fato de que a janela do corredor podia ser alcançada do alto da estrebaria. Dei a volta e o examinei com atenção de todos os pontos de vista, mas sem notar mais nada de interessante.

"Então segui pela rua e descobri, como já imaginava, que havia um estábulo num beco paralelo a um dos muros do jardim. Ajudei os criados a escovar os cavalos e recebi em troca dois *pence*, um copo de uísque barato, duas cachimbadas de tabaco vagabundo e muito mais informações do que desejava sobre a Srta. Adler, isso sem mencionar mais meia dúzia de pessoas da vizinhança que não me interessavam minimamente, mas cujas biografias me vi compelido a escutar."

— E quanto a Irene Adler? — perguntei.

— Oh, ela virou a cabeça de todos os homens daquelas bandas. É a coisinha mais linda que já usou uma touca neste planeta. Ao menos é o que todos dizem na estrebaria da Serpentine. Leva uma vida tranquila, canta em recitais, sai de charrete às 17h todo dia, e retorna às 19h em ponto para jantar. Raramente sai em outros horários, a não ser quando canta. Só tem um visitante do sexo masculino, mas que aparece com frequência. Ele é moreno, bem-apessoado e galante; visita-a no mínimo uma vez por dia, e não raro, duas. É um tal de Sr. Godfrey Norton, do Inner Temple.* Veja a vantagem de se ter um cocheiro como confidente. A criadagem da estrebaria da Serpentine já levara o sujeito para casa uma dúzia de vezes, e sabia tudo a seu respeito. Depois de ouvir tudo o que tinham para me contar, comecei a andar mais uma vez de um lado para o outro perto de Briony Lodge, e a pensar no meu plano de campanha.

"Esse Godfrey Norton era, evidentemente, um fator importante da questão. Ele era advogado. Isso parecia ameaçador. Qual o relacionamento entre os dois, e qual o objetivo de suas repetidas visitas? Ela era sua cliente, amiga

---

* The Honourable Society of the Inner Temple, ou simplesmente Inner Temple [Templo Interior], é uma das quatro associações profissionais de advogados e magistrados de Londres, que existem até hoje e desempenham papel semelhante ao da OAB no Brasil. (N. T.)

ou amante? Se fosse cliente, provavelmente teria deixado a fotografia na custódia dele. Se fosse amante, isso era menos provável. Dessa questão dependia se eu iria continuar meu trabalho em Briony Lodge ou voltar minhas atenções para a sala do cavalheiro no Inner Temple. Era um assunto delicado, e expandia o campo de minha investigação. Temo entediar você com esses detalhes, mas preciso que veja minhas pequenas dificuldades para que entenda a situação."

— Estou acompanhando com atenção — respondi.

— Eu ainda estava ponderando a questão na minha cabeça quando um *hansom*\* parou em Briony Lodge e um cavalheiro saiu voando dele. Era um homem de beleza notável, nariz aquilino e bigode; evidentemente, o homem de quem eu ouvira falar. Parecia ter muita pressa, gritou para que o cocheiro o esperasse e passou pela criada que abriu a porta com o ar de alguém que se sentia completamente em casa.

"Ele ficou na casa cerca de meia hora, e eu podia vê-lo de relance pelas janelas da sala de estar, andando de um lado para o outro, falando exaltadamente e agitando os braços. Dela, eu não via nem sinal. Por fim, ele saiu, parecendo ainda mais agitado do que antes. Assim que entrou na carruagem, sacou um relógio de ouro do bolso e o olhou fixamente. 'Corra como o diabo', gritou, 'primeiro para Gross and Hankey's, na Regent

---

\* Carruagem leve de duas rodas com o assento do condutor atrás e por cima da cobertura, muito usada como táxi, e que leva o nome de seu criador, o engenheiro britânico Joseph Aloysius Hansom (1803-1882). (N. T.)

Street, e depois para a Igreja de Santa Mônica, na Edgware Road. Meio guinéu se você chegar lá em vinte minutos!'

"Lá se foram, e eu estava me perguntando se não faria bem em segui-los quando pelo beco veio um belo landauzinho, cujo cocheiro tinha o casaco abotoado somente pela metade, o nó da gravata debaixo da orelha, e todas as linguetas do arreio mal afiveladas. O veículo nem bem estacionara quando a jovem disparou da porta da casa e saltou para dentro dele. Só a vi de relance naquele momento, mas era uma mulher adorável, com um rosto pelo qual um homem poderia morrer.

"'Para a Igreja de Santa Mônica, John', ela exclamou, 'e meio soberano se você chegar lá em vinte minutos.'

"Era algo bom demais para se perder, Watson. Eu estava ponderando se deveria correr para lá ou simplesmente me aboletar atrás do landau dela quando uma charrete passou na rua. O cocheiro olhou ressabiado para este passageiro tão maltrapilho, mas saltei para dentro antes que ele pudesse protestar. 'Para a Igreja de Santa Mônica', eu disse, 'e meio soberano se você chegar lá em vinte minutos.' Faltavam 25 minutos para o meio-dia, e o que ia acontecer ficou bastante claro, naturalmente.

"Meu cocheiro era veloz. Acho que nunca corri tanto, mas os outros chegaram antes de nós. A outra carruagem e o landau, com seus cavalos fumegantes, já estavam diante da porta quando cheguei. Paguei ao homem e corri para dentro da igreja. Não havia vivalma lá, a não ser as duas que eu seguira e um sacerdote de batina, que parecia estar argumentando com o casal. Os três estavam agrupados diante do altar. Andei despreocupadamente pelo corredor lateral, como qualquer desocupado que entra numa igreja. De repente, para minha surpresa, o trio diante do altar se virou para me encarar, e Godfrey Norton veio correndo o mais rápido que pôde na minha direção.

"'Graças a Deus', ele exclamou. 'Você serve. Venha! Venha!'

"'O que foi?', perguntei.

"'Venha, homem, venha, somente três minutos, ou não terá validade legal.'

"Fui meio que arrastado até o altar, e antes de me dar conta de onde eu estava, me vi balbuciando respostas que eram sussurradas ao meu ouvido, garantindo coisas das quais nada sabia, e dando assistência geral ao enlace dos solteirões Irene Adler e Godfrey Norton. Tudo foi feito num instante, e então o cavalheiro me agradecia por um lado e a madame por outro, enquanto o sacerdote sorria largamente diante de mim. Era a situação mais absurda na qual já me encontrei na vida, e foi pensar nisso que me fez cair na risada ainda agora. Parecia que havia alguma informalidade na situação dos dois, que o sacerdote se recusava absolutamente a uni-los sem alguma testemunha, e que minha afortunada aparição salvou o noivo de ter que perambular pelas ruas em busca de um padrinho. A noiva me deu um soberano, e pretendo usá-lo na corrente do meu relógio em memória da ocasião."

— Essa é uma reviravolta inesperada — eu disse —; e depois?

— Bem, vi meus planos seriamente ameaçados. O casal parecia em vias de partir imediatamente, e isso requeria medidas rápidas e enérgicas de minha parte. Na porta da igreja, no entanto, os dois se separaram, ele voltando para o Inner Temple, e ela para a sua casa. "Irei para o parque às cinco, como de costume", disse ao se despedir dele. Não ouvi mais nada. Os dois partiram em direções diferentes, e eu fui fazer meus próprios preparativos.

— Que seriam?

— Um pouco de rosbife e um copo de cerveja — ele respondeu, tocando a sineta. — Estive ocupado demais para pensar em comer, e provavelmente ficarei ainda mais ocupado à noite. A propósito, doutor, vou precisar da sua cooperação.

— Será um prazer.

— Não se incomoda em infringir a lei?

— Nem um pouco.

— Nem em correr o risco de ser preso?

— Não por uma boa causa.

— Oh, a causa é excelente!

— Então sou quem você procura.

— Eu tinha certeza de que poderia contar com você.

— Mas o que deseja?

— Quando a Sra. Turner trouxer a bandeja, esclarecerei tudo. Bem — ele disse, ao se voltar com ar faminto para a refeição simples que nossa senhoria preparara —, preciso falar disso enquanto como, porque não tenho muito tempo. São quase cinco horas, agora. Daqui a duas horas, temos que estar no local da ação. A Srta. Irene, ou melhor, senhora, volta de seu passeio às sete. Precisamos estar em Briony Lodge à sua espera.

— E depois?

— Você deve deixar isso comigo. Já preparei o que deve acontecer. Só há uma coisa na qual preciso insistir. Você não deve interferir, haja o que houver. Entendeu?

— Devo ficar neutro?

— Não deve fazer nada. Provavelmente haverá alguns momentos desagradáveis. Não participe deles. No fim, serei levado para dentro da casa. Quatro ou cinco minutos depois, a janela da sala de estar se abrirá. Você deve ficar perto dessa janela aberta.

— Sim.

— Deve me observar, já que estarei visível para você.

— Sim.

— E quando eu erguer a mão, assim, você deve jogar na sala o objeto que eu lhe entregar e, ao mesmo tempo, dar o alerta de incêndio. Está entendendo tudo?

— Completamente.

— Não é nada tão formidável — ele disse, tirando um longo cilindro em formato de charuto do bolso. — É um defumador comum usado por encanadores, com uma tampa em cada extremidade para que se acenda sozinho. Sua tarefa se resume a isso. Quando você der o alerta, um número considerável de pessoas vai responder. Você pode, então, andar até o fim da rua, e eu irei ao seu encontro em dez minutos. Espero ter sido claro.

— Devo ficar neutro, chegar perto da janela, observar você, e ao seu sinal jogar este objeto, depois gritar que há um incêndio e esperar por você na esquina.

— Exatamente.

— Então pode confiar totalmente em mim.

— Ótimo. Acho que talvez já esteja quase na hora de me preparar para o novo papel que devo interpretar.

Ele desapareceu em seu quarto e retornou alguns minutos depois, caracterizado como um clérigo não conformista amigável e humilde. Seu chapéu preto largo, suas calças folgadas, sua gravata branca, seu sorriso simpático e seu ar geral de curiosidade observadora e benevolente eram tais que só o Sr. John Hare* poderia igualá-los. Holmes não mudava simplesmente seu disfarce. Sua expressão, seus modos, sua própria alma pareciam variar a cada novo papel que ele assumia. O palco perdeu um excelente ator, ao mesmo tempo que a ciência perdeu um pesquisador aguçado, quando ele se tornou um especialista em crimes.

Eram 18h15 quando saímos da Baker Street, e ainda faltavam dez minutos para o horário quando chegamos à Serpentine Avenue. Já escurecia, e os lampiões estavam sendo acesos enquanto andávamos de um lado para o outro em frente a Briony Lodge, esperando sua moradora. A casa era

---
* Ator britânico (1844-1921). (N. T.)

como eu a imaginara a partir da sucinta descrição de Sherlock Holmes, mas o local parecia menos discreto do que eu esperava. Ao contrário, para uma ruazinha de um bairro calmo, estava peculiarmente animada. Havia um grupo de homens malvestidos fumando e rindo numa esquina, um amolador de tesouras com seu rebolo, dois vigias flertando com uma enfermeira, e vários jovens elegantes passeando de charuto na boca.

— Veja bem — comentou Holmes, enquanto andávamos de um lado para o outro em frente à casa —, esse casamento até que simplifica as coisas. A fotografia, agora, se torna uma faca de dois gumes. É provável que ela seja tão contrária a que a imagem seja vista pelo Sr. Godfrey Norton quanto nosso cliente não quer que ela chegue aos olhos de sua princesa. Bem, a questão é: onde vamos encontrar a fotografia?

— De fato, onde?

— É bastante improvável que ela a carregue consigo. Está emoldurada, é do tamanho de um quadro. Grande demais para ser facilmente escondida nos trajes de uma mulher. Ela sabe que o rei é capaz de mandar lhe preparar uma emboscada e revistá-la. Duas tentativas desse tipo já foram feitas. Podemos presumir, portanto, que ela não carrega a fotografia consigo.

— Onde está, então?

— Com seu banqueiro ou seu advogado. Existe essa dupla possibilidade. Mas estou inclinado a descartá-la. As mulheres são naturalmente misteriosas, e gostam de guardar seus próprios mistérios. Por que ela a entregaria a qualquer outra pessoa? Pode confiar em sua própria guarda, mas não tem como saber que influência indireta ou política pode ser exercida sobre um homem de negócios. Além disso, lembre-se, ela estava disposta a usá-la em poucos dias. Deve estar num lugar acessível. Deve estar na casa dela.

— Mas a casa foi invadida duas vezes.

— Pfah! Eles não sabiam onde procurar.

— Mas como você vai procurar?

— Eu não vou procurar.

— O que fará, então?

— Farei com que ela me mostre.

— Mas ela vai se recusar.

— Não vai conseguir. Mas ouço o barulho de rodas. É a carruagem dela. Agora cumpra minhas ordens à risca.

Enquanto ele falava, o brilho das lanternas de uma carruagem surgiu na curva da avenida. Era um belo landauzinho que sacolejou até a porta de Briony Lodge. Ao parar, um dos desocupados da esquina correu para abrir a porta, na esperança de ganhar uma moeda, mas foi afastado às cotoveladas por outro desocupado, que correra com a mesma intenção. Uma disputa feroz começou, agravada pelos dois vigias, que tomaram o partido de um dos pedintes, e pelo amolador de tesouras, igualmente exaltado em favor do outro. Um soco foi desferido, e num instante a dama, que havia descido da carruagem, estava no meio de um pequeno aglomerado de homens furiosos e agitados que se golpeavam de maneira selvagem com punhos e porretes. Holmes correu para o meio da multidão para proteger a dama; mas assim que chegou perto dela, deu um grito e desabou no chão, com sangue escorrendo do rosto. Quando ele caiu, os vigias desabalaram numa direção e os pedintes, na outra, enquanto várias pessoas mais bem-vestidas, que assistiram à refrega sem tomar parte nela, se aproximaram para ajudar a dama e cuidar do ferido. Irene Adler, como continuarei a chamá-la, subira correndo os degraus, mas ela parou no alto, com sua figura soberba em silhueta contra as luzes da sala, ainda olhando para a rua.

— O pobre homem está muito ferido? — ela perguntou.

— Está morto — gritaram várias vozes.

— Não, não, ainda está com vida! — gritou outra voz. — Mas não vai durar até que o levem para o hospital.

— O sujeito é corajoso — disse uma mulher. — Iam roubar a bolsa e o relógio da madame, se não fosse por ele. Era uma quadrilha, e das mais violentas. Ah, ele está respirando, agora.

— Não pode ficar deitado no meio da rua. Podemos levá-lo para dentro, moça?

— Claro. Tragam-no para a sala de estar. Tem um sofá confortável. Por aqui, por favor!

Lenta e solenemente, ele foi carregado para Briony Lodge e acomodado na sala principal, enquanto eu continuava observando os acontecimentos do meu posto perto da janela. As lâmpadas haviam sido acesas, mas a cortina não estava fechada, assim eu podia ver Holmes deitado no sofá. Não sei se ele estava compungido, naquele momento, pelo papel que interpretava, mas sei que nunca na vida me senti mais sinceramente envergonhado de mim mesmo do que ao ver a linda criatura contra a qual eu estava conspirando, ou a graça e a gentileza com as quais ela cuidava do ferido. No entanto, seria a traição mais negra com Holmes recuar agora da missão que ele me confiara. Endureci meu coração e tirei o defumador de debaixo do meu sobretudo. Afinal, pensei, não a estamos prejudicando. Estamos apenas impedindo que ela prejudique outra pessoa.

Holmes havia se sentado no sofá, e o vi gesticular como alguém que está precisando de ar. Uma criada correu pela sala e abriu a janela. No mesmo instante, eu o vi erguer a mão, e ao sinal, joguei meu defumador na sala, gritando:

— Fogo! — a palavra mal havia saído da minha boca, e toda a multidão de espectadores, bem e malvestidos — cavalheiros, cavalariços e criadas —, uniu-se numa gritaria geral de "Fogo!". Espessas nuvens de fumaça espiralavam pela sala e saíam pela janela aberta. Vislumbrei silhuetas correndo, e um momento depois, a voz de Holmes lá de dentro, assegurando que era um falso alarme. Esgueirando-me pela multidão barulhenta, abri caminho até a esquina, e em dez minutos me alegrei ao ver meu amigo me dando o braço, e se afastando do local da confusão. Ele andou rápida e silenciosamente por alguns minutos, até que viramos numa das ruas tranquilas que levavam para a Edgware Road.

— Você se saiu muito bem, doutor — ele comentou. — Nada poderia ter sido melhor. Está tudo certo.

— Está com a fotografia?

— Sei onde está.

— E como descobriu?

— Ela me mostrou, como eu disse que mostraria.

— Continuo no escuro.

— Não desejo fazer disso um mistério — ele disse rindo. — A questão era perfeitamente simples. Você, é claro, percebeu que todos na rua eram cúmplices. Todos foram contratados para esta noite.

— Supus isso.

— Então, quando a rusga eclodiu, eu tinha um pouco de tinta vermelha fresca na palma da minha mão. Corri para a frente, caí, passei a mão no rosto e me tornei um espetáculo lamentável. É um truque antigo.

— Isso eu também pude deduzir.

— Então me levaram para dentro. Ela precisava permitir. O que mais poderia fazer? E para a sua sala de estar, exatamente o aposento do qual eu suspeitava. Era esse ou seu dormitório, e eu estava determinado a descobrir qual. Deitaram-me num sofá, afetei falta de ar, eles se viram obrigados a abrir a janela, e você teve sua chance.

— Como isso ajudou você?

— Foi da maior importância. Quando uma mulher acha que sua casa está pegando fogo, seu instinto é correr imediatamente para a coisa que mais valoriza. É um ímpeto completamente avassalador, e mais de uma vez já tirei vantagem dele. No caso do Escândalo da Substituição de Darlington, ele me foi útil, e também no assunto do Castelo de Arnsworth. Uma mulher casada pega seu bebê; uma solteira pega a sua caixa de joias. Pois bem, estava claro para mim que nossa dama de hoje não tinha nada em casa mais precioso para ela do que o objeto que buscamos. Ela correria para protegê-lo. O alerta de incêndio foi admirável. A fumaça e os gritos eram suficientes para abalar nervos de aço. Ela reagiu lindamente. A fotografia está num nicho atrás de um painel deslizante, logo acima do cordão direito da sineta. Ela chegou ali num instante, e pude ver a fotografia de relance quando começou a puxá-la. Quando gritei que era um alarme falso, ela a devolveu, olhou para o defumador, saiu correndo da sala e não a vi mais. Levantei-me e, me desculpando, escapei da casa. Hesitei, pensando em tentar subtrair a fotografia na hora; mas o cocheiro entrara, e como ele me olhava com atenção, achei mais seguro esperar. Um pouco de precipitação poderia estragar tudo.

— E agora? — perguntei.

— Nossa busca está praticamente encerrada. Irei visitá-la com o rei amanhã, e com você, se quiser ir conosco. Seremos introduzidos à sala de estar para esperar a madame, mas é provável que quando ela chegar, não encontrará nem a nós, nem à fotografia. Pode ser uma satisfação para Sua Majestade reavê-la com suas próprias mãos.

— E quando irá visitá-la?

— Às oito da manhã. Ela não estará acordada, por isso poderemos agir sem impedimentos. Além disso, precisamos ser rápidos, porque esse casamento pode significar uma mudança completa na vida e nos hábitos da moça. Preciso enviar um telegrama para o rei sem demora.

Havíamos chegado à Baker Street, e paramos na porta. Ele procurava a chave nos bolsos quando alguém, passando, disse:

— Boa noite, Sr. Sherlock Holmes.

Havia várias pessoas na calçada naquele momento, mas a saudação parecia ter vindo de um esbelto jovem de sobretudo, que andava rapidamente.

— Já ouvi essa voz — disse Holmes, olhando para a rua pouco iluminada. — Mas me pergunto quem diabos poderia ser.

## III

Dormi na Baker Street naquela noite, e estávamos ocupados com nossas torradas e o café da manhã quando o rei da Boêmia irrompeu na sala.

— Está realmente com a fotografia?! — ele exclamou, agarrando Sherlock Holmes pelos ombros e olhando-o ansiosamente no rosto.

— Ainda não.

— Mas tem esperanças?

— Tenho esperanças.

— Então venha. Estou impaciente para partir.

— Precisamos chamar uma carruagem.

— Não, o meu *brougham* está esperando.

— Isso simplificará as coisas, então. — Descemos e partimos mais uma vez para Briony Lodge.

— Irene Adler está casada — comentou Holmes.

— Casada! Desde quando?

— Ontem.

— Mas com quem?

— Com um advogado inglês chamado Norton.

— Mas ela não pode amá-lo.

— Espero que ela o ame.

— E por que espera?

— Porque isso pouparia Vossa Majestade de qualquer temor de um aborrecimento futuro. Se essa mulher ama o seu marido, não ama Vossa Majestade. Se ela não ama Vossa Majestade, não tem motivo para interferir no seu plano.

— É verdade. No entanto...! Bem! Gostaria que ela fosse da minha posição! Que rainha teria sido! — Ele recaiu num silêncio tristonho, que não foi quebrado até chegarmos à Serpentine Avenue.

A porta de Briony Lodge estava aberta, e uma senhora estava parada nos degraus. Ela nos observou com um olhar sardônico quando descemos da carruagem.

— O Sr. Sherlock Holmes, suponho? — disse.

— Sou o Sr. Holmes — respondeu meu colega, olhando-a com ar interrogativo e um tanto surpreso.

— De fato! Minha senhora avisou que o senhor provavelmente apareceria. Ela viajou hoje de manhã com seu marido, no trem das 5h15 que parte de Charing Cross para o continente.

— O quê?! — Sherlock Holmes cambaleou para trás, branco de consternação e surpresa. — Quer dizer que ela partiu da Inglaterra?

— Para nunca mais voltar.

— E as cartas? — perguntou o rei com voz rouca. — Tudo está perdido.

— Veremos. — Holmes passou pela criada e correu para a sala de estar, seguido pelo rei e por mim. A mobília estava espalhada em todas as direções, com prateleiras desmanteladas e gavetas abertas, como se a dama as tivesse vasculhado apressadamente antes da fuga. Holmes correu para a sineta, abriu um pequeno painel deslizante e, enfiando a mão, puxou para fora uma fotografia e uma carta. A fotografia era da própria Irene Adler num vestido longo, a carta estava endereçada ao "Sr. Sherlock Holmes. Deve permanecer aqui até ser procurada". Meu amigo rasgou o envelope e nós três a lemos juntos. Estava datada da meia-noite passada e dizia o seguinte:

Meu Caro Sr. Sherlock Holmes

O senhor preparou tudo muito bem. Enganou-me completamente. Até depois do alerta de incêndio, não suspeitei de nada. Mas então, quando percebi como eu me traíra, comecei a pensar. Eu havia sido avisada a respeito do senhor meses atrás. Disseram-me que, se o rei empregasse um agente, certamente seria o senhor. E seu endereço me fora dado. Contudo, o senhor fez com que eu revelasse o que desejava saber. Mesmo depois de ficar desconfiada, eu achava difícil pensar algo ruim de um velho clérigo tão amável e gentil. Mas, sabe, também tive aulas de teatro. Vestir-me de homem não é nada novo para mim. Muitas vezes tiro vantagem da liberdade que isso me dá. Mandei John, o cocheiro, vigiar o senhor, corri para cima, vesti minha roupa de passeio, como eu a chamo, e desci no momento em que o senhor saía.

Bem, eu o segui até a sua porta, e assim me certifiquei de que eu realmente era o objeto do interesse do célebre Sr. Sherlock Holmes. Então, um tanto imprudentemente, lhe desejei boa-noite, e fui para Inner Temple ver meu marido.

Ambos chegamos à conclusão de que o melhor recurso seria a fuga, quando perseguidos por tão formidável antagonista; por isso, o senhor achará o ninho vazio quando o visitar amanhã. Quanto à fotografia, seu cliente pode ficar em paz. Amo e sou amada por um homem melhor do que ele. O rei pode fazer o que quiser, sem oposição daquela que ele injustiçou tão cruelmente. Guardarei a fotografia somente para me garantir, e para conservar uma arma que sempre me protegerá de quaisquer ações que ele possa empreender no futuro. Deixo uma fotografia que ele pode querer possuir, e permaneço, caro Sr. Sherlock Holmes, Sinceramente sua,

Irene Norton, *née*\* Adler

— Que mulher, oh, que mulher! — exclamou o rei da Boêmia, depois que os três lemos a epístola. — Não falei quão esperta e resoluta ela era? Não teria sido uma rainha admirável? Não é uma pena que ela não seja do meu nível?

— Pelo que vi dessa dama, ela parece, de fato, estar num nível bem diferente de Vossa Majestade — Holmes disse friamente. — Lamento não ter conseguido levar o assunto de Vossa Majestade a uma conclusão mais exitosa.

— Ao contrário, caro senhor — exclamou o rei —, nada poderia ser mais exitoso. Sei que a palavra dela é inquebrável. A fotografia está agora tão segura quanto se tivesse sido lançada ao fogo.

— Fico feliz em ouvir Vossa Majestade dizer isso.

— Estou imensamente em dívida com o senhor. Rogo--lhe que me diga de que maneira poderei recompensá-lo. Este

---

\* "Nascida", em francês no original. Expressão que indica o nome de solteira de uma mulher. (N. T.)

anel... — Ele tirou um anel de esmeraldas em formato de serpente do dedo e o mostrou na palma da mão.

— Vossa Majestade tem algo a que eu daria ainda mais valor — disse Holmes.

— É só me dizer o que é.

— Esta fotografia!

O rei olhou para ele, estarrecido.

— A fotografia de Irene! — exclamou. — Certamente, se é o que deseja.

— Agradeço a Vossa Majestade. Então não há mais o que fazer nesta questão. Tenho a honra de lhe desejar um ótimo dia. — Ele se curvou e, virando-se sem olhar para a mão que o rei lhe estendera, partiu em minha companhia para os seus aposentos.

E foi assim que um grande escândalo ameaçou afetar o reino da Boêmia, e os melhores planos do Sr. Sherlock Holmes foram derrotados pela astúcia de uma mulher. Ele costumava caçoar da inteligência das mulheres, mas não o ouvi mais fazer isso ultimamente. E quando fala de Irene Adler, ou quando se refere à sua fotografia, é sempre com o honorável título de *a* mulher.

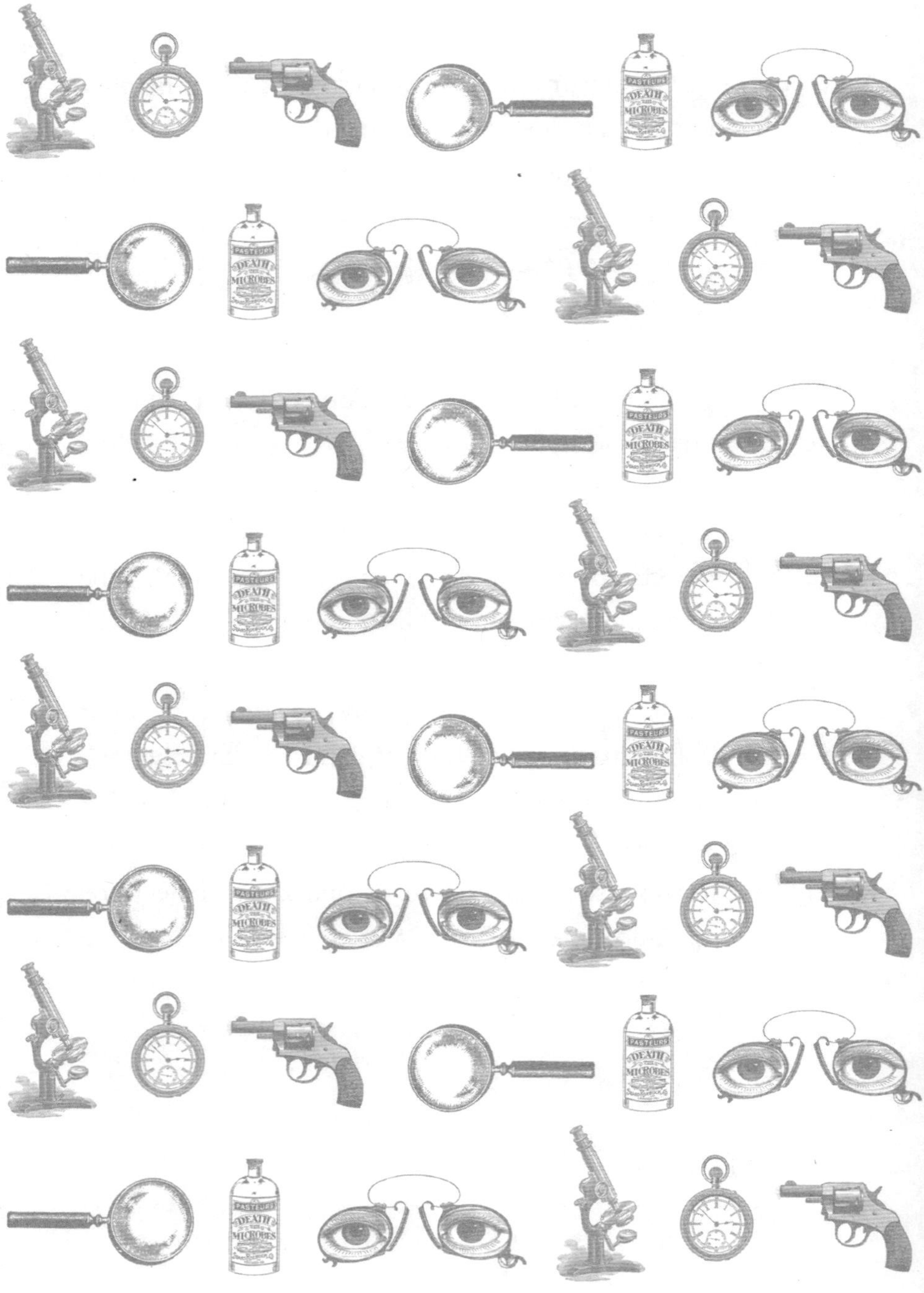
PASTEURS
DEATH
MICROBES

*dois*
# A LIGA DOS RUIVOS

Visitei o meu amigo, o Sr. Sherlock Holmes, em um dia de outono do ano passado, e o encontrei imerso em conversação com um cavalheiro robusto, de rosto corado, idoso, com cabelo vermelho-fogo. Pedindo desculpas pela minha intrusão, eu estava para me retirar quando Holmes me puxou abruptamente para a sala e fechou a porta atrás de mim.

— Não poderia ter chegado em melhor hora, meu caro Watson — ele disse cordialmente.

— Temi que você estivesse ocupado.

— Estou. E muito.

— Então posso esperar na sala ao lado.

— De modo algum. Este cavalheiro, Sr. Wilson, foi meu parceiro e ajudante em muitos de meus casos mais bem-sucedidos, e não tenho dúvida de que será da maior utilidade também no seu.

O cavalheiro robusto levantou-se parcialmente da poltrona e fez um aceno de saudação, com uma rápida interrogação nos olhinhos afundados em seu rosto balofo.

— Acomode-se no sofá — disse Holmes, voltando à sua poltrona e unindo as pontas dos dedos, como costumava fazer nos momentos judiciosos. — Sei, caro Watson, que você condivide minha paixão por tudo que é bizarro e fora das convenções e da rotina tediosa do dia a dia. Você demonstrou seu gosto por isso com o entusiasmo que o motivou a registrar e, me perdoe por dizê-lo, de certo modo florear tantas das minhas pequenas aventuras.

— De fato, seus casos têm sido de grande interesse para mim — observei.

— Você deve lembrar que comentei outro dia, pouco antes de mergulharmos no problema muito simples apresentado pela Srta. Mary Sutherland, que se quisermos efeitos estranhos e combinações extraordinárias, devemos procurá-los na vida real, que é sempre muito mais ousada do que qualquer esforço da imaginação.

— Uma teoria da qual tomei a liberdade de duvidar.

— Duvidou, doutor, mas apesar disso deverá aceitar a minha visão, senão continuarei amontoando fatos e mais fatos em cima de você, até que sua razão se parta sob seu peso e reconheça que estou certo. Pois bem, o Sr. Jabez Wilson aqui fez a bondade de me visitar esta manhã, e começar uma narrativa que promete ser uma das mais singulares que já ouvi nos últimos tempos. Você me ouviu dizer que as coisas mais estranhas e peculiares, muitas vezes, estão ligadas não aos maiores, mas aos menores crimes, e ocasionalmente, de fato, naqueles casos em que resta espaço para duvidar se realmente algum crime foi cometido. Até onde ouvi, é-me impossível dizer se o caso em questão é uma instância de crime ou não, mas a sequência dos fatos está certamente entre as mais singulares que já ouvi. Talvez, Sr. Wilson, pudesse fazer a imensa gentileza de recomeçar sua narrativa. Peço isso não apenas porque meu amigo, o Dr. Watson, não ouviu o início dela, mas também porque a peculiar natureza da história me deixa ansioso para ouvir todos os detalhes possíveis dos seus lábios. Via de regra, depois de ouvir algumas poucas indicações da sequência dos fatos, sou capaz de me guiar com base nos milhares de outros casos similares que me vêm à memória. Na presente instância, sou obrigado a admitir que os fatos são, pelo que posso crer, únicos.

O rechonchudo cliente estufou o peito com a aparência de algum orgulho e puxou um jornal sujo e amassado do bolso interno do seu casaco. Enquanto ele olhava a seção de anúncios, com a cabeça para a frente e o jornal aberto sobre os joelhos, dei uma boa olhada no homem e tentei, como fazia o meu colega, ler as indicações que poderiam ser apresentadas por sua roupa ou aparência.

Não ganhei muito, no entanto, com minha inspeção. Nosso visitante trazia todos os sinais de ser um normalíssimo comerciante inglês: obeso, pomposo e lerdo. Usava uma calça um tanto folgada de xadrez escocês cinza, um casaco preto não impecavelmente limpo, desabotoado na frente, e um colete bege com uma pesada corrente de relógio de cobre, e um pedaço quadrado de metal perfurado pendurado nela como ornamento. Uma cartola puída e um sobretudo marrom desbotado com a gola de veludo amassada estavam na poltrona ao seu lado. De maneira geral, por mais que eu olhasse, não via nada de notável no homem, salvo seu cabelo ruivo brilhante, e a expressão de extrema consternação e descontentamento em seu semblante.

O olhar perspicaz de Sherlock Holmes entendeu a minha ocupação, e ele balançou a cabeça, sorrindo, ao notar minhas olhadelas inquisidoras.

— Além dos fatos óbvios de que ele exerceu trabalho braçal em algum momento, que cheira rapé, que é maçom, que esteve na China e que anda escrevendo muito ultimamente, não consigo deduzir mais nada.

O Sr. Jabez Wilson saltou da poltrona, com o indicador sobre o jornal, mas os olhos pregados no meu colega.

— Como, em nome de tudo que é mais sagrado, sabia de tudo isso, Sr. Holmes? — ele perguntou. — Como sabia, por exemplo, que já exerci trabalho braçal? É a mais pura verdade, porque comecei trabalhando como carpinteiro naval.

— Suas mãos, caro senhor. Sua mão direita é bem maior do que a esquerda. O senhor trabalhou com ela, e os músculos estão mais desenvolvidos.

— Bem, o rapé, então, e a maçonaria?

— Não insultarei sua inteligência revelando como deduzi isso, especialmente considerando que, de certa forma contra as regras rígidas da sua ordem, o senhor usa um broche representando um esquadro e um compasso.

— Ah, claro, eu havia me esquecido. Mas a escrita?

— O que mais poderia indicar essa manga direita tão lustrosa por doze centímetros, e a esquerda com uma parte gasta perto do cotovelo, de apoiá-lo sobre a mesa?

— Bem, mas a China?

— O peixe que o senhor tem tatuado imediatamente acima do seu pulso direito só poderia ter sido feito na China. Realizei um pequeno estudo das tatuagens, e até contribuí para a literatura sobre o assunto. Esse truque de tingir as escamas dos peixes com um rosa delicado é bastante peculiar da China. Quando, além disso, vejo uma moeda chinesa pendurada na corrente do seu relógio, a questão se torna ainda mais simples.

O Sr. Jabez Wilson riu alto.

— Ora, eu jamais...! — disse. — De início pensei que o senhor tivesse feito alguma esperteza, mas vejo que não foi nada de especial.

— Começo a achar, Watson — disse Holmes —, que cometo um erro ao explicar. *Omne ignotum pro magnifico,*[*] sabe, e minha pobre reputaçãozinha, dessa maneira, irá naufragar, se eu for tão sincero. Não encontrou o anúncio, Sr. Wilson?

---

[*] "Tudo que é desconhecido parece magnífico", em latim no original. (N. T.)

— Sim, encontrei agora — ele respondeu, com seu dedo roliço e vermelho plantado no meio da coluna. — Aqui está. Foi isto que deu início a tudo. Leia o senhor mesmo.

Tomei o jornal dele e li o seguinte:

> Para a Liga dos Ruivos: Por conta do disposto no testamento do falecido Ezekiah Hopkins, de Lebanon, Pennsylvania, EUA, existe agora mais uma vaga em aberto, que dá direito a um membro da Liga a um salário de quatro libras semanais por serviços puramente nominais. Todos os homens ruivos, sadios de corpo e mente, acima da idade de 21 anos, podem se candidatar. Inscrevam-se pessoalmente na segunda-feira, às 11h, com Duncan Ross, nos escritórios da Liga, em Pope's Court, 7, Fleet Street.

— Que diabos significa isso? — exclamei, depois de ler por duas vezes o extraordinário anúncio.

Holmes deu uma risadinha e se agitou na poltrona, como costumava fazer quando estava de bom humor.

— Foge um pouco do lugar-comum, não? — disse. — E agora, Sr. Wilson, recomece do zero, e conte-nos tudo sobre o senhor, sua família, e o efeito que esse anúncio produziu sobre o seu destino. Primeiro você deve anotar, doutor, o jornal e a data.

— É o *Morning Chronicle* de 27 de abril de 1890. Só dois meses atrás.

— Muito bem. Agora, Sr. Wilson?

— Bem, é como eu estava lhe contando, Sr. Sherlock Holmes — disse Jabez Wilson, enxugando a testa —; tenho uma pequena loja de penhores na Coburg Square, perto do centro. Não é um grande negócio, e nos últimos anos não tem feito mais do que apenas garantir o meu sustento. Eu costumava ter dois assistentes, mas agora só emprego um; e teria dificuldade para lhe pagar, se ele não tivesse aceitado ganhar meio salário para aprender o ofício.

— Qual o nome desse jovem tão prestativo? — perguntou Sherlock Holmes.

— Seu nome é Vincent Spaulding, e ele nem é tão jovem. É difícil dizer sua idade. Eu não poderia pedir um assistente melhor, Sr. Holmes; e sei muito bem que ele poderia achar coisa melhor e ganhar o dobro do que consigo pagar. Mas, afinal, se ele está satisfeito, por que eu deveria lhe pôr essas ideias na cabeça?

— Por quê, de fato? Parece muita sorte sua ter um empregado que aceita trabalhar por um salário menor que o do mercado. Não é algo comum entre os empregados, hoje em dia. Talvez o seu assistente seja tão peculiar quanto o anúncio.

— Oh, ele tem defeitos também — disse o Sr. Wilson. — Nunca vi alguém gostar tanto de fotografia. Fica batendo retratos com aquela câmera quando deveria estar melhorando sua mente, e depois se entoca no porão como um coelho para revelar suas chapas. Esse é o seu principal defeito, mas de maneira geral, é um bom funcionário. Não tem nenhum vício.

— Ainda trabalha com o senhor, presumo?

— Sim, senhor. Ele e uma menina de 14 anos, que cozinha um pouco e mantém o lugar limpo; só tenho a eles em casa, já que sou viúvo e nunca tive família. Vivemos em paz, senhor, nós três; mantemos um teto sobre nossas cabeças e pagamos nossas dívidas, pelo menos.

"A primeira coisa que nos perturbou foi aquele anúncio. Spaulding apareceu no escritório, exatamente há oito semanas, com este mesmo jornal na mão, e disse:

"'Eu queria tanto ser ruivo, Sr. Wilson, juro por Deus.'

"'Por que isso?', perguntei.

"'Ora', ele disse, 'abriu mais uma vaga na Liga dos Ruivos. Vale uma pequena fortuna para quem conseguir, e pelo que sei, há mais vagas do que pessoas disponíveis, de modo que os gestores não sabem mais o que fazer com o dinheiro. Se apenas meu cabelo mudasse de cor, esse seria um belo berço onde eu poderia me ajeitar.'

"'Ora, o que é isso, então?', perguntei. Veja bem, Sr. Holmes, sou um homem muito caseiro, e como meu trabalho me procura, sem que eu precise ir até ele, muitas vezes fico semanas a fio sem pôr o pé fora do capacho. De forma que eu não sabia muito do que estava acontecendo lá fora, e sempre ficava feliz em receber notícias.

"'O senhor nunca ouviu falar da Liga dos Ruivos?', ele perguntou, de olhos arregalados.

"'Nunca.'

"'Ora, isso me maravilha, pois o senhor mesmo poderia se candidatar a uma das vagas.'

"'E quanto elas valem?', perguntei.

"'Bem, só umas duzentas libras por ano, mas o trabalho é leve, e não precisa interferir com qualquer outra ocupação.'

"Como o senhor pode facilmente imaginar, isso me fez aguçar os ouvidos, já que meu negócio não ia bem havia alguns anos, e algumas centenas de libras a mais cairiam muito bem.

"'Conte mais sobre isso', falei.

"'Então', ele disse, mostrando o anúncio, 'como o senhor mesmo pode ver, a Liga tem uma vaga, e aí está o endereço onde pode obter mais detalhes. Até onde sei, a Liga foi fundada por um milionário americano, Ezekiah Hopkins, sujeito muito peculiar. Ele próprio era ruivo, e tinha uma profunda simpatia por todos os ruivos; assim, ao falecer, descobriu-se que ele deixara sua enorme fortuna nas mãos de gestores, com instruções para aplicar os juros no fornecimento de sustento fácil para homens cujo cabelo fosse dessa cor. Pelo que ouvi, o salário é esplêndido e há pouco a se fazer.'

"'Mas', eu disse, 'milhões de ruivos se candidatariam.'

"'Não tantos quanto o senhor imagina', ele respondeu. 'Veja bem, a oferta é limitada a Londres, e a adultos. Esse americano começou sua carreira em Londres quando jovem, e queria fazer algo de bom pela velha cidade. Além disso, ouvi dizer que não adianta se candidatar se o seu cabelo for vermelho-claro, ou vermelho-escuro, ou qualquer outra cor diferente do ruivo real, brilhante, vermelho-fogo. Ora, se o senhor se desse ao trabalho de se candidatar, Sr. Wilson, seria aprovado já na porta; mas talvez nem valha o seu esforço, só para ganhar algumas centenas de libras.'

"Bem, é fato, cavalheiros, como os senhores podem ver, que meu cabelo tem uma cor muito forte e viva, portanto me parecia que, se houvesse qualquer concorrência, eu tinha mais chances do que qualquer outra pessoa que já conheci. Vincent Spaulding parecia saber tanto a respeito que achei que ele poderia ser útil, por isso mandei que ele trancasse tudo e fosse imediatamente comigo para lá. Ele de bom grado aceitou a folga, e nós fechamos a loja e partimos para o endereço mencionado no anúncio.

"Espero nunca mais ver uma cena como aquela, Sr. Holmes. Do norte, sul, leste e oeste, todo homem que tinha qualquer tom ruivo no cabelo marchara para a cidade em resposta ao anúncio. A Fleet Street estava abarrotada de gente ruiva, e Pope's Court parecia a banca de laranjas de um quitandeiro. Eu não imaginava que, no país, houvesse tantos quanto os que foram atraídos por aquele único anúncio. Eram de todas as tonalidades — cor de palha, de limão, de laranja, de tijolo, de *Irish setter*, de fígado, de argila; mas, como Spaulding dissera, não havia muitos que tivessem a genuína e viva cor de fogo. Ao ver quantos estavam esperando, eu teria desistido, desesperado; mas Spaulding não quis nem saber. Como ele conseguiu, nem imagino, mas empurrou, puxou e se acotovelou até me fazer passar pela multidão e chegar aos degraus que levavam para o escritório. Havia uma fila dupla na escada, alguns subindo, esperançosos, outros descendo, decepcionados; mas nos enfiamos ali o melhor que podíamos e logo nos vimos no escritório."

— Sua experiência é muito divertida — comentou Holmes, enquanto seu cliente fazia uma pausa e refrescava a memória com uma grande pitada de rapé. — Por favor, continue seu depoimento tão interessante.

— Não havia nada no escritório além de algumas cadeiras de madeira e uma mesinha redonda, atrás da qual estava sentado um homenzinho ainda mais ruivo do que eu. Ele dizia algumas palavras a cada candidato que se aproximava, e sempre conseguia encontrar alguma falha para desclassificá-lo. Preencher a vaga não parecia ser tão simples, no fim das contas. Porém, quando chegou nossa vez, o homenzinho foi muito mais favorável a mim do que a qualquer um dos outros, e fechou a porta quando entramos, para poder conversar conosco em particular.

"'Este é o Sr. Jabez Wilson', disse meu assistente, 'e ele gostaria de ocupar uma vaga na Liga.'

"'E ele é admiravelmente adequado', o outro respondeu. 'Tem todos os pré-requisitos. Nem lembro quando vi outro tão bom.' Ele deu um passo para trás, inclinou a cabeça para o lado, e olhou para o meu cabelo até me deixar bastante constrangido. Então, de repente, avançou, apertou minha mão e me congratulou ardorosamente pelo sucesso.

"'Seria injustiça hesitar', disse. 'No entanto, o senhor certamente vai me perdoar por tomar uma precaução óbvia.' Dito isso, ele segurou meu cabelo com as duas mãos e puxou até que gritei de dor. 'Seus olhos se encheram de água', ele disse ao me soltar. 'Percebo que tudo está como devia ser. Mas precisamos tomar cuidado, porque duas vezes fomos enganados por perucas, e uma vez por tinta. Eu poderia lhe contar histórias de graxa de sapateiro que o deixariam revoltado com a natureza humana.' Ele foi até a janela e gritou a plenos pulmões que a vaga fora preenchida. Um gemido de decepção veio lá de baixo, e toda a multidão debandou em várias direções, até não haver mais um só fio de cabelo ruivo à vista, além dos meus e daqueles do gestor.

"'Meu nome', ele disse, 'é Duncan Ross, e eu mesmo sou um dos pensionistas do fundo deixado por nosso nobre benfeitor. É casado, Sr. Wilson? Tem família?'

"Respondi que não.

"Seu semblante murchou imediatamente.

"'Céus!', ele disse com pesar. 'Mas isso é muito grave! Lamento ouvi-lo dizer isso. O fundo foi criado, é claro, para a propagação e a disseminação dos ruivos, bem como sua manutenção. É deveras lamentável que o senhor seja solteiro.'

"Minha expressão se anuviou ao ouvir isso, Sr. Holmes, porque eu achava que poderia não ficar com a vaga, no fim das contas; mas depois de pensar a respeito por alguns minutos, ele disse que estava tudo bem.

"'Caso fosse outro', ele disse, 'essa objeção poderia ser fatal, mas precisamos favorecer um homem com uma cabeleira como a sua. Quando poderá assumir suas novas obrigações?'

"'Bem, isso é um pouco difícil, porque já tenho um negócio', eu disse.

"'Ora, não se preocupe com isso, Sr. Wilson!', Vincent Spaulding disse. 'Eu posso tomar conta da loja para o senhor.'

"'Qual seria o horário?', perguntei.

"'Das 10h às 14h.'

"Veja bem, o movimento numa loja de penhores acontece principalmente à tardinha, Sr. Holmes, especialmente nas tardes de quinta e sexta-feira, antes do dia do pagamento; portanto, cairia muito bem faturar algum pela manhã. Além disso, eu sabia que o meu assistente era um bom homem, e que cuidaria de qualquer assunto que surgisse.

"'Para mim, está ótimo', eu disse. 'E o pagamento?'

"'São quatro libras por semana.'

"'E o trabalho?'

"'É puramente nominal.'

"'O que quer dizer com puramente nominal?'

"'Bem, o senhor precisa estar no escritório, ou ao menos no prédio, o tempo todo. Se sair, estará abrindo mão de sua posição para sempre. O testamento é bem claro quanto a isso. Estará infringindo as condições se se ausentar do escritório nesse horário.'

"'São só quatro horas por dia, e acho que não vou precisar sair', eu disse.

"'Nenhum pretexto adiantará', disse o Sr. Duncan Ross, 'nem doença, nem trabalho, nem qualquer outro. O senhor deve ficar aqui, ou perderá o cargo.'

"'E o trabalho?'

"'Consiste em copiar a *Encyclopædia Britannica*. O primeiro volume está naquela estante. O senhor precisa providenciar seu próprio tinteiro, penas e mata-borrões, mas nós fornecemos esta mesa e uma cadeira. Estará pronto amanhã?'

"'Certamente', respondi.

"'Então até logo, Sr. Jabez Wilson, e permita-me parabenizá-lo mais uma vez pela importante posição que teve a felicidade de conquistar.' Ele se curvou, acompanhando-me para fora da sala, e voltei para casa com meu assistente, mal sabendo o que dizer ou fazer, de tão feliz que estava com a minha sorte.

"Bem, pensei no assunto o dia todo, e à noitinha eu já estava desanimado novamente; porque me persuadira completamente de que a coisa toda devia ser uma grande farsa ou fraude, embora qual fosse o seu objetivo, eu nem podia imaginar. Parecia-me completamente inacreditável que qualquer um pudesse deixar um testamento assim, ou pagasse tal soma por algo tão simples quanto copiar a *Encyclopædia*

*Britannica*. Vincent Spaulding fez o que pôde para me animar, mas na hora de dormir, eu já havia desistido daquilo tudo. No entanto, pela manhã, resolvi dar uma olhada na coisa mesmo assim, por isso comprei um vidro de um *penny* de nanquim, e com uma pena de ganso e sete folhas de papel ofício, parti para Pope's Court.

"Bem, para minha surpresa e deleite, tudo estava tão certo quanto possível. A mesa fora preparada para mim, e o Sr. Duncan Ross estava lá para verificar o início do meu trabalho. Ele me fez começar pela letra *A*, e em seguida foi embora; mas aparecia de vez em quando para ver se estava tudo bem comigo. Às 14h, me desejou boa-tarde, me congratulou pelo volume do que eu havia escrito, e fechou a porta do escritório atrás de mim.

"Isso continuou dia após dia, Sr. Holmes, e no sábado o gestor apareceu e desembolsou quatro soberanos de ouro pela minha semana de trabalho. A mesma coisa aconteceu na semana seguinte, e na outra. Toda manhã, eu chegava lá às 10h, e toda tarde saía às 14h. Aos poucos, o Sr. Duncan Ross começou a aparecer só uma vez de manhã, e então, depois de um tempo, não apareceu mais. Mesmo assim, claro, eu jamais ousava sair da sala nem por um instante, pois não tinha certeza de quando ele poderia aparecer, e o cargo era tão bom e me aprazia tanto que eu não queria arriscar perdê-lo.

"Oito semanas se passaram assim, e eu escrevera sobre Abbots, Arco, Armadura, Arquitetura e Ática, e esperava diligentemente chegar à letra *B* em breve. Isso me custava algum dinheiro em papel, e eu já quase enchera uma prateleira com meu manuscrito. E então, de repente, o negócio todo chegou ao fim."

— Ao fim?

— Sim, senhor. E foi hoje de manhã. Fui para o trabalho como de costume, às 10h, mas a porta estava trancada, com um quadradinho de cartolina pregado no meio da almofada com uma tachinha. Aqui está, pode ler por si mesmo.

Ele segurou um pedaço de cartolina branca aproximadamente do tamanho de uma folha de papel de caderno. Nele, lia-se o seguinte:

## A LIGA DOS RUIVOS ESTÁ DISSOLVIDA
### 9 de outubro de 1890

Sherlock Holmes e eu observamos esse breve aviso e o rosto tristonho por trás dele, até que o lado cômico da situação sobrepujou tão completamente qualquer outra consideração que os dois caímos na gargalhada.

— Não vejo nada de tão engraçado — exclamou nosso cliente, corando até as raízes de seu cabelo flamejante. — Se não conseguem fazer nada melhor do que rir de mim, posso me retirar.

— Não, não — disse Holmes, empurrando-o de volta para a poltrona de onde ele começara a se erguer. — Eu não perderia seu caso por nada no mundo. Sua peculiaridade é estimulante. Mas há, se me perdoa por dizê-lo, algo um pouco engraçado nele. Por favor, que medidas o senhor tomou quando encontrou o aviso na porta?

— Fiquei abalado, senhor. Não sabia o que fazer. Então visitei os outros escritórios do prédio, mas nenhum deles parecia saber nada a respeito. Finalmente, procurei o senhorio, que é um contador que mora no térreo, e perguntei se ele podia me dizer o que fora feito da Liga dos Ruivos. Ele disse que jamais ouvira falar de tal organização. Então lhe perguntei quem era o Sr. Duncan Ross. Ele respondeu que não conhecia o nome.

"'Bem', eu disse, 'o cavalheiro da sala quatro.'

"'Quem, o ruivo?'

"'Sim.'

"'Oh', ele disse, 'seu nome é William Morris. Era advogado, e estava usando minha sala como instalação provisória até que seu novo escritório ficasse pronto. Mudou-se ontem.'

"'Onde posso encontrá-lo?'

"'Em seu novo escritório. Ele me deu o endereço. Sim, King Edward Street, 17, perto da Igreja de São Paulo.'

"Saí correndo, Sr. Holmes, mas quando cheguei ao tal endereço, era uma fábrica de rótulas artificiais, e ninguém lá jamais ouvira falar do Sr. William Morris ou do Sr. Duncan Ross."

— E o que fez depois disso? — perguntou Holmes.

— Voltei para casa, na Saxe-Coburg Square, e me aconselhei com meu assistente. Mas ele não pôde me ajudar em nada. Só dizia que, se eu esperasse, receberia notícias pelo correio. Mas isso não bastava, Sr. Holmes. Eu não queria perder um cargo assim sem lutar, por isso, como ouvi dizer que o senhor tinha a bondade de dar conselhos a pessoas pobres que deles necessitassem, vim direto para cá.

— E agiu muito sabiamente — disse Holmes. — Seu caso é extremamente notável, e ficarei feliz em investigá-lo. Pelo que o senhor me contou, acho possível que envolva questões mais graves do que possa parecer a princípio.

— Graves mesmo! — disse o Sr. Jabez Wilson. — Ora, perdi quatro libras por semana.

— Quanto ao senhor, pessoalmente — comentou Holmes —, não acho que tenha qualquer queixa legítima contra essa extraordinária Liga. Ao contrário, o senhor está, se entendi bem, umas trinta libras mais rico, isso sem falar no conhecimento detalhado que adquiriu sobre todos os assuntos que começam com a letra *A*. Não perdeu nada para eles.

— Não, senhor. Mas quero descobrir de onde vêm, quem são, e qual seu objetivo em pregar essa peça, se foi uma peça, em mim. Ficou bem cara para eles, porque lhes custou 32 libras.

— Tentaremos esclarecer essas questões para o senhor. Mas antes, uma ou duas perguntas, Sr. Wilson. Esse seu assistente que chamou atenção inicialmente para o anúncio, há quanto tempo trabalhava com o senhor?

— Cerca de um mês, na época.

— Como ele apareceu?

— Em resposta a um anúncio.
— Foi o único candidato?
— Não, eram uma dúzia.
— E por que o escolheu?
— Porque era habilidoso e custava barato.
— Metade do salário, de fato.
— Sim.
— Como é esse Vincent Spaulding?
— Baixinho, robusto, muito despachado, sem barba, embora não tenha menos de 30 anos. Tem uma mancha branca de ácido na testa.

Holmes se sentou na poltrona, consideravelmente agitado.

— Como imaginei — disse. — Já notou que as orelhas dele têm furos de brincos?

— Sim, senhor. Disse que uma cigana as furou quando ele era garoto.

— Hum! — disse Holmes, mergulhando novamente em reflexões profundas. — Ele continua trabalhando com o senhor?

— Sim, senhor; acabei de deixá-lo na loja.

— E cuidou do seu negócio na sua ausência?

— Não tenho do que me queixar, senhor. Nunca há muito o que fazer pela manhã.

— Isso basta, Sr. Wilson. Darei com prazer uma opinião sobre o caso dentro de um ou dois dias. Hoje é sábado, e espero que até segunda-feira possamos chegar a uma conclusão.

— Bem, Watson — disse Holmes, depois que nosso visitante foi embora —, o que acha de tudo isso?

— Não acho nada — respondi francamente. — É um caso muito misterioso.

— Via de regra — disse Holmes —, quanto mais bizarro algo é, menos misterioso prova ser. Os crimes comuns e sem nada de notável são os mais intrigantes, da mesma forma que um rosto comum é o mais difícil de se identificar. Mas preciso agir rápido, neste caso.

— O que vai fazer, então? — perguntei.

— Fumar — ele respondeu. — Esse é um problema para três cachimbos, e rogo que não fale comigo por cinquenta minutos. — Ele se encolheu em sua poltrona, com os joelhos magros encostados no nariz aquilino, e ficou ali, de olhos fechados, com seu cachimbo de argila preta se projetando como o bico de algum pássaro estranho. Eu havia chegado à conclusão de que Holmes adormecera, e começava eu mesmo a dormitar, quando de repente ele saltou da poltrona com os gestos de alguém que tomou uma decisão, e deixou seu cachimbo sobre a lareira.

— Sarasate vai tocar no St James' Hall hoje à tarde — ele comentou. — O que acha, Watson? Seus pacientes podem ceder você por algumas horas?

— Não tenho nada para fazer hoje. Minha prática nunca é muito empenhativa.

— Então pegue seu chapéu e venha. Vou passar pelo centro antes, e podemos almoçar no caminho. Observo que há muita música alemã no programa, que me agrada mais do que a italiana ou a francesa. É introspectiva, e no momento quero introspecção. Venha!

Pegamos o metrô até Aldersgate; e uma breve caminhada nos levou até a Saxe-Coburg Square, o local da singular história que ouvíramos pela manhã. Era um lugar apertado, pequeno, entre o vulgar e o refinado, onde quatro fileiras de malconservados sobrados de tijolos davam para uma pracinha pequena, cercada, na qual um gramado cheio de ervas daninhas e algumas moitas desbotadas de loureiros travavam uma dura batalha contra uma atmosfera enfumaçada e inóspita. Três bolas douradas e uma placa marrom com "JABEZ WILSON" em letras brancas, numa casa de esquina, anunciavam o local onde nosso cliente ruivo exercia o seu negócio. Sherlock Holmes parou diante dele com a cabeça para um lado e o olhou em detalhes, com os olhos brilhando entre as pálpebras franzidas. Então andou lentamente pela rua, depois voltou até a esquina, ainda olhando intensamente as casas. Finalmente, voltou para a loja de penhores, e depois de bater com força no chão com a bengala duas ou três vezes, foi até a porta e bateu. Ela foi instantaneamente aberta por um jovem barbeado e de aspecto inteligente, que pediu que ele entrasse.

— Obrigado — disse Holmes —, eu só queria perguntar como ir daqui até a Strand.

— Terceira à direita, quarta à esquerda — respondeu o assistente prontamente, fechando a porta.

— Sujeito esperto esse — observou Holmes quando nos afastamos. — Ele é, a meu ver, o quarto homem mais esperto de Londres, e quanto à ousadia, não sei se não poderia reivindicar o terceiro lugar. Já o conheci um pouco antes.

— Evidentemente — eu disse — o assistente do Sr. Wilson tem um papel importante no mistério da Liga dos Ruivos. Claro que você pediu instruções apenas para poder vê-lo.

— Não a ele.

— O quê, então?

— Os joelhos de sua calça.

— E o que você viu?

— O que esperava ver.

— Por que você bateu no chão?

— Caro doutor, a hora é de observação, não de conversa. Somos espiões em território inimigo. Sabemos algo da Saxe-Coburg Square. Agora, exploremos as partes que ficam atrás dela.

A estrada na qual nos encontrávamos ao virar a esquina da isolada Saxe-Coburg Square apresentava um contraste tão grande com a praça quanto a parte da frente de um retrato em comparação com a de trás. Era uma das principais artérias que levavam o trânsito do centro para o norte e o oeste. O leito da estrada estava entupido pelo imenso fluxo de comércio indo em mão dupla para dentro e para fora, e os passeios estavam enegrecidos pelo enxame apressado de pedestres. Era difícil dar-se conta, vendo as fileiras de lojas finas e estabelecimentos prósperos, que eles davam as costas, do outro lado, para a decrépita e sonolenta praça de onde acabáramos de sair.

— Deixe-me ver — disse Holmes, na esquina, olhando estrada abaixo —, gostaria de memorizar a ordem das casas aqui. É um passatempo meu ter um conhecimento exato de Londres. Lá está a tabacaria Mortimer's, a pequena banca de jornais, a agência de Coburg do Banco City and Suburban, o restaurante vegetariano, e a manufatura de carruagens McFarlane's. Isso nos leva ao quarteirão seguinte. E agora, doutor, fizemos o nosso trabalho, portanto é hora de um pouco de diversão. Um sanduíche e uma xícara de café, e depois, para a terra dos violinos, onde tudo é doçura, delicadeza e harmonia, e não há clientes ruivos para vexar-nos com suas ladainhas.

Meu amigo era um músico entusiasmado, ele mesmo não só muito habilidoso ao instrumento, mas também um compositor de méritos pouco comuns. A tarde toda ficou nos camarotes, envolto na mais perfeita felicidade, balançando gentilmente os dedos longos e finos no compasso da música, enquanto seu rosto sorridente e seus olhos lânguidos e sonhadores eram tão diferentes daqueles de Holmes o sabujo, Holmes o incansável, sagaz, ágil agente da lei, quanto era possível conceber. Em sua singular personalidade, essa natureza dupla se alternava, e sua extrema exatidão e astúcia representavam, como muitas vezes imaginei, a reação ao humor poético e contemplativo que ocasionalmente predominava nele. A dualidade de sua natureza o levava da languidez extrema à energia devoradora; e, como eu bem sabia, realmente ele nunca era tão formidável quanto depois de, dias a fio, ficar folgando em sua poltrona entre improvisos ao violino e tomos com letras góticas. Era então que a luxúria da caçada repentinamente se apossava dele, e seu brilhante poder de raciocínio se elevava ao nível da intuição, até que aqueles que desconheciam seus métodos o olhavam de soslaio, como um homem cujo conhecimento não era compartilhado por outros mortais. Quando o vi naquela tarde, tão imerso na música no St James' Hall, senti que maus bocados esperavam aqueles que ele se determinara a caçar.

— Você quer ir para casa, sem dúvida, doutor — ele comentou quando saímos.

— Sim, seria bom.

— E eu tenho alguns assuntos que me tomarão algumas horas. Esse negócio da Coburg Square é sério.

— Por que sério?

— Um crime considerável está sendo contemplado. Tenho todos os motivos para crer que conseguiremos evitá-lo a tempo. Mas o fato de hoje ser sábado complica um pouco as coisas. Precisarei da sua ajuda hoje à noite.

— A que horas?

— Às 22h será suficientemente cedo.

— Estarei na Baker Street às 22h.

— Muito bem. E deixe-me dizer, doutor, talvez haja algum perigo, portanto faça a gentileza de trazer no bolso seu revólver do Exército. — Ele acenou, girou sobre os calcanhares e, num instante, desapareceu na multidão.

Não me considero mais lerdo do que meus semelhantes, mas sempre me via oprimido por uma impressão da minha própria burrice ao lidar com Sherlock Holmes. Eu ouvira tudo o que ele ouvira, vira tudo o que ele vira, no entanto, suas palavras tornavam evidente que ele enxergava claramente não só o que acontecera, mas o que estava para acontecer, enquanto para mim o caso todo continuava confuso e grotesco. No caminho para a minha casa em Kensington, refleti sobre tudo, da extraordinária história do ruivo copiando a enciclopédia à visita à Saxe-Coburg Square, e as palavras portentosas com as quais Holmes se despedira de mim. O que significava essa expedição noturna, e por que eu deveria ir armado? Aonde iríamos e o que faríamos? Holmes me dera a pista de que aquele assistente de rosto liso era um homem formidável — um homem que poderia estar fazendo um jogo sério. Tentei resolver o quebra-cabeça, mas desisti, em desespero, e deixei o assunto de lado até que a noite trouxesse uma explicação.

Eram 21h15 quando saí de casa, atravessei o parque e peguei a Oxford Street até a Baker Street. Dois *hansoms* estavam parados à porta, e quando entrei no corredor, ouvi vozes lá em cima. Ao entrar em sua sala, encontrei Holmes conversando animadamente com dois homens, um dos quais reconheci como Peter Jones, o agente da polícia oficial, enquanto o outro era um homem alto, magro e de rosto triste, com um chapéu muito lustroso e um casaco opressivamente respeitável.

— Ha! Nosso grupo está completo — disse Holmes, abotoando o paletó e tirando seu pesado chicote de caça do suporte. — Watson, acho que conhece o Sr. Jones, da Scotland Yard? Permita-me apresentar o Sr. Merryweather, que nos acompanhará na aventura desta noite.

— Estamos caçando em duplas novamente, doutor, pelo que vejo — disse Jones, à sua maneira cerimoniosa. — Nosso amigo aqui é maravilhoso para começar uma caçada. Só precisa de um cão velho para ajudá-lo a abater a presa.

— Espero que nosso destino não seja dar com os burros n'água — observou o Sr. Merryweather, agourento.

— Pode depositar considerável confiança no Sr. Holmes — disse o policial, com ar superior. — Ele tem seus próprios métodos, que são, se me permite dizer, um pouco teóricos e fantásticos demais, mas tem a matéria-prima do detetive. Não é exagero dizer que, vez ou outra, como no caso do assassinato de Sholto e do tesouro de Agra, ele estava quase mais certo do que a polícia oficial.

— Se diz isso, Sr. Jones, está tudo bem — falou o desconhecido, deferente. — Mas confesso que sinto falta do meu carteado. É a primeira noite de sábado em 27 anos em que fico sem meu carteado.

— Acho que o senhor verá — disse Sherlock Holmes — que nunca jogou com um cacife tão alto quanto nesta noite, e que o jogo será mais empolgante. Seu cacife, Sr. Merryweather, será de umas trinta mil libras; e o seu, Jones, será o homem no qual deseja deitar as mãos.

— John Clay, assassino, ladrão, arrombador e falsário. Ele é jovem, Sr. Merryweather, mas está no ápice de sua profissão, e quero pôr minhas algemas nele mais do que em qualquer outro criminoso de Londres. É um homem notável, o jovem John Clay. Seu avô era um duque da corte, e ele próprio estudou em Eton e Oxford. Seu cérebro é tão ágil quanto seus dedos, e embora encontremos pistas dele em todo canto, nunca sabemos onde encontrar o próprio. Ele arromba uma residência na Escócia numa semana, e na seguinte já está arrecadando dinheiro para construir um orfanato na Cornualha. Estou no seu encalço há anos e nunca pus os olhos nele.

— Espero ter o prazer de apresentá-lo esta noite. Também já tive um ou dois embates com o Sr. John Clay, e concordo com o senhor, ele está no ápice da sua profissão. Mas já passa das dez, está na hora de começarmos. Vocês dois podem pegar o primeiro *hansom*, e Watson e eu seguiremos no segundo.

Sherlock Holmes não estava muito comunicativo durante a longa viagem, e relaxou na cabine, cantarolando as melodias que ouvira à tarde. Chocalhamos por um labirinto sem fim de ruas iluminadas por lampiões a gás, até sairmos na Farringdon Street.

— Estamos perto agora — meu amigo lembrou. — Esse sujeito, Merryweather, é um diretor de banco e tem interesse pessoal no caso. Achei que também seria bom termos Jones conosco. Não é mau sujeito, embora seja um absoluto imbecil, profissionalmente. Tem uma virtude positiva. É tão corajoso quanto um buldogue, e tenaz como uma lagosta quando finca as garras em alguém. Aqui estamos, e eles estão à nossa espera.

Chegáramos à mesma avenida movimentada onde estivéramos pela manhã. Nossas carruagens foram dispensadas, e, guiados pelo Sr. Merryweather, passamos por um beco estreito e entramos numa porta lateral, que ele abriu para nós. Dentro havia um pequeno corredor, que terminava num pesado portão de ferro. Ele também foi aberto, e descemos por um lance de escada de pedra em caracol, que terminava em outro portão formidável. O Sr. Merryweather parou para acender uma lanterna e em seguida nos conduziu por uma passagem escura, cheirando a terra, e, depois de abrir uma terceira porta, para dentro de um enorme depósito ou porão, abarrotado de caixotes e caixas imensas.

— Vocês não estão muito vulneráveis por cima — Holmes comentou, erguendo a lanterna e olhando ao redor.

— Nem por baixo — disse o Sr. Merryweather, batendo a bengala nas pedras que revestiam o pavimento. — Pelos céus, parece estar oco! — ele comentou, erguendo o olhar, surpreso.

— Devo pedir que fique em silêncio! — disse Holmes severamente. — Já ameaçou o êxito de nossa expedição. Posso implorar para que tenha a bondade de se sentar numa dessas caixas e não interferir?

O solene Sr. Merryweather se aboletou sobre um caixote, com uma expressão muito magoada no rosto, enquanto

Holmes se ajoelhou no chão e, com a lanterna e uma lente de aumento, começou a examinar meticulosamente as fendas entre as pedras. Alguns segundos bastaram para satisfazê-lo, visto que ficou de pé de novo e guardou a lente no bolso.

— Temos no mínimo uma hora ainda — ele comentou —, porque eles não podem fazer nada enquanto o bom ruivo não estiver seguramente na cama. Então não perderão um minuto, pois quanto antes fizerem o seu trabalho, mais tempo terão para a fuga. No momento, estamos, doutor, como sem dúvida já deduziu, no subsolo da agência central de um dos principais bancos de Londres. O Sr. Merryweather é o diretor-presidente, e vai explicar que existem motivos para que os criminosos mais ousados de Londres tenham um interesse considerável por este subsolo, atualmente.

— É o nosso ouro francês — cochichou o diretor. — Recebemos vários avisos de que alguém poderia tentar roubá-lo.

— Seu ouro francês?

— Sim. Tivemos a ocasião, há alguns meses, de fortalecer nossos recursos, e tomamos emprestados, para esse fim, trinta mil napoleões do Banco da França. Espalhou-se a informação de que não tivemos ocasião de desembalar o dinheiro, e que ele ainda se encontra em nosso subsolo. O caixote em que estou sentado contém dois mil napoleões embalados entre camadas de folhas de chumbo. Nossa reserva de ouro é muito maior, atualmente, do que se costuma conservar numa só agência do banco, e os diretores estavam apreensivos por causa disso.

— E com ótimas justificativas — observou Holmes. — E agora é hora de prepararmos nossos pequenos planos. Espero que, dentro de uma hora, as coisas cheguem a uma conclusão. Enquanto isso, Sr. Merryweather, precisamos fechar esta lanterna.

— E ficar no escuro?

— Infelizmente. Eu trouxe um baralho no bolso, e pensei que, como somos um *partie carrée*,* o senhor poderia ter seu carteado, no fim das contas. Mas vejo que os preparativos do inimigo foram tão longe que não podemos arriscar a presença de uma luz. E antes de tudo, precisamos escolher nossas posições. Eles são homens ousados, e ainda que os confrontemos em desvantagem, podem nos ferir, a menos que tomemos cuidado. Vou ficar atrás deste caixote, e vocês escondam-se atrás daqueles. Então, quando eu jogar a luz sobre eles, aproximem-se rapidamente. Se dispararem, Watson, não hesite em abatê-los a tiros.

Pus meu revólver, carregado, sobre a caixa de madeira atrás da qual me agachei. Holmes deslizou a portinhola de sua lanterna e nos deixou num breu total — uma escuridão tão absoluta como jamais presenciei. O cheiro de metal quente nos assegurava de que a luz ainda existia, pronta para explodir num clarão numa fração de segundo. Para mim, com os nervos em frangalhos pela expectativa, havia algo deprimente e opressor nas trevas repentinas, e no ar frio e úmido do subterrâneo.

---

* "Grupo de quatro", em francês no original. (N. T.)

— Eles só têm uma saída — sussurrou Holmes. — Voltar pela casa da Saxe-Coburg Square. Espero que tenha feito o que pedi, Jones.

— Um inspetor e dois policiais estão esperando diante da porta.

— Então fechamos todos os buracos. E agora precisamos ficar em silêncio e esperar.

Que eternidade pareceu! Comparando as anotações depois, vi que foi apenas uma hora e quinze minutos, mas tive a impressão de que a noite estava quase acabando, e a aurora raiando acima de nós. Meus membros estavam exaustos e entrevados, porque eu tinha medo de mudar de posição; porém, meus nervos estavam no auge da tensão possível, e minha audição ficara tão aguçada que eu conseguia não apenas ouvir a respiração suave dos meus colegas, mas até distinguir a inspiração profunda e pesada do corpulento Jones da nota fina e suspirosa do diretor do banco. Da minha posição, eu podia olhar por cima da caixa na direção do chão. De repente, meus olhos detectaram o brilho de uma luz.

De início, era apenas um clarão baço no pavimento. Então se encompridou até se tornar uma linha amarela, e depois, sem nenhum aviso ou som, uma fenda pareceu se abrir e uma mão surgiu, branca, quase feminina, apalpando o centro da pequena área de luz. Por um minuto ou mais, a mão, com seus dedos agitados, projetou-se do chão. Então ela foi retirada, tão abruptamente como apareceu, e tudo ficou às escuras de novo, a não ser pelo fraco clarão que marcava uma fissura entre as pedras.

Seu desaparecimento, no entanto, foi apenas momentâneo. Com um som raspante e agudo, uma das largas pedras brancas virou de lado e deixou um buraco quadrado, através do qual se projetou a luz de uma lanterna. Da borda surgiu um rosto imberbe e juvenil que olhou atentamente ao redor, e então, com uma mão de cada lado da abertura, ele se içou até os ombros e depois até a cintura, apoiando, por fim, um joelho na borda. Após mais um instante, estava de pé ao lado do buraco e puxava outro colega, magro e pequeno como ele, de rosto pálido e cabelo bem ruivo.

— Está tudo limpo — ele murmurou. — Trouxe o cinzel e os sacos? Pelos céus! Pule, Archie, pule, deixe que cuido dele!

Sherlock Holmes havia saltado de pé e agarrado o intruso pelo colarinho. O outro mergulhou no buraco, e ouvi o ruído de pano rasgando quando Jones o segurou pela roupa. A luz brilhou sobre o cano de um revólver, mas o chicote de caça de Holmes atingiu o pulso do homem, e a arma rolou pelo chão de pedra.

— É inútil, John Clay — disse Holmes calmamente. — Você não tem mais saída.

— Estou vendo — o outro respondeu com a mais completa frieza. — Imagino que meu camarada esteja bem, mas vejo que o senhor ficou com parte do casaco dele.

— Três homens o estão esperando na porta — disse Holmes.

— Não diga! Parece que o senhor fez a coisa bem completa. Preciso parabenizá-lo.

— E eu a você — Holmes respondeu. — Sua ideia dos ruivos foi muito original e eficaz.

— Logo verá seu colega de novo — disse Jones. — Ele é mais rápido do que eu para descer túneis. Fique parado enquanto coloco as algemas.

— Rogo que não me toque com suas mãos imundas — disse nosso prisioneiro, enquanto as algemas estalavam em seus pulsos. — Talvez não saiba que corre sangue azul nas minhas veias. Tenha a bondade, também, ao me dirigir a palavra, de sempre dizer "senhor" e "por favor".

— Certo — disse Jones, encarando-o com uma risada zombeteira. — Bem, senhor, por favor, poderia marchar lá para cima, onde chamaremos uma carruagem para levar Vossa Alteza à chefatura de polícia?

— Assim está melhor — John Clay disse serenamente. Ele fez uma ampla reverência para nós três e se afastou, acompanhado pelo detetive.

— Sinceramente, Sr. Holmes — disse o Sr. Merryweather, enquanto os seguíamos para fora do subsolo — não sei como o banco poderá lhe agradecer ou compensar. O senhor indubitavelmente detectou e evitou da forma mais completa uma das mais determinadas tentativas de roubo de banco de que já tive experiência.

— Eu também tinha algumas contas a acertar com o

Sr. John Clay — disse Holmes. — Tive algumas pequenas despesas com este caso, que espero que o banco reembolse, mas à parte isso, sinto-me amplamente recompensado por ter vivido uma experiência de muitas formas singular, e por ter ouvido a notável narrativa da Liga dos Ruivos.

— Veja bem, Watson — ele explicou na alta madrugada, enquanto tomávamos uísque com soda na Baker Street —, era perfeitamente óbvio desde o início que o único objetivo possível desse negócio tão fantástico do anúncio da Liga, e de copiar a enciclopédia, só podia ser tirar do meio dos pés esse homenzinho não muito esperto por algumas horas ao dia. Foi uma forma curiosa de conseguir isso, mas, realmente, seria difícil pensar em outra melhor. O método, sem dúvida, foi sugerido à mente engenhosa de Clay pela cor do cabelo do seu cúmplice. As quatro libras por semana eram uma isca para atrair o homem, e o que representavam para eles, que estavam jogando para faturar milhares? Publicaram o anúncio, um dos bandidos montou o escritório temporário, o outro instigou o homem a se candidatar, e juntos conseguiram garantir sua ausência todas as manhãs. Desde que ouvi que o assistente aceitara trabalhar por meio salário, achei óbvio que ele tinha algum motivo muito forte para pleitear esse emprego.

— Mas como você conseguiu adivinhar qual era o motivo?

— Se houvesse mulheres na casa, eu teria suspeitado de alguma intriga vulgar. Isso, no entanto, estava fora de questão.

O negócio do homem era pequeno, e não havia nada em sua casa que justificasse preparativos tão elaborados e uma tal despesa. Devia ser, então, algo fora da casa. O que poderia ser? Pensei na paixão do assistente por fotografia, e na sua mania de meter-se no porão. O porão! Lá estava o fim dessa pista tão complicada. Então investiguei esse assistente misterioso e descobri que estava lidando com um dos mais frios e ousados criminosos de Londres. Ele estava fazendo algo no porão, algo que o ocupava muitas horas por dia, por meses a fio. Novamente, o que poderia ser? Não consegui pensar em nada, a não ser que ele estava cavando um túnel para algum outro edifício.

"Eu havia chegado a esse ponto quando fomos visitar o local. Surpreendi você ao bater no pavimento com minha bengala. Estava verificando se o porão se estendia na frente da casa ou nos fundos. Não era na frente. Então toquei a campainha, e, como esperava, o assistente atendeu. Já tivemos algumas escaramuças, mas jamais havíamos visto um ao outro. Mal olhei para o seu rosto. Seus joelhos eram o que eu queria ver. Você também deve ter notado como estavam gastos, amarrotados e sujos. Falavam dessas horas gastas a cavar. O único particular que faltava era o motivo de eles estarem cavando. Fui até a esquina, vi o Banco City and Suburban nos fundos da loja do nosso amigo, e senti que havia resolvido o problema. Quando você foi para casa depois do concerto, visitei a Scotland Yard e o diretor-presidente do banco, com os resultados que você presenciou."

— E como você sabia que eles iriam fazer a tentativa esta noite? — perguntei.

— Bem, quando fecharam os escritórios da Liga, isso foi um sinal de que não se importavam mais com a presença do Sr. Jabez Wilson; em outras palavras, haviam completado o túnel. Mas era essencial usá-lo logo, pois poderia ser descoberto, ou o ouro poderia ser removido. Sábado seria melhor do que qualquer outro dia, porque lhes daria dois dias para a fuga. Por todos esses motivos, eu esperava que aparecessem esta noite.

— Você raciocinou lindamente — exclamei, sinceramente admirado. — É uma corrente tão longa; no entanto, cada um dos elos faz sentido.

— Poupou-me do tédio — ele respondeu, bocejando. — Pena! Já o sinto aproximando-se de mim. Passo a vida toda num longo esforço para fugir dos lugares-comuns da existência. Esses pequenos problemas me ajudam nisso.

— E você é um benfeitor da humanidade — eu disse.

Ele deu de ombros.

— Bem, talvez, no fim das contas, tenha alguma utilidade — comentou. — *"L'homme c'est rien — l'œuvre c'est tout"*,* como Gustave Flaubert escreveu para George Sand.

---

* "O homem não é nada — a obra é tudo", em francês no original. (N. T.)

*três*
# UMA QUESTÃO DE IDENTIDADE

— Caro colega — disse Sherlock Holmes quando nos sentamos um de cada lado da lareira em seus aposentos na Baker Street —, a vida é infinitamente mais estranha do que qualquer coisa que a mente do homem poderia inventar. Não nos atreveríamos a conceber coisas que, na verdade, são meros lugares-comuns da existência. Se pudéssemos sair voando de mãos dadas por aquela janela, pairar sobre esta grande cidade, delicadamente remover os telhados, e espiar as coisas estranhas que acontecem, as estranhas coincidências, os planos, os propósitos cruzados, as maravilhosas sequências de fatos, atravessando gerações e levando aos resultados mais bizarros, toda a ficção, com suas convenções e conclusões previsíveis, pareceria rançosa e improfícua.

— Mesmo assim, não estou convencido — respondi. — Os

casos que vêm à tona nos jornais são, via de regra, bastante áridos e vulgares. Temos, em nossos relatórios policiais, o realismo levado a seus limites extremos, no entanto, o resultado não é, deve-se confessar, nem fascinante nem artístico.

— Certa seleção e discriminação devem ser usadas para produzir um efeito realístico — comentou Holmes. — Isso falta no relatório policial, no qual se ressaltam mais, talvez, as platitudes do magistrado do que os detalhes, os quais, para um observador, contêm a essência vital de todo o caso. Acredite, nada é menos natural que o lugar-comum.

Sorri e balancei a cabeça.

— Posso bem entender que você ache isso — falei. — Naturalmente, na sua posição de consultor extraoficial e ajudante de todos que se encontram absolutamente intrigados em três continentes, você entra em contato com tudo o que é estranho e bizarro. Mas vamos lá — eu peguei o jornal matutino do chão —, vamos fazer um teste prático. Aqui está a primeira manchete em que deitei os olhos. "A crueldade de um marido com sua esposa." Meia coluna de texto, mas já sei, sem ler, que tudo ser-me-á perfeitamente familiar. Há, é claro, a outra mulher, a bebida, os empurrões, os golpes, os hematomas, uma irmã ou senhoria solidária. O mais tosco dos escritores não poderia inventar nada mais tosco.

— Na verdade, você escolheu um exemplo infeliz para sua argumentação — disse Holmes, pegando o jornal e correndo os olhos pelo texto. — Este é o caso da separação dos

Dundas, e quis o acaso que eu me ocupasse de esclarecer alguns detalhes menores em conexão com ele. O marido era abstêmio, não havia outra mulher, e a conduta que gerou a queixa foi que ele adquirira o hábito de encerrar as refeições tirando sua dentadura e arremessando-a contra a esposa, o que, se me permite, não é, provavelmente, um gesto que ocorreria à imaginação da maioria dos escritores. Tome um pouco de rapé, doutor, e reconheça que marquei um ponto a meu favor usando seu exemplo.

Ele estendeu sua caixa de rapé de ouro velho com uma grande ametista no meio da tampa. Seu esplendor fazia tal contraste com os modos caseiros e a vida simples de Holmes que não pude deixar de comentar a respeito.

— Ah — ele disse. — Esqueci que não vejo você há algumas semanas. Foi uma lembrancinha do rei da Boêmia em agradecimento à minha assistência no caso das cartas de Irene Adler.

— E o anel? — perguntei, olhando para um vistoso brilhante que faiscava em seu dedo.

— Foi-me dado pela família real holandesa, embora a questão na qual os assisti é tão delicada que não posso revelá-la nem a você, que teve a bondade de registrar um ou dois dos meus probleminhas.

— E tem algum em mãos no momento? — perguntei, interessado.

— Dez ou doze, mas nenhum que apresente qualquer característica interessante. São importantes, entenda, sem serem interessantes. De fato, descobri que em geral é nas questões menos importantes que há um campo para a observação e a rápida análise de causa e efeito que dá charme a uma investigação. Os crimes maiores costumam ser os mais simples, já que quanto maior o crime, mais óbvio, via de regra, o motivo. Nesses casos, salvo por uma questão um tanto complicada que me foi confiada desde Marselha, não há nada que apresente qualquer característica interessante. É possível, no entanto, que eu possa ter algo melhor daqui a poucos minutos, pois chega um dos meus clientes, se não estou enganado.

Ele se levantara da poltrona, e estava de pé, abrindo as venezianas, olhando a tediosa e neutra rua londrina. Espiando por cima do seu ombro, vi que na calçada oposta estava uma mulher corpulenta, com uma pesada estola de pele no pescoço, e uma grande pena vermelha em arco enfeitando um chapéu de abas largas, inclinado de maneira coquete sobre a orelha, à moda da duquesa de Devonshire. Sob esse grande toldo ela olhava para cima com ar nervoso e hesitante, para nossas janelas, enquanto seu corpo oscilava para trás e para a frente, e seus dedos mexiam nos botões das luvas. De repente, num ímpeto, como o do nadador que salta da borda do lago, ela atravessou apressadamente a rua, e ouvimos o toque agudo da campainha.

— Já vi esses sintomas antes — disse Holmes, jogando o cigarro no fogo. — Oscilação na calçada sempre indica um *affaire de cœur*.* Ela quer conselhos, mas não sabe ao certo

---

* "Assunto do coração", em francês no original. (N. T.)

se a questão não é delicada demais para ser comunicada. Ainda assim, mesmo nisso podemos discriminar. Quando uma mulher foi seriamente injustiçada por um homem, não oscila mais, e o sintoma mais comum é o cordão da campainha arrancado. No presente caso, podemos deduzir que existe uma questão amorosa, mas que a donzela não está exatamente furiosa, e sim perplexa ou pesarosa. Bem, aí vem ela em pessoa para dirimir nossas dúvidas.

Enquanto ele falava, ouviram-se batidas na porta, e o pajem entrou para anunciar a Srta. Mary Sutherland, enquanto a própria dama assomava atrás da pequena figurinha negra, como um navio mercante de velas desbragadas atrás de um minúsculo rebocador. Sherlock Holmes a recebeu com a cortesia natural tão notável nele, e, depois de fechar a porta e indicar-lhe uma poltrona, olhou-a de alto a baixo da forma minuciosa, porém distraída, que lhe era peculiar.

— Não acha — ele disse —, que com sua visão fraca, é muito sacrifício escrever tanto a máquina?

— No princípio, eu achava — ela respondeu —, mas agora já sei onde estão as letras sem precisar olhar. — Então, dando-se subitamente conta de todas as implicações da pergunta de Holmes, ela teve um sobressalto violento e ergueu o olhar, com medo e assombro estampados no rosto largo e de boa índole. — Já ouviu falar de mim, Sr. Holmes — exclamou —, senão, como poderia saber disso?

— Não importa — disse Holmes, rindo —; meu trabalho é

saber das coisas. Talvez eu tenha me treinado para ver o que os outros negligenciam. Senão, por que teria vindo me consultar?

— Eu o procurei, senhor, porque falou-me a seu respeito a Sra. Etherege, cujo marido o senhor encontrou tão facilmente quando a polícia e todos já o davam como morto. Oh, Sr. Holmes, quero que faça o mesmo por mim. Não sou rica, mas ainda tenho uma renda de cem libras ao ano, além do pouco que ganho datilografando, e daria tudo para saber o que é feito do Sr. Hosmer Angel.

— Por que saiu tão apressadamente para vir me ver? — perguntou Sherlock Holmes, com as pontas dos dedos unidas e os olhos no forro.

Mais uma vez, uma expressão assustada cruzou o rosto um tanto vazio da Srta. Mary Sutherland.

— Sim, saí correndo de casa — ela disse —, pois me irritou ver o modo calmo com que o Sr. Windibank — isto é, meu pai — recebeu a notícia. Não quis procurar a polícia e nem queria consultar o senhor, por isso, finalmente, como ele não ia fazer nada e não parava de dizer que não havia mal algum nisso, fiquei furiosa, peguei minhas coisas e vim imediatamente falar com o senhor.

— Seu pai? — disse Holmes. — Seu padrasto, decerto, já que o sobrenome é diferente.

— Sim, meu padrasto. Eu o chamo de pai, embora soe engraçado, também, porque ele é só cinco anos e dois meses mais velho que eu.

— E sua mãe está viva?

— Oh, sim, mamãe está viva e bem. Não fiquei muito feliz, Sr. Holmes, quando ela se casou de novo tão pouco tempo depois da morte de papai, e com um homem quase quinze anos mais jovem do que ela. Papai era encanador na Tottenham Court Road, e nos deixou um negócio próspero, que mamãe continuou administrando com o Sr. Hardy, o encarregado; mas quando o Sr. Windibank chegou, obrigou-a a vender o negócio, pois ele é muito superior, vendedor itinerante de vinhos que é. Eles receberam 4.700 libras pela carteira de clientes, que não chegava nem perto do que papai teria recebido se estivesse vivo.

Eu esperava ver Sherlock Holmes impacientar-se com essa narrativa tão prolixa e inconsequente, mas, ao contrário, ele ouvira tudo com a mais concentrada atenção.

— Sua pequena renda — perguntou — vem desse negócio?

— Oh, não, senhor. É algo bem distinto, e que me foi deixado pelo meu tio Ned, em Auckland. São ações neozelandesas que rendem 4,5%. Valem 2.500 libras, mas só posso sacar os juros.

— Juro que o caso me interessa — disse Holmes. — E como recebe a alta soma de cem libras ao ano, somada ao que ganha com seu trabalho, sem dúvida a senhorita viaja um pouco e satisfaz todos os seus caprichos. Acredito que uma dama solteira possa se sustentar muito bem com uma renda de umas sessenta libras.

— Eu poderia passar com muito menos do que isso, Sr. Holmes, mas entenda, enquanto morar com eles, não quero ser um fardo, por isso deixo que usem o dinheiro, só enquanto eu morar com eles. Naturalmente, isso é temporário. O Sr. Windibank saca meus juros a cada trimestre e entrega para mamãe, e descobri que consigo viver muito bem com o que ganho datilografando. Ganho dois *pence* por folha, e muitas vezes consigo fazer de 15 a 20 folhas por dia.

— A senhorita deixou sua posição muito clara para mim — disse Holmes. — Este é meu amigo, o Dr. Watson, diante do qual pode falar tão livremente quanto fala comigo. Por gentileza, conte-nos agora sobre a sua relação com o Sr. Hosmer Angel.

Um rubor tomou conta do rosto da Srta. Sutherland, e ela mexeu nervosamente na bainha de seu casaco.

— Eu o conheci no baile dos funcionários da companhia de gás — disse. — Eles mandavam entradas para o meu pai, quando ele estava vivo, e depois se lembraram de nós, e continuaram a enviá-las para a minha mãe. O Sr. Windibank não queria que fôssemos. Nunca quer nos levar a lugar nenhum. Fica furioso até se eu apenas aceito sair com amigas após a escola dominical. Mas daquela vez eu estava determinada a ir, e iria mesmo; afinal, que direito ele tinha de me impedir? Ele dizia que as pessoas não eram do nosso nível, mas todos os amigos de papai estavam lá. E ele argumentava que eu não tinha nenhum vestido adequado, sendo que o de veludo violeta eu nem chegara a tirar da gaveta. Finalmente, quando viu que nada mais adiantaria, ele viajou para a

França a negócios, mas nós fomos, mamãe e eu, com o Sr. Hardy, nosso ex-encarregado, e foi lá que conheci o Sr. Hosmer Angel.

— Suponho — disse Holmes —, que quando o Sr. Windibank voltou da França, ficou muito contrariado ao saber que foram ao baile.

— Oh, ele reagiu muito bem. Lembro que riu, deu de ombros e disse que não adiantava negar nada a uma mulher, porque ela sempre conseguia o que queria.

— Entendo. E no baile da companhia de gás a senhorita conheceu, pelo que entendi, um cavalheiro chamado Hosmer Angel.

— Sim, senhor. Conheci-o naquela noite, e ele apareceu no dia seguinte para saber se havíamos chegado bem em casa, e depois disso o encontramos, quero dizer, Sr. Holmes, eu o encontrei duas vezes para passear a pé; mas depois papai voltou, e o Sr. Hosmer Angel não pôde mais aparecer em casa.

— Não?

— Bem, sabe, papai não gostava nada daquilo. Não permitia visitas, se pudesse evitá-las, e costumava dizer que uma mulher deve ser feliz dentro de seu círculo familiar. Mas então, como eu costumava dizer para mamãe, uma mulher também quer formar seu próprio círculo, e eu ainda não tinha o meu.

— Mas e o Sr. Hosmer Angel? Ele não tentou vê-la?

— Bem, papai iria para a França novamente dali a uma semana, e Hosmer escreveu e disse que seria mais seguro e melhor não nos vermos até que ele partisse. Poderíamos nos escrever, enquanto isso, e ele me escrevia todo dia. Eu recebia as cartas de manhã, portanto papai nem precisava saber.

— A senhorita ficou noiva desse cavalheiro, na época?

— Oh, sim, Sr. Holmes. Ficamos noivos depois da primeira caminhada que fizemos. Hosmer, o Sr. Angel, era caixa num escritório da Leadenhall Street... e...

— Que escritório?

— Essa é a pior parte, Sr. Holmes, eu não sei.

— Onde ele morava, então?

— Dormia no emprego.

— E a senhorita não sabe o endereço?

— Não, apenas que era na Leadenhall Street.

— Como endereçava cartas a ele, então?

— Para a Agência dos Correios da Leadenhall Street, como posta-restante. Ele dizia que, se fossem enviadas para o escritório, todos os outros funcionários zombariam dele por receber cartas de uma dama, por isso me ofereci para datilografá-las, como ele fazia com as suas, mas ele não quis, porque dizia que quando eu as escrevia à mão, pareciam vir de mim, mas quando eram datilografadas, ele sempre sentia que a máquina de escrever estava entre nós. Isso demonstra quanto gostava de mim, Sr. Holmes, e as pequenas coisas em que pensava.

— Muito sugestivo — disse Holmes. — Há muito tempo tenho como axioma que as pequenas coisas são infinitamente as mais importantes. Consegue lembrar algum outro pequeno detalhe do Sr. Hosmer Angel?

— Ele era muito tímido, Sr. Holmes. Preferia caminhar comigo à noite, não à luz do dia, pois dizia que detestava chamar a atenção. Era muito reservado e cavalheiro. Até sua voz era suave. Teve amigdalite e inchaço das glândulas quando jovem, me contou, e isso o deixou com a garganta fraca e uma maneira hesitante e sussurrada de falar. Estava sempre bem-vestido, muito asseado e discreto, mas seus olhos eram fracos, como os meus, e ele usava óculos escuros para se proteger da claridade.

— Bem, e o que aconteceu quando o Sr. Windibank, seu padrasto, viajou para a França?

— O Sr. Hosmer Angel apareceu em casa de novo e propôs que nos casássemos antes que papai voltasse. Sua seriedade era tremenda, e ele me fez jurar, com as mãos sobre a Bíblia, que não importava o que acontecesse, eu sempre seria fiel a ele. Mamãe disse que ele estava certo em me fazer jurar, e que isso era uma prova da sua paixão. Mamãe foi a favor desde o início, e gostava dele ainda mais do que eu. Então, quando eles falaram de casamento naquela semana, comecei a perguntar sobre papai, mas ambos disseram que eu não precisava me preocupar com papai, bastava contar a ele depois, e mamãe disse que resolveria tudo com ele. Não gostei muito daquilo, Sr. Holmes. Parecia estranho ter que pedir a permissão a ele, que era só alguns anos mais velho do que eu; mas não queria fazer nada às escondidas, por isso escrevi para papai em Bordeaux, onde a firma tem sua filial francesa, mas a carta foi devolvida na manhã do dia do casamento.

— Sem ter sido entregue, então?

— Sim, senhor; pois ele partira para a Inglaterra pouco antes que a carta chegasse.

— Ha! Que azar. Seu casamento foi marcado, então, para sexta-feira. Seria na igreja?

— Sim, senhor, mas bem discreto. Seria na Igreja do Santo Salvador, perto de King's Cross, e depois faríamos o desjejum no Hotel St Pancras. Hosmer veio nos buscar num *hansom*, mas como só cabiam duas pessoas, nós duas fomos nele e Hosmer tomou uma carruagem de quatro rodas, que era a única disponível na rua. Chegamos à igreja antes dele, e quando a carruagem parou, esperamos que descesse, mas ele não desceu, e quando o cocheiro desceu e foi olhar, não havia ninguém lá dentro! O cocheiro disse que não conseguia imaginar que fim Hosmer levara, já que o vira entrar com seus próprios olhos. Isso foi sexta-feira passada, Sr. Holmes, e desde então, não vi nem ouvi nada que ajudasse a esclarecer o que foi feito dele.

— Parece-me que a senhorita recebeu um tratamento vergonhoso — disse Holmes.

— Oh, não, senhor! Ele era bom e gentil demais para me abandonar assim. Ora, a manhã toda ficou me dizendo que, não importava o que acontecesse, eu deveria permanecer fiel, e até se algo bastante imprevisto nos separasse, eu deveria sempre lembrar que estava comprometida com ele, e que cedo ou tarde ele voltaria para reivindicar esse compromisso. Parecia um discurso estranho para a manhã de um casamento, mas o que aconteceu depois dá significado a tudo isso.

— Certamente que dá. Sua opinião é, então, que alguma catástrofe imprevista se abateu sobre ele?

— Sim, senhor. Acredito que ele previa algum perigo, ou não teria dito aquelas coisas. E acho que aquilo que ele previa aconteceu.

— Mas a senhorita não faz ideia do que possa ter sido?

— Nenhuma.

— Mais uma pergunta. Como sua mãe reagiu a isso?

— Ficou furiosa, e disse que eu nunca mais deveria falar do assunto.

— E seu pai? Contou para ele?

— Sim; e ele parecia achar, como eu, que algo havia acontecido, e que eu teria notícias de Hosmer de novo. Como ele disse, que interesse alguém poderia ter em me levar até a porta da igreja, e então me abandonar? Ora, se ele tivesse me pedido dinheiro emprestado, ou se já tivesse se casado comigo e pudesse ficar com meu dinheiro, seria um motivo, mas Hosmer era muito independente no tocante a dinheiro, e nunca quis um centavo meu. Mesmo assim, o que poderia ter acontecido? E por que ele não me escreve? Oh, fico quase louca pensando nisso, e não consigo pregar o olho à noite. — Ela puxou um lencinho do seu regalo e começou a soluçar com força.

— Darei uma olhada no caso para a senhorita — Holmes disse, se levantando —, e sem dúvida chegaremos a algum resultado conclusivo. Deixe o peso da questão comigo agora, e não ocupe mais sua mente com ela. Acima de tudo, tente fazer o Sr. Hosmer Angel desaparecer da sua memória, como ele desapareceu da sua vida.

— Então o senhor não acha que vou vê-lo de novo?

— Temo que não.

— Mas o que aconteceu com ele?

— A senhorita deixará essa questão nas minhas mãos. Gostaria de uma descrição minuciosa dele e de quaisquer cartas suas que possa me ceder.

— Mandei publicar um anúncio sobre ele no *Chronicle* de sábado passado — ela disse. — Aqui está a prova tipográfica, e quatro cartas que recebi dele.

— Obrigado. E o seu endereço?

— Lyon Place, 31, Camberwell.

— Nunca teve o endereço do Sr. Angel, pelo que entendi. Onde fica o escritório do seu pai?

— Ele viaja para a Westhouse and Marbank, a grande importadora de vinho *claret* da Fenchurch Street.

— Obrigado. Seu depoimento foi bastante claro. Deixe a papelada aqui, e lembre-se do conselho que lhe dei. Que todo o incidente seja como um volume fechado; não deixe que afete a sua vida.

— É muito gentil, Sr. Holmes, mas não posso fazer isso. Serei fiel a Hosmer. Ele me encontrará pronta quando voltar.

Apesar do chapéu absurdo e do rosto vazio, havia algo nobre

na fé simples da nossa visitante, que motivava nosso respeito. Ela deixou seu pequeno maço de papéis sobre a mesa e foi embora, com a promessa de voltar sempre que fosse convocada.

Sherlock Holmes ficou em silêncio por alguns minutos, com as pontas dos dedos ainda unidas, as pernas esticadas à sua frente e o olhar voltado para o forro. Então tirou do suporte seu velho e oleoso cachimbo de argila, que era como seu conselheiro, e, acendendo-o, recostou-se na poltrona, com as espirais de fumaça espessa e azul rodopiando ao seu redor e uma expressão de infinita languidez no rosto.

— Um estudo assaz interessante, essa donzela — ele observou. — Acho-a mais interessante do que seu probleminha, que, a propósito, é um tanto banal. Você encontrará paralelos, se consultar meu arquivo, em Andover, em 1877, e houve algo parecido em Haia no ano passado. Mas, embora a ideia seja antiga, um ou dois detalhes são novos para mim. Porém, a própria donzela foi bastante instrutiva.

— Você parece ter lido nela muitas coisas totalmente invisíveis para mim — comentei.

— Não invisíveis, apenas não notadas, Watson. Você não sabia onde procurar, por isso deixou de notar tudo o que era importante. Nunca conseguirei fazer você perceber a importância das mangas, a relevância das unhas dos polegares, ou as questões profundas que podem depender de um cadarço. Vamos, o que você deduziu a partir da aparência da mulher? Descreva-a.

— Bem, ela usava um chapéu de palha bege, de abas largas, com uma pena cor de tijolo. Seu casaco era preto, com contas pretas bordadas e uma franja de pequenos ornamentos de azeviche. Seu vestido era marrom, um pouco mais escuro do que café, com detalhes de veludo violeta na gola e nas mangas. Suas luvas eram cinza, com o indicador direito gasto. As botas eu não observei. Ela usava pequenos brincos com pingentes redondos de ouro, e tinha um aspecto geral de ser próspera, de uma forma vulgar, confortável, relaxada.

Sherlock Holmes bateu as mãos de leve e deu uma risadinha.

— Palavra, Watson, você está evoluindo maravilhosamente. Saiu-se realmente muito bem. É verdade que negligenciou tudo o que era importante, mas já entendeu o método, e tem um bom olhar para a cor. Nunca confie na impressão geral, meu rapaz, mas concentre-se nos detalhes. A primeira coisa que olho é sempre as mangas de uma mulher. Num homem, talvez seja melhor notar primeiro os joelhos da calça. Como pôde observar, essa mulher tinha veludo nas mangas, que é um material muito útil para exibir marcas. A linha dupla um pouco acima do pulso, onde uma datilógrafa encosta na mesa, estava lindamente definida. A máquina de costura manual deixa uma marca parecida, mas só no braço esquerdo, e do lado oposto ao polegar, em vez da parte mais larga, como neste caso. Depois, olhei para o seu rosto e, notando a marca de um *pince-nez* dos lados do nariz, arrisquei um comentário sobre visão fraca e datilografia que pareceu surpreendê-la.

— Surpreendeu a mim.

— Mas certamente era óbvio. Depois, fiquei muito surpreso e interessado ao olhar para baixo e observar que, embora as botas que ela usava não fossem muito diferentes, na verdade não eram do mesmo tipo; uma tinha a ponta um pouco decorada, e a outra era lisa. Uma estava abotoada só com os dois botões inferiores dos cinco que tinha, e a outra com o primeiro, terceiro e quinto. Pois bem, quando você vê uma jovem que, embora bem-vestida, saiu de casa usando botas diferentes e mal abotoadas, não é uma dedução extraordinária dizer que saiu de casa apressadamente.

— E o que mais? — perguntei, profundamente interessado, como sempre, pelo raciocínio incisivo do meu amigo.

— Notei cursivamente que ela escrevera um bilhete antes de sair de casa, mas depois de estar totalmente vestida. Você observou que sua luva direita estava rasgada no indicador, mas pelo visto não notou que tanto a luva quanto o dedo estavam manchados com tinta violeta. Ela escreveu com pressa e mergulhou demais a pena no tinteiro. Deve ter sido hoje de manhã, ou a mancha não estaria definida no dedo. Tudo isso é divertido, ainda que um tanto elementar, mas preciso voltar ao trabalho, Watson. Importa-se em ler para mim a descrição do Sr. Hosmer Angel constante no anúncio?

Segurei a pequena tira de papel impresso perto da luz.

"Desaparecido", dizia, "na manhã do dia 14, um cavalheiro chamado Hosmer Angel. Aproximadamente 1,70 m de estatura; de compleição robusta, tez pálida, cabelo preto, com uma pequena calva no alto da cabeça, costeletas cheias e bigode; óculos escuros, leve impedimento da fala. Trajava, quando foi visto pela última vez, sobretudo preto forrado de seda, colete preto, corrente de relógio de ouro e calça cinza de *tweed* e polainas marrons sobre botas com elástico na lateral. Trabalhava num escritório da Leadenhall Street. Quem fornecer..."

— Isso basta — disse Holmes. — Quanto às cartas — continuou, olhando-as de relance —, são bastante comuns. Não há nelas absolutamente nenhuma pista do Sr. Angel, exceto que ele citou Balzac uma vez. Há uma característica notável, no entanto, que sem dúvida ocorrerá a você.

— São datilografadas — comentei.

— Não apenas isso, mas a assinatura é datilografada. Olhe a bela inscrição "Hosmer Angel" no final. Há uma data, veja, mas nenhum sobrescrito além de Leadenhall Street, o que é um tanto vago. A questão da assinatura é bem sugestiva — de fato, podemos dizer que é conclusiva.

— Do quê?

— Caro colega, será possível que você não percebe a importância disso para o caso?

— Não posso dizer que percebo, a menos que seja porque ele queria poder negar tê-las assinado, se alguém o processasse por infringir sua promessa.

— Não, a questão não é essa. De qualquer forma, escreverei duas cartas que resolverão o assunto. Uma é para uma firma no centro, a outra, para o padrasto da jovem, o Sr. Windibank, perguntando se pode vir nos encontrar aqui amanhã, às 18h. Ainda bem que vamos tratar isso com os parentes do sexo masculino. E agora, doutor, não podemos fazer mais nada até que as respostas a essas cartas cheguem, portanto, nesse ínterim, é melhor engavetar nosso probleminha.

Eu tinha tantas razões para acreditar nos sutis poderes de raciocínio e na extraordinária energia em ação do meu amigo, que achava que ele devia ter alguma base sólida para a maneira segura e calma com que tratava o singular mistério que fora convocado para investigar. Somente uma vez eu o vira falhar, no caso do rei da Boêmia e da fotografia de Irene Adler; mas quando me lembrava do caso bizarro do Signo dos Quatro, e das circunstâncias extraordinárias ligadas ao Estudo em Vermelho, eu pensava que um emaranhado teria que ser muito estranho, para que ele não conseguisse desembaraçá-lo.

Eu o deixei, então, ainda baforando seu cachimbo preto de argila, com a convicção de que, quando voltasse na noite seguinte, descobriria que ele tinha nas mãos todas as pistas que levariam à identificação do noivo desaparecido da Srta. Mary Sutherland.

Um caso profissional muito grave ocupava minha atenção, na época, e o dia seguinte todo, estive ocupado ao lado do paciente. Foi somente perto das 18h que me vi livre e pude saltar num *hansom* e ir para a Baker Street, com certo temor de chegar tarde demais para assistir na solução do pequeno mistério. Encontrei Sherlock Holmes sozinho, no entanto, dormitando, com sua figura comprida e magra encolhida na poltrona. Um conjunto formidável de garrafas e tubos de ensaio, mais o cheiro pungente e limpo de ácido clorídrico, me revelaram que ele passara o dia ocupado com as experiências químicas de que tanto gostava.

— Bem, você resolveu? — perguntei assim que entrei.

— Sim. Era bissulfato de barita.

— Não, não, o mistério! — exclamei.

— Ah, isso! Pensei no sal em que estive trabalhando. Nunca houve nenhum mistério nesse caso, embora, como eu disse ontem, alguns dos detalhes fossem interessantes. O único ponto negativo é que temo que não exista nenhuma lei para punir o canalha.

— Quem era ele, então, e qual era seu objetivo em abandonar a Srta. Sutherland?

A pergunta mal saíra da minha boca, e Holmes ainda não abrira a sua para responder, quando ouvimos passos pesados no corredor e batidas na porta.

— Esse é o padrasto da garota, o Sr. James Windibank — disse Holmes. — Ele me escreveu para avisar que viria às 18h. Entre!

O homem que entrou era um sujeito robusto, de estatura mediana, uns 30 anos de idade, sem barba, de pele amarelada, com um ar pacato e insinuante e um par de olhos cinzentos maravilhosamente astutos e penetrantes. Olhou para nós interrogativamente, deixou sua cartola lustrosa sobre a cristaleira, e com uma reverência discreta, acomodou-se na poltrona mais próxima.

— Boa noite, Sr. James Windibank — disse Holmes. — Suponho que esta carta datilografada seja do senhor, marcando um encontro comigo às 18h?

— Sim, senhor. Temo ter-me atrasado um pouco, mas não mando no meu dia, sabe. Lamento que a Srta. Sutherland lhe tenha incomodado com esse assunto, porque acho muito melhor não lavar esse tipo de roupa suja em público. Foi contrariando minha vontade que ela veio, mas ela é uma garota muito excitável e impulsiva, como pode ter percebido, e não é fácil controlá-la quando toma alguma decisão. Naturalmente, não me preocupei tanto com o senhor, visto que não tem ligação com a polícia oficial, mas não é agradável ver um infortúnio familiar como esse divulgado aos quatro ventos. Além disso, é uma despesa inútil, pois como o senhor poderia encontrar esse tal de Hosmer Angel?

— Ao contrário — disse Holmes em voz baixa —; tenho todas as razões para crer que conseguirei descobrir o Sr. Hosmer Angel.

O Sr. Windibank teve um sobressalto violento e deixou cair as luvas.

— Fico muito feliz em ouvir isso — disse.

— É algo curioso — comentou Holmes — como uma máquina de escrever tem, na verdade, tanta individualidade quanto a caligrafia de alguém. A menos que sejam muito novas, não existem duas que escrevam exatamente da mesma forma. Algumas letras ficam mais gastas do que outras, e algumas se gastam apenas de um lado. Observe neste seu bilhete, Sr. Windibank, que todas as letras *e* estão um pouco borradas, e há um pequeno defeito na serifa do *r*. Existem catorze outras características, mas essas são as mais óbvias.

— Datilografamos todas as correspondências do escritório nessa máquina, e sem dúvida ela está um pouco gasta — nosso visitante respondeu, fitando Holmes fixamente com seus olhinhos brilhantes.

— E agora irei lhe mostrar o que é um estudo realmente interessante, Sr. Windibank — Holmes continuou. — Estou pensando em escrever outra monografiazinha, qualquer dia desses, sobre a máquina de escrever e sua relação com o crime. É um assunto ao qual devotei um pouco de atenção. Tenho aqui quatro cartas que supostamente vieram do desaparecido. Todas são datilografadas. Em cada uma delas, não só as letras *e* estão borradas e as *r* sem serifa, mas o senhor poderá observar, se quiser usar a minha lente de aumento, que as outras catorze características às quais me referi também estão presentes.

O Sr. Windibank saltou de sua poltrona e pegou seu chapéu.

— Não tenho tempo a perder com esse tipo de fantasia, Sr. Holmes — disse. — Se puder capturar o homem, capture-o, e avise-me quando conseguir.

— Certamente — disse Holmes, avançando e girando a chave na fechadura. — Aviso, então, que já o peguei!

— Quê? Onde? — gritou o Sr. Windibank, ficando pálido até nos lábios, e olhando ao redor como um rato numa ratoeira.

— Oh, não vai adiantar, não vai mesmo — disse Holmes

suavemente. — Não existe saída possível, Sr. Windibank. O caso é transparente demais, e foi insultuoso de sua parte dizer que seria impossível, para mim, resolver uma questão tão simples. Isso mesmo! Sente-se e vamos conversar.

Nosso visitante desabou na poltrona, com uma expressão horrorizada e o suor brilhando na testa.

— Não... não pode me processar — gaguejou.

— De fato, temo realmente que não possa. Mas cá entre nós, Windibank, nunca vi truque mais cruel, egoísta, desalmado e mesquinho. Agora deixe-me recapitular a sequência dos fatos, e corrija-me se eu estiver errado.

O homem se encolheu na poltrona, com a cabeça encostada no peito, como alguém completamente oprimido. Holmes apoiou os pés no canto da moldura da lareira e, refestelando-se com as mãos nos bolsos, começou a falar, mais consigo mesmo, ao que parecia, do que conosco.

— O homem se casou com uma mulher bem mais velha por causa do dinheiro dela — disse —, e gozaria também dos rendimentos da filha, enquanto ela morasse com eles. Era uma quantia considerável para pessoas da sua posição, e sua perda faria muita diferença. Preservá-la valia certo esforço. A filha tinha um caráter bondoso e amigável, modos afetuosos e cordiais, portanto era evidente que, com tantas belas virtudes e alguma renda, não ficaria solteira por muito tempo. Ora, seu casamento significaria, é claro, a perda de cem libras anuais, então o que seu padrasto faz para impedir? Toma as medidas óbvias para mantê-la em casa e proibi-la de procurar a companhia de pessoas da sua idade. Mas ele logo descobriu que isso não funcionaria para sempre. Ela ficou indócil, insistiu que tinha direitos, e finalmente anunciou sua intenção positiva de ir a um certo baile. O que seu esperto padrasto faz então? Tem uma ideia que parece ter surgido mais em sua cabeça do que em seu coração. Com a cumplicidade e a assistência da esposa, ele se disfarça, esconde seu olhar arguto atrás de óculos escuros, mascara o rosto com um bigode e um par de espessas costeletas, transforma a voz clara num sussurro insinuante, e, duplamente seguro de si por conta da visão fraca da garota, aparece como o Sr. Hosmer Angel, e afasta todos os outros amores, tornando-se ele mesmo o amor da filha.

— De início, era só uma brincadeira — gemeu nosso visitante. — Nunca pensamos que ela fosse se envolver tanto.

— Provavelmente não. De qualquer modo, a jovem decididamente se envolveu, e, convencida de que seu padrasto estava na França, a suspeita de má-fé não lhe passou pela mente nem por um instante. Estava lisonjeada pelas atenções do cavalheiro, e o efeito foi aumentado pela admiração de sua mãe, declarada em voz alta. Então o Sr. Angel começou a visitá-la, pois era óbvio que a coisa precisava ser levada a extremos, para produzir um efeito real. Houve encontros, e um noivado, que finalmente evitaria que a afeição da garota se voltasse para qualquer outro. Mas a fraude não poderia ser mantida para sempre. Essas falsas viagens para a França eram um tanto incômodas. O que era preciso, claramente, seria encerrar a história de forma tão dramática que deixasse uma impressão permanente na mente da jovem, impedindo-a de considerar qualquer outro pretendente por algum tempo. Por isso aqueles votos de fidelidade exigidos sobre uma Bíblia, e por isso, também, as alusões à possibilidade de algo acontecer na mesma manhã do casamento. James Windibank queria que a Srta. Sutherland ficasse tão ligada a Hosmer Angel, e tão incerta do destino dele, que por mais dez anos, no mínimo, não desse ouvidos a nenhum outro homem. Até a porta da igreja ele a levou, e então, como não poderia ir além, desapareceu convenientemente, usando o velho truque de entrar por uma porta da carruagem e sair pela outra. Acho que essa foi a sequência dos acontecimentos, Sr. Windibank!

Nosso visitante recuperara um pouco de sua confiança enquanto Holmes falava, e se ergueu da poltrona, agora, com um sorriso desdenhoso no rosto pálido.

— Pode ter sido assim ou pode não ter sido, Sr. Holmes — ele disse —, mas se o senhor é tão esperto, deve ser esperto o suficiente para saber que é o senhor que está infringindo a lei, agora, não eu. Não fiz nada ilegal desde o princípio, mas, mantendo aquela porta trancada, o senhor se expõe a uma ação por agressão e cárcere privado.

— A lei não pode tocá-lo, como o senhor diz — declarou Holmes, destrancando e escancarando a porta —, mas nunca houve um homem que merecesse mais ser punido. Se a jovem tiver um irmão ou um amigo, ele deve usar um açoite nas suas costas. Por Jove! — ele continuou, inflamando-se ao ver um esgar revoltante no rosto do homem. — Isso não se inclui entre os meus deveres para com a cliente, mas tenho meu chicote de caça à mão, e acho que vou me permitir... — Ele deu dois passos rápidos na direção do chicote, mas antes que pudesse pegá-lo, ouvimos o ruído de um tropel na escada, a porta da rua bateu, e pela janela pudemos ver o Sr. James Windibank correndo quanto podia pela estrada.

— Aí está um canalha desalmado! — disse Holmes, rindo, jogando-se mais uma vez em sua poltrona. — Esse camarada vai cometer crimes cada vez maiores, até que um dia fará algo muito grave e acabará na forca. O caso não foi, sob certos aspectos, totalmente desinteressante.

— Ainda não consigo ver todas as etapas do seu raciocínio — comentei.

— Bem, naturalmente, era óbvio desde o princípio que esse Sr. Hosmer Angel devia ter algum objetivo para sua conduta curiosa, e ficou igualmente claro que o único que lucrou de verdade com o incidente, até onde sabemos, foi o padrasto. Também o fato de os dois homens nunca estarem juntos, e um sempre aparecer quando o outro estava ausente, era sugestivo. Como os óculos escuros e a voz estranha, dois detalhes que indicavam um disfarce, junto com as grossas costeletas. Todas as minhas suspeitas foram confirmadas pelo seu peculiar gesto de datilografar a assinatura, o que, é claro, implicava uma caligrafia tão familiar para ela que a menor amostra seria reconhecida. Veja como todos esses fatos isolados, juntamente com vários outros, menores, apontavam na mesma direção.

— E como você os confirmou?

— Depois de ter descoberto o meu homem, foi fácil corroborar a teoria. Eu conhecia a firma para a qual esse homem trabalhava. De posse da descrição do anúncio, eliminei dela tudo o que poderia ser resultado de um disfarce, as costeletas, os óculos, a voz, e a enviei para a firma, pedindo que me informassem se correspondia a algum de seus representantes. Eu já havia notado as peculiaridades da máquina de escrever, e escrevi para ele mesmo, em seu endereço comercial, perguntando se poderia vir para cá. Como esperava, sua resposta foi datilografada e revelou os mesmos defeitos triviais, porém característicos. O mesmo correio me trouxe uma carta da Westhouse & Marbank, da Fenchurch Street, dizendo que a descrição correspondia perfeitamente à de seu funcionário James Windibank. *Voilà tout!*\*

— E a Srta. Sutherland?

— Se eu contar, ela não vai acreditar. Talvez você se lembre do velho ditado persa: "Há perigo para aquele que rouba o filhote do tigre, e também para quem subtrai a ilusão de uma mulher". Há tanto bom senso em Hafiz quanto em Horácio, e conhecimento igual do mundo.\*\*

---

\* "Isso é tudo", em francês no original. (N. T.)

\*\* Hafiz, místico e poeta persa do século XIV. Horácio, poeta romano do século I a. C. (N. T.)

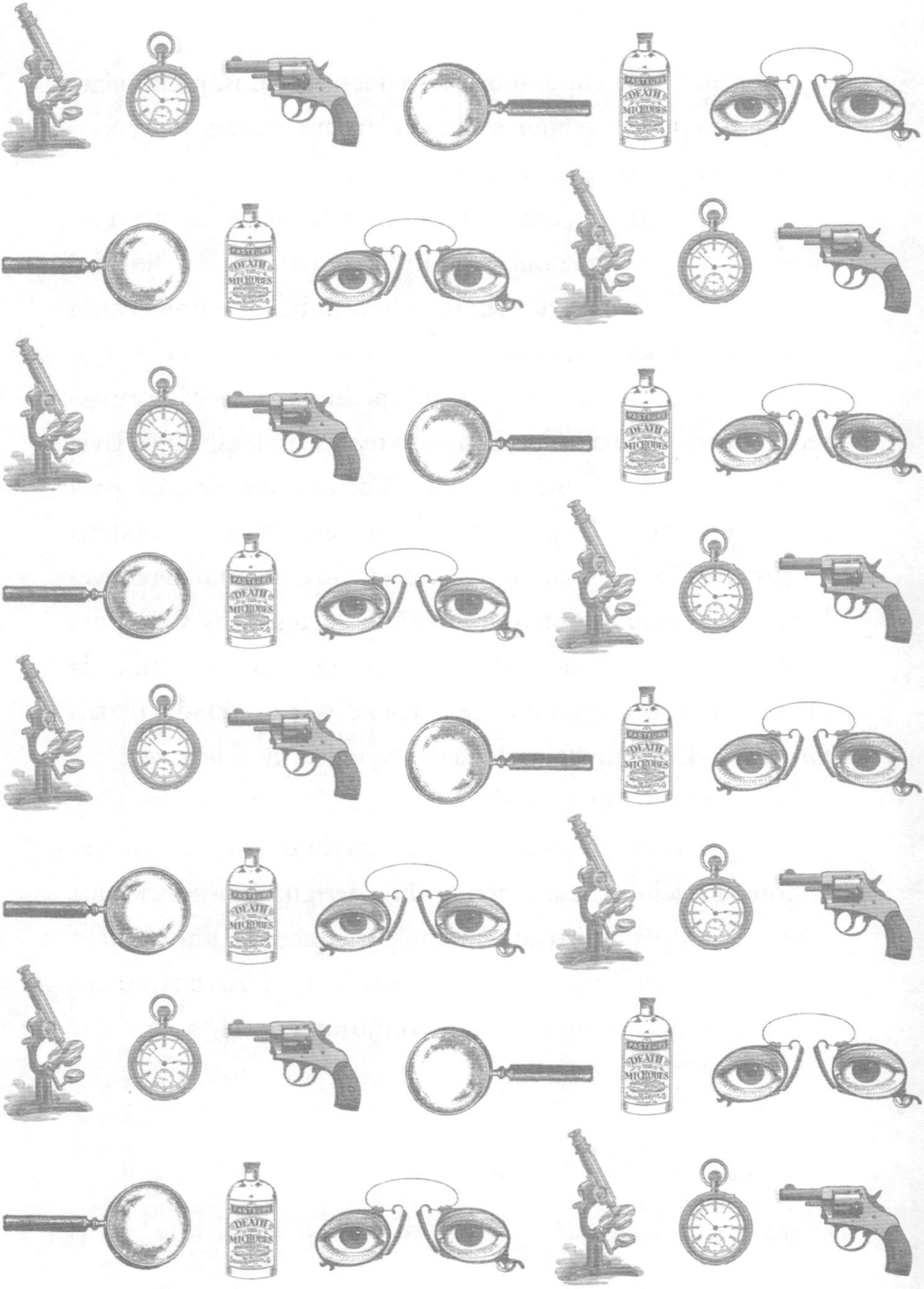
PASTEURS
DEATH
MICROBES

*quatro*
# O MISTÉRIO DE BOSCOMBE VALLEY

Estávamos sentados à mesa do desjejum, uma manhã, minha esposa e eu, quando a criada trouxe um telegrama. Era de Sherlock Holmes e dizia o seguinte:

> Você poderia dispor de alguns dias? Acabei de receber um telegrama do oeste da Inglaterra, em conexão com a tragédia de Boscombe Valley. Ficaria feliz se você fosse comigo. A atmosfera e a paisagem são perfeitas. Vou partir de Paddington às 11h15.

— O que você vai dizer, querido? — minha esposa perguntou, me olhando de lado. — Irá com ele?

— Realmente, não sei o que responder. Minha agenda está cheia, no momento.

— Ora, Anstruther aceitaria fazer o seu trabalho. Você anda meio pálido ultimamente. Acho que a mudança de ares faria bem, e você se interessa tanto pelos casos do Sr. Sherlock Holmes.

— Seria ingrato se não me interessasse, considerando o que ganhei mediante um deles — respondi. — Mas se eu for, preciso fazer as malas já, porque só tenho meia hora.

Minha experiência da vida acampado no Afeganistão ao menos tivera o efeito de me transformar num viajante prático e sempre pronto. Minhas necessidades eram poucas e simples, por isso, num tempo menor que o necessário, eu já estava numa carruagem com minha valise, sacolejando rumo à Estação Paddington. Sherlock Holmes andava de um lado para o outro na plataforma, com sua silhueta alta e magra ainda mais espichada por sua longa capa cinza de viagem e seu gorro justo de pano.

— Foi muita bondade sua vir, Watson — ele disse. — Faz uma considerável diferença, para mim, ter comigo alguém em quem posso confiar completamente. A ajuda local é sempre inútil, ou então parcial. Guarde os dois assentos do canto, vou comprar as passagens.

Tínhamos o vagão para nós, à parte uma imensa papelada que Holmes trouxera consigo. Ele se ocupou espalhando-a, lendo aqui e ali, fazendo anotações e meditando a intervalos, até passarmos por Reading. Então, de repente, ele empelotou tudo numa bola gigante e a jogou no bagageiro.

— Você não ouviu nada sobre o caso? — ele perguntou.

— Nem uma palavra. Não leio nenhum jornal há alguns dias.

— A imprensa londrina não fez relatos muito detalhados. Acabo de consultar todos os jornais recentes para tomar ciência dos particulares. Parece-me, pelo que pude averiguar, ser um daqueles casos simples que são tão extremamente difíceis.

— Isso soa um tanto paradoxal.

— Mas é a mais pura verdade. A peculiaridade, quase invariavelmente, é uma pista. Quanto mais sem características e comum um crime, mais difícil resolvê-lo. Neste caso, no entanto, estabeleceu-se uma acusação muito estruturada contra o filho do homem assassinado.

— Foi assassinato, então?

— Bem, conjectura-se que tenha sido. Não aceitarei nenhuma teoria enquanto não tiver a oportunidade de investigar pessoalmente. Explicarei o estado das coisas para você, até onde pude entender, em poucas palavras.

"Boscombe Valley é uma região do interior não muito distante de Ross, em Herefordshire. O maior proprietário de terras daquela área é um certo Sr. John Turner, que fez fortuna na Austrália e regressou há alguns anos à velha pátria. Uma das fazendas que ele possuía, a de Hatherley, foi arrendada ao Sr. Charles McCarthy, também um ex-australiano. Os dois se conheceram nas colônias, portanto não era estranho que, ao se estabelecerem, ficassem tão próximos quanto possível. Turner, aparentemente, era o mais rico dos dois, por isso

McCarthy se tornou seu arrendatário, mas continuava, ao que parece, em condições de perfeita igualdade, porque eles frequentemente estavam juntos. McCarthy tinha um filho, um jovem de 18 anos, e Turner, uma filha única da mesma idade, mas ambos eram viúvos. Pareciam evitar o convívio social das famílias inglesas vizinhas e viver isolados, embora McCarthy pai e filho fossem apaixonados por desportos e fossem vistos com frequência nas corridas da vizinhança. McCarthy tinha dois criados — um homem e uma garota. Turner tinha uma criadagem considerável, meia dúzia no mínimo. Isso foi tudo o que pude averiguar sobre as famílias. Agora, os fatos.

"Em 3 de junho, isto é, segunda-feira passada, McCarthy saiu de sua casa em Hatherley por volta das três da tarde e andou até o Lago Boscombe, que é pequeno e formado pela expansão do riozinho que atravessa Boscombe Valley. Ele estivera pela manhã com seu criado em Ross, e dissera ao homem que precisava se apressar, pois tinha um compromisso importante às três. Desse compromisso, não saiu vivo.

"Da Fazenda Hatherley ao Lago Boscombe, a distância é de 400 metros, e duas pessoas o viram fazendo esse caminho. Uma era uma velha senhora cujo nome não foi mencionado, e a outra, William Crowder, guarda florestal a serviço do Sr. Turner. Essas duas testemunhas disseram em depoimento que o Sr. McCarthy estava andando sozinho. O guarda acrescenta que, alguns minutos depois de ver o Sr. McCarthy passar, ele viu o filho, o Sr. James McCarthy, fazendo o mesmo caminho com uma arma debaixo do braço. Ele acredita que o pai estava no campo visual do filho, naquele momento, e que este o estava seguindo. Ele não pensou mais no caso até ficar sabendo, à noite, da tragédia que acontecera.

"Os dois McCarthy foram vistos depois que William Crowder, o guarda florestal, os perdeu de vista. O Lago Boscombe tem uma espessa floresta ao redor, com só um pouco de grama e juncos perto da beira. Uma menina de 14 anos, Patience Moran, que é a filha do caseiro da propriedade de Boscombe Valley, estava no bosque colhendo flores. Ela declara ter visto, no limite da floresta, perto do lago, o Sr. McCarthy e seu filho, e que os dois pareciam estar tendo uma discussão violenta. Ela ouviu McCarthy sênior usando palavras muito fortes com o filho, e viu este último erguer a mão, como que para golpear o pai. Ficou tão apavorada com aquela violência que fugiu e contou à mãe, ao chegar em casa, que vira os dois McCarthy brigando perto do Lago Boscombe, e que temia que eles fossem passar às vias de fato. Mal acabara de pronunciar as palavras quando o jovem Sr. McCarthy chegou correndo à residência do caseiro, dizendo que encontrara seu pai morto na floresta, e pedindo a ajuda do caseiro. Estava bastante exaltado, sem arma e sem chapéu, e em sua mão e sua manga direitas observavam-se manchas de sangue fresco. Seguindo-o, eles encontraram o corpo sem vida estendido na grama à beira do lago. A cabeça havia sido atingida por vários golpes de algum objeto pesado e contundente. Os ferimentos poderiam muito bem ter sido infligidos pelo cabo da arma do filho, que foi encontrada na grama, a alguns passos do cadáver. Sob essas circunstâncias, o jovem foi preso imediatamente, e depois que um veredicto de "homicídio doloso" foi proferido no inquérito de terça--feira, na quarta ele foi apresentado aos magistrados de Ross, que indicaram o caso para a próxima sessão judicial. Esses são os fatos principais do caso, como foram apresentados pelo legista e pela polícia."

— Não consigo imaginar um caso mais incriminador — comentei. — Se alguma vez provas circunstanciais apontaram um criminoso, foi nesse caso.

— Provas circunstanciais são uma coisa deveras capciosa — respondeu Holmes, pensativo. — Às vezes parecem apontar algo de maneira direta, mas se você mudar um pouquinho seu ponto de vista, pode descobrir que elas apontam de maneira igualmente descomprometida algo completamente diferente. É preciso confessar, no entanto, que o caso parece pesar bastante contra o jovem, e é bem possível que ele seja mesmo o culpado. Há várias pessoas na vizinhança, todavia, e entre elas a Srta. Turner, filha do proprietário das terras vizinhas, que acreditam na inocência dele, e que seguraram Lestrade, de quem talvez você se lembre pela participação no Estudo em Vermelho, para investigar a questão no interesse do rapaz. Lestrade, vendo-se um tanto intrigado, indicou-me o caso, e é assim que dois cavalheiros de meia-idade estão voando para o oeste a 80 quilômetros por hora, em vez de digerirem tranquilamente seu desjejum em casa.

— Temo — disse eu — que os fatos sejam tão óbvios que você vá receber pouco crédito por esse caso.

— Nada é mais enganador do que um fato óbvio — ele respondeu, rindo. — Além disso, talvez possamos encontrar mais alguns fatos óbvios que de modo algum tenham ficado óbvios para o Sr. Lestrade. Você me conhece bem demais para achar que estou me vangloriando quando digo que irei confirmar ou destruir a teoria dele por meios que Lestrade é completamente incapaz de utilizar, ou mesmo de entender. Para dar o exemplo mais à mão, percebo muito claramente que a janela do seu quarto fica do lado direito, no entanto, me pergunto se o Sr. Lestrade teria notado até algo tão evidente assim.

— Como é que...?

— Meu caro amigo, conheço bem você. Sei da higiene militar que o caracteriza. Você se barbeia todo dia, e nesta estação do ano, o faz à luz do sol; mas como observamos um barbear cada vez menos completo à medida que vamos para o seu lado esquerdo, até ficar positivamente desleixado no canto do maxilar, certamente está bastante claro que esse lado é menos iluminado do que o outro. Não consigo imaginar um homem com os seus hábitos se olhando sob uma luz uniforme e ficando satisfeito com um resultado assim. Cito isso apenas como um exemplo trivial de observação e inferência. É nisso que está o meu *métier*, e é bem possível que ele tenha alguma utilidade na investigação que nos espera. Existem uma ou duas questões menores que foram levantadas no inquérito, e que vale a pena considerar.

— Quais são?

— Aparentemente, ele não foi preso imediatamente, mas depois que retornou à Fazenda Hatherley. Quando o inspetor de polícia o informou de que estava detido, ele comentou que não ficava surpreso em ouvir isso, e que era o que merecia. Essa observação dele teve o efeito natural de eliminar qualquer sombra de dúvida que ainda poderia existir para o júri.

— Foi uma confissão — exclamei.

— Não, porque foi seguida por um protesto de inocência.

— Depois de uma sequência de acontecimentos tão condenatórios, foi no mínimo um comentário muito suspeito.

— Pelo contrário — disse Holmes —, é o sinal mais claro que posso ver, no momento, do brilho do sol por cima das nuvens. Por mais inocente que seja, ele não deve ser um completo imbecil e ignorar que as circunstâncias estão muito em seu desfavor. Se tivesse parecido surpreso com sua prisão, ou afetado indignação, eu veria isso como altamente suspeito, porque tal surpresa ou raiva não seriam naturais naquelas circunstâncias, embora pudessem parecer a melhor estratégia para alguém que agisse com premeditação. Sua aceitação franca da situação o marca como um homem inocente, ou então de considerável autocontrole e firmeza. Quanto ao comentário sobre merecê-lo, também não é estranho, se você considerar que ele estivera diante do cadáver do pai, e que sem dúvida, naquele mesmo dia, esquecera seu dever filial a ponto de trocar palavras duras com ele e até, de acordo com a menina, cujo depoimento é tão importante, erguer a mão, como que para golpeá-lo. A autocondenação e a contrição demonstradas por seu comentário me parecem indícios de uma mente sadia, não culpada.

Balancei a cabeça.

— Muitos homens já foram enforcados com provas bem menores — comentei.

— De fato. E muitos homens já foram injustamente enforcados.

— Qual o relato do próprio jovem sobre o caso?

— Temo que não seja muito encorajador para aqueles que o apoiam, embora tenha um ou dois aspectos sugestivos. Vai encontrá-lo aqui, leia você mesmo.

Ele pegou do amontoado de papéis uma cópia do jornal local de Herefordshire, e depois de virar a página, apontou o parágrafo no qual o desafortunado rapaz dera seu próprio depoimento sobre o acontecido. Eu me ajeitei no canto do vagão e o li cuidadosamente. Aqui está o texto:

> O Sr. James McCarthy, filho único do falecido, foi então chamado e deu o seguinte depoimento: "Eu estivera longe de casa por três dias, em Bristol, e acabara de voltar na manhã de segunda-feira

passada, dia 3. Meu pai não estava em casa na hora da minha chegada, e fui informado pela criada que ele fora para Ross com John Cobb, o cavalariço. Pouco depois que cheguei, ouvi as rodas de sua carroça no pátio, e, olhando da janela do meu quarto, o vi descer e sair rapidamente do pátio, embora não soubesse em que direção ele estava indo. Então peguei minha arma e saí na direção do Lago Boscombe, com a intenção de visitar as tocas de coelhos que ficam do outro lado. A caminho de lá, vi William Crowder, o guarda florestal, que disse isso em seu depoimento, mas que se engana ao achar que eu estava seguindo meu pai. Eu não fazia ideia de que ele andava à minha frente. A uma centena de metros do lago, ouvi alguém gritar 'Cooee!', um sinal costumeiro que meu pai e eu usávamos. Então corri e o encontrei à margem do lago. Ele pareceu muito surpreso em me ver e me perguntou, um tanto asperamente, o que eu estava fazendo ali. Seguiu-se uma conversa que levou a palavras exaltadas e quase a um confronto físico, porque meu pai tinha um temperamento muito violento. Ao ver que sua fúria estava ficando incontrolável, eu o deixei e voltei na direção da Fazenda Hatherley. Eu não andara mais do que 150 metros, porém, quando ouvi um grito pavoroso atrás de mim, o que me fez voltar correndo. Encontrei meu pai morrendo no chão, com um ferimento terrível na cabeça. Larguei a arma e o tomei em meus braços, mas ele faleceu quase instantaneamente. Ajoelhei-me ao lado dele por alguns minutos, e então voltei para a residência do caseiro do Sr. Turner, que era a casa mais próxima, para pedir ajuda. Não vi ninguém perto do meu pai quando voltei e não faço ideia de como sofreu aqueles ferimentos. Ele não era popular, por ser um tanto frio e de modos ríspidos, mas não tinha, até onde sei, nenhum inimigo ativo. Nada mais sei sobre o assunto."

Legista: "Seu pai lhe disse alguma coisa antes de morrer?"

Testemunha: "Balbuciou algumas palavras, mas só consegui entender a referência a um rato."

Legista: "Como o senhor interpretou isso?"

Testemunha: "Não fez sentido algum para mim. Imaginei que ele estivesse delirando."

Legista: "Qual o assunto dessa última discussão com seu pai?"

Testemunha: "Prefiro não responder."

Legista: "Infelizmente, preciso insistir."

Testemunha: "Eu realmente não posso contar.

Posso garantir que não tinha nada a ver com a triste tragédia que se seguiu."

Legista: "Isso quem decide é o tribunal. Não preciso salientar que sua recusa em responder prejudicará consideravelmente sua situação em qualquer julgamento que venha a acontecer."

Testemunha: "Mesmo assim, devo recusar."

Legista: "Pelo que entendi, o grito de 'Cooee' era um sinal comum entre o senhor e seu pai?"

Testemunha: "Era."

Legista: "Como foi, então, que ele deu o grito antes de ver o senhor, e antes até de saber que o senhor havia regressado de Bristol?"

Testemunha (consideravelmente confusa): "Não sei."

Um Jurado: "O senhor não viu nada que despertasse suspeitas, quando voltou ao ouvir o grito e encontrou seu pai mortalmente ferido?"

Testemunha: "Nada definido."

Legista: "O que quer dizer?"

Testemunha: "Eu estava tão perturbado e agitado, ao correr para o lago, que não consegui pensar em nada além de meu pai. No entanto, tenho a vaga impressão de ter visto, ao correr, algo estendido no chão à minha esquerda. Parecia ser algo cinza, alguma espécie de casaco, ou uma manta, talvez. Quando saí de perto de meu pai, olhei ao meu redor, procurando aquilo, mas desaparecera.

"Quer dizer que desapareceu antes que o senhor fosse buscar ajuda?"

"Sim, havia desaparecido."

"E o senhor não conseguiu ver o que era?"

"Não, tive a impressão de que havia algo ali."

"A que distância do corpo?"

"Uns dez metros."

"E a que distância da borda da floresta?"

"Aproximadamente a mesma."

"Então, se o objeto foi levado, isso aconteceu com o senhor a menos de dez metros de distância?"

"Sim, mas eu estava de costas."

Isso concluiu o interrogatório da testemunha.

— Vejo — eu disse, correndo os olhos pela coluna — que o legista, em seus comentários finais, foi um tanto severo com o jovem McCarthy. Chama atenção, e com razão, para a discrepância de seu pai tê-lo chamado com o sinal antes de vê-lo, e também para a sua recusa de fornecer detalhes da conversa e o seu relato singular sobre as últimas palavras do pai. Todos esses pormenores, como o legista comenta, depõem muito contra o filho.

Holmes riu baixinho consigo mesmo e se esticou no assento estofado.

— Tanto você quanto o legista fizeram considerável esforço — ele disse —, para destacar justamente os pontos que estão a favor do jovem. Não está vendo que você o acusa alternadamente de ter imaginação demais e de menos? De menos, se não conseguiu inventar uma causa para a briga que faria o júri comiserar-se dele; demais, se tirou de sua própria consciência coisas tão ousadas quanto a referência do moribundo a um rato, e o incidente do pano que desapareceu. Não, senhor, abordarei esse caso a partir do ponto de vista de que o jovem disse a verdade, e veremos aonde essa hipótese nos levará. E agora, aqui está o meu Petrarca de bolso, e não direi mais uma palavra sobre o caso enquanto não chegarmos ao local da ação. Almoçaremos em Swindon, e vejo que chegaremos lá em vinte minutos.

Eram quase 16h quando finalmente, depois de atravessarmos o belo Stroud Valley, e cruzarmos o largo e brilhante Severn, nos encontramos na linda cidadezinha interiorana de Ross. Um homem magro e com cara de fuinha, furtivo e sorrateiro, estava à nossa espera na plataforma. Apesar do guarda-pó marrom claro e da perneira de couro que ele usava em deferência ao ambiente rústico, não tive dificuldade em reconhecer Lestrade, da Scotland Yard. Ele nos levou para o Hereford Arms, onde um quarto já havia sido reservado para nós.

— Pedi uma carruagem — disse Lestrade, enquanto tomávamos uma xícara de chá. — Conheço sua natureza energética, e sei que não ficará satisfeito enquanto não visitar o local do crime.

— Muito gentil e elogioso de sua parte — Holmes respondeu. — Isso depende totalmente da pressão barométrica.

Lestrade parecia surpreso.

— Acho que não entendi — disse.

— O que diz o barômetro? Vinte e nove, vejo. Nada de vento e nenhuma nuvem no céu. Tenho aqui uma carteira cheia de cigarros que precisam ser fumados, e este sofá é muito superior às costumeiras abominações dos hotéis da zona rural. Não acho provável que eu vá usar a carruagem esta noite.

Lestrade riu com indulgência.

— Sem dúvida, já tirou suas conclusões pelos jornais — disse. — O caso está claro como o dia, e quanto mais o examinamos, mais claro fica. Ainda assim, é claro, não se pode dizer não a uma dama, ainda mais uma tão virtuosa. Ela ouviu falar de você e quer sua opinião, embora eu lhe tenha dito repetidamente que não havia nada que você pudesse fazer que eu já não tivesse feito. Ora, pelos céus! A carruagem dela está à porta.

Ele mal terminara de falar quando irrompeu na sala uma das jovens mais adoráveis que já vi na minha vida. Seus olhos violetas brilhavam, seus lábios estavam entreabertos, sua face, corada de rosa, qualquer preocupação com seu natural recato abandonada, na agitação e na preocupação tão avassaladoras.

— Oh, Sr. Sherlock Holmes! — ela exclamou, correndo os olhos entre nós dois, e finalmente, com sua rápida intuição feminina, optando pelo meu colega. — Fico tão feliz que tenha vindo. Corri até aqui para dizer isso. Eu sei que James não é o culpado. Sei disso, e quero que comece seu trabalho sabendo também. Jamais se permita duvidar disso. Nós nos conhecemos desde crianças, e eu conheço seus defeitos melhor do que ninguém; mas ele tem um coração mole demais para matar até uma mosca. Essa acusação é absurda para qualquer um que o conhece de verdade.

— Espero que possamos inocentá-lo, Srta. Turner — disse Sherlock Holmes. — Pode acreditar que farei tudo que eu puder.

— Mas o senhor leu as provas. Já formou alguma opinião? Não consegue detectar alguma lacuna, alguma falha? O senhor mesmo não acha que ele é inocente?

— Acho que isso é bastante provável.

— Aí está! — ela exclamou, levantando a cabeça e olhando desafiadoramente para Lestrade. — Ouviu? Ele me dá esperanças.

Lestrade deu de ombros.

— Temo que meu colega tenha se precipitado um pouco em suas conclusões — disse.

— Mas ele está certo. Oh! Sei que está certo. Não foi James. E quanto à briga com seu pai, tenho certeza de que não quis falar dela com o legista porque me envolvia.

— De que forma? — perguntou Holmes.

— Não é hora de esconder nada. James e seu pai discordavam em várias coisas a meu respeito. O Sr. McCarthy estava ansioso para que nos casássemos. James e eu sempre nos amamos como irmãos; mas, naturalmente, ele é jovem e pouco viu da vida ainda, e... e... bem, naturalmente, ele não queria que fizéssemos algo assim ainda. Por isso aconteciam discussões, e essa, tenho certeza, foi uma delas.

— E seu pai? — perguntou Holmes. — Era a favor dessa união?

— Não, também era contra. Só o Sr. McCarthy era a favor. — Um leve rubor cruzou seu rosto fresco e jovem quando Holmes lhe lançou um de seus olhares penetrantes e inquisidores.

— Obrigado por essa informação — ele disse. — Poderei ver seu pai, se o visitar amanhã?

— Temo que o médico não vá permitir.

— O médico?

— Sim, o senhor não soube? O pobre papai já está sem forças há anos, mas isso o esgotou completamente. Está acamado, e o Dr. Willows diz que seu estado é péssimo, que seu sistema nervoso está em frangalhos. O Sr. McCarthy era o último sobrevivente dos que conheceram papai nos velhos tempos, em Victoria.

— Ha! Em Victoria! Isso é importante.

— Sim, nas minas.

— De fato; nas minas de ouro, onde, pelo que sei, o Sr. Turner fez sua fortuna.

— Sim, exato.

— Obrigado, Srta. Turner. Ajudou-me concretamente.

— Avise-me se tiver qualquer notícia amanhã. Sem dúvida irá ver James na prisão. Oh, se for lá, Sr. Holmes, por favor, diga-lhe que sei que ele é inocente.

— Eu direi, Srta. Turner.

— Preciso voltar para casa agora, porque papai está muito doente e sente muito minha falta quando saio. Adeus, e que Deus ajude o senhor em sua missão. — Ela se precipitou para fora tão impulsivamente quanto havia entrado, e ouvimos as rodas de sua carruagem chocalhando pela rua.

— Estou envergonhado de você, Holmes — disse Lestrade com dignidade, depois de alguns minutos de silêncio. — Por que alimentar esperanças que certamente irá desapontar? Não tenho coração mole, mas chamo isso de crueldade.

— Acho que vejo uma maneira de inocentar James McCarthy — disse Holmes. — Você tem um mandado para visitá-lo na prisão?

— Sim, mas somente para você e eu.

— Então vou reconsiderar minha decisão de não sair. Ainda temos tempo para pegar um trem para Hereford e vê-lo hoje à noite?

— Muito.

— Então façamos isso. Watson, temo que vá demorar para você, mas só me ausentarei por algumas horas.

Caminhei até a estação com eles, e depois perambulei

pelas ruas da cidadezinha, finalmente voltando para o hotel, onde me deitei no sofá e tentei me interessar por um romance barato. A trama banal da história era tão pobre, no entanto, se comparada com o profundo mistério com o qual nos víamos às voltas, e eu sentia minha atenção vagar tão continuamente da trama para os fatos, que finalmente joguei longe o livro e me entreguei completamente a uma consideração dos acontecimentos do dia. Supondo que a história desse jovem infeliz fosse a absoluta verdade, então que fenômeno diabólico, que calamidade totalmente imprevista e extraordinária poderia ter acontecido entre o momento em que ele se afastou do pai e o momento em que, atraído de volta por seus gritos, correu para a margem? Fora algo terrível e mortal. O que poderia ser? A natureza dos ferimentos não poderia revelar algo para meus instintos médicos? Toquei a sineta e pedi o semanário local, que continha uma transcrição literal do inquérito. No depoimento do cirurgião, este declarara que o terço posterior do osso parietal esquerdo e a metade esquerda do osso occipital haviam sido esmagados por um forte golpe de arma contundente. Marquei o lugar na minha cabeça. Claramente, um golpe assim deveria ter sido desferido por trás. Isso, até certo ponto, favorecia o acusado, pois quando ele fora visto brigando, estava frente a frente com seu pai. No entanto, não adiantava muito, visto que o velho poderia ter lhe dado as costas antes de receber o golpe. Ainda assim, talvez valesse a pena chamar a atenção de Holmes para isso. E havia a peculiar referência do moribundo a um rato. O que isso poderia significar? Não podia ser um delírio. Alguém que morre com um golpe repentino não costuma delirar. Não, parecia mais uma tentativa de explicar como ele tivera aquele destino. Mas o que poderia indicar? Massacrei o meu cérebro tentando encontrar alguma explicação possível. E também o incidente do pano cinza visto pelo jovem McCarthy. Se fosse verdade, o assassino deveria ter derrubado alguma peça de seu vestuário, presumivelmente seu sobretudo, ao fugir, e tido a audácia de voltar e levá-la embora no momento em que o filho estava ajoelhado, dando-lhe as costas, a menos de uma dúzia de passos de distância. Que teia de mistérios e improbabilidades era a coisa toda! Não me admirava a opinião de Lestrade, mas eu tinha tamanha confiança na intuição de Sherlock Holmes que não conseguia perder a esperança, ainda mais com cada novo fato parecendo reforçar sua convicção da inocência do jovem McCarthy.

Era tarde quando Sherlock Holmes voltou. Ele retornou sozinho, pois Lestrade estava hospedado num quarto alugado na cidade.

— O barômetro continua indicando pressão muito alta — ele comentou ao se sentar. — É importante que não chova antes que possamos examinar o local. Por outro lado, um homem deve estar no melhor estado possível, com a mente aguçada, para fazer um belo trabalho como esse, e não quero fazê-lo quando estou esgotado por uma longa viagem. Fui ver o jovem McCarthy.

— E o que descobriu com ele?

— Nada.

— Ele não conseguiu dar nenhum esclarecimento?

— Absolutamente nenhum. Fiquei inclinado a pensar, num momento, que ele sabia quem cometera o crime e queria proteger o culpado ou a culpada, mas estou convencido, agora, de que ele está tão intrigado quanto todos nós. Não é um jovem muito esperto, embora tenha boa aparência e, eu acho, bom coração.

— Não posso admirar o gosto dele — comentei —, se de fato se recusa a desposar uma jovem tão encantadora como a Srta. Turner.

— Ah, essa é uma história bastante dolorosa. O camarada está louco, desesperadamente apaixonado por ela, mas há uns dois anos, quando era só um rapazola, e antes de conhecê-la, na verdade, pois ela estudara por cinco anos num colégio interno, o que o idiota inventa de fazer, se não cair nas garras de uma criada de Bristol e casar-se com ela no primeiro cartório? Ninguém sabe nada desse assunto, mas você pode imaginar a tortura que devia ser, para ele, ser condenado por não fazer aquilo que mais gostaria de fazer no mundo, mas que sabe ser absolutamente impossível. Foi um frenesi desse jaez que o fez levantar as mãos quando o pai, em sua última conversa, o instigava a pedir a mão da Srta. Turner. Por outro lado, ele não tinha como se sustentar, e seu pai, que, segundo todos os relatos, era um homem muito difícil, tê-lo-ia escorraçado de casa completamente se ficasse sabendo da verdade. Foi com a esposa camareira que ele passou os últimos três dias em Bristol, e seu pai não sabia onde ele estava. Lembre-se disso. É importante. Mas o mal produziu algo bom, porque a criada, ao saber pelos jornais que ele estava em apuros e poderia ser enforcado, rompeu completamente com ele e lhe escreveu, contando que já tinha um marido nas docas de Bermuda, o que significa que os dois não têm compromisso nenhum. Acho que essa notícia consolou o jovem McCarthy de tudo o que sofreu.

— Mas se ele é inocente, quem foi?

— Ah! Quem? Eu chamaria sua atenção muito particularmente para dois pormenores. Um é que o homem assassinado tinha um encontro com alguém no lago, e que esse alguém não poderia ser seu filho, que estava viajando, e o pai não sabia quando voltaria. O segundo é que a vítima foi ouvida gritando "Cooee!" antes de saber que seu filho havia voltado. Esses são os pormenores cruciais, dos quais depende todo o caso. E agora, vamos falar de George Meredith,* por favor, e deixar todas as questões menores para amanhã.

Não choveu, como Holmes previra, e o dia amanheceu ensolarado e sem nuvens. Às 9h, Lestrade veio nos buscar com a carruagem, e partimos para a Fazenda Hatherley e o Lago Boscombe.

— Graves notícias esta manhã — Lestrade observou. — Dizem que o Sr. Turner, da Câmara, está tão mal que já foi desenganado.

---
* Romancista e poeta britânico (1828-1909). (N. T.)

— É idoso, presumo? — disse Holmes.

— Tem uns 60 anos; mas sua saúde foi destruída pela vida no estrangeiro, e ele se encontra adoentado já há algum tempo. Esse caso teve um péssimo efeito sobre ele. Era um velho amigo de McCarthy e, posso acrescentar, seu grande benfeitor, já que fiquei sabendo que lhe cedera a Fazenda Hatherley sem cobrar nada pelo arrendamento.

— É mesmo? Isso é interessante — disse Holmes.

— Oh, sim! Ele o ajudou de mil outras formas. Todos aqui comentam sua bondade com McCarthy.

— Realmente! Não acha um tanto peculiar que esse McCarthy, que parece ter tão poucas posses e dever tanto a Turner, ainda falasse de unir seu filho à filha de Turner, que é, presumivelmente, herdeira da propriedade, e fazer isso de forma tão arrogante, como se bastasse pedir a mão dela que tudo se ajeitaria? É mais estranho ainda porque sabemos que o próprio Turner não gostava da ideia. A filha dele nos contou. Você não deduz nada a partir disso?

— Chegamos às deduções e às inferências — disse Lestrade, piscando para mim. — Para mim, já é muito difícil lidar com os fatos, Holmes, sem sair voando atrás de teorias e delírios.

— Tem razão — disse Holmes timidamente —; para você, é mesmo muito difícil lidar com os fatos.

— De qualquer forma, entendi um fato que você parece ter dificuldade em absorver — Lestrade respondeu, um pouco exaltado.

— Que seria...

— Que McCarthy sênior foi morto por McCarthy júnior, e que todas as teorias contrárias a isso são apenas palavras ao vento.

— Bem, o vento costuma afastar a neblina — disse Holmes, rindo. — Mas, se não estou muito enganado, aquela é a Fazenda Hatherley à direita.

— Sim, é ela. — Era um edifício largo e de aparência confortável, com dois andares, telhado de pedra e grandes manchas amarelas de liquens nas paredes cinzentas. As cortinas fechadas e as chaminés sem fumaça, no entanto, lhe davam um aspecto abandonado, como se o peso desse horror ainda estivesse sobre ele. Batemos à porta, e a criada, a pedido de Holmes, mostrou-nos as botas que seu patrão usava no momento de sua morte, e também um par do filho, embora não o que ele calçava na ocasião. Depois de medir os calçados muito cuidadosamente em sete ou oito lugares, Holmes pediu para ser levado até o pátio, de onde todos seguimos a trilha que serpenteava até o Lago Boscombe.

Sherlock Holmes se transformava quando seguia uma pista assim. Quem só conhecia o pensador calmo e lógico da Baker Street não o reconheceria. Seu rosto ficava afogueado e escuro. Suas sobrancelhas se transformavam em duas linhas duras e negras, e seus olhos brilhavam debaixo delas com o reluzir do aço. Ele olhava para baixo, seus ombros se encurvavam, seus lábios se apertavam, e suas veias saltavam como chicotes no pescoço longo e magro. Suas narinas pareciam se dilatar com uma luxúria puramente animal pela caçada, e sua mente ficava tão absolutamente concentrada no caso em questão, que perguntas ou comentários não eram ouvidos, ou no máximo recebiam um rosnado breve e impaciente como resposta. Célere e silenciosamente, ele avançava pela trilha que corria por entre os regatos, por dentro da floresta, até o Lago Boscombe. Era um terreno úmido, pantanoso, como aquela região toda, e havia marcas de muitos pés, tanto na trilha quanto na grama baixa que crescia dos dois lados. Às vezes Holmes apertava o passo, às vezes parava completamente, e uma vez, fez um pequeno desvio até o regato. Lestrade e eu andávamos atrás dele, o detetive indiferente e desdenhoso, enquanto eu observava meu amigo com o interesse que nascia da convicção de que cada ação sua era dirigida a um objetivo definido.

O Lago Boscombe, que é um pequeno espelho d'água cercado de juncos, de uns 50 metros de diâmetro, está situado no limite entre a Fazenda Hatherley e a reserva particular do rico Sr. Turner. Acima das árvores que contornavam seu lado oposto, podíamos ver os pináculos vermelhos e imponentes que marcavam o local da morada do rico proprietário. Do lado do lago que dava para Hatherley, a mata era muito fechada, e havia uma estreita faixa de grama úmida de vinte passos de largura entre as árvores e os juncos que rodeavam o lago. Lestrade nos mostrou o lugar exato onde o corpo fora encontrado, e, de fato, o chão estava tão úmido que eu conseguia ver claramente a marca deixada pela queda do homem golpeado. Para Holmes, como eu percebia por seu rosto ansioso e olhar penetrante, muitas outras coisas podiam ser lidas na grama pisoteada. Ele corria em círculos, como um cão que fareja um odor, e então se virou para o meu acompanhante.

— Por que você entrou no lago? — perguntou.

— Sondei a água com um ancinho. Achei que poderia haver uma arma ou alguma outra pista. Mas como é que...?

— Ora, ora! Não tenho tempo! Esse seu pé esquerdo, torto para dentro, está por todo lugar. Até uma toupeira conseguiria identificá-lo, e ali ele some no meio dos juncos. Oh, como tudo teria sido simples se eu tivesse estado aqui antes que eles chegassem como uma manada de búfalos e chafurdassem para todo lado. Aqui está o lugar aonde chegou o grupo com o caseiro, e eles apagaram as pegadas num raio de dois a três metros ao redor do corpo. Mas aqui estão três pegadas diferentes dos mesmos pés. — Ele sacou uma lupa e se deitou sobre seu impermeável para ter uma visão melhor, falando o tempo todo, mais consigo mesmo do que conosco. — Estes são os pés do jovem McCarthy. Duas vezes ele andou e uma vez correu rapidamente, de modo que as plantas estão fundamente marcadas e os calcanhares mal se veem. Isso confirma a versão dele. Correu quando viu o pai caído. E aqui estão os pés do pai, andando de um lado para o outro. O que é isto, então? É o cabo da arma do filho, quando ele ficou de pé, ouvindo. E isto? Ha, ha! O que temos aqui? Alguém andou na ponta dos pés! E com botas de bico quadrado, bastante incomuns! Elas vêm, vão, vêm de novo, claro que isso foi para pegar a capa. E de onde vieram? — Ele corria de um lado para o outro, às vezes perdendo, às vezes achando a pista, até ficarmos bem perto da floresta e à sombra de uma grande faia, a maior árvore dos arredores. Holmes projetou o rastro até o outro lado dela e se deitou mais uma vez de bruços, com um gritinho de satisfação. Ficou ali por muito tempo, virando folhas e gravetos, coletando o que me pareceu ser pó num envelope e examinando com sua lupa não só o chão, mas até a casca da árvore, até onde podia alcançar. Uma pedra serrilhada estava no meio do musgo e também foi cuidadosamente examinada e guardada. Então ele seguiu um caminho pelo meio da floresta até chegar à estrada, onde todas as pistas se perdiam.

— Foi um caso de considerável interesse — ele comentou, voltando aos seus modos costumeiros. — Suponho que esta casa cinza à direita deva ser a residência do caseiro. Acho que vou entrar e falar um pouco com Moran, e talvez escrever um bilhetinho. Depois disso, poderemos voltar e almoçar. Podem ir para a carruagem, alcançarei vocês em breve.

Levamos dez minutos para chegar à carruagem e voltar para Ross, Holmes ainda levava consigo a pedra que pegara na floresta.

— Isto pode lhe interessar, Lestrade — ele comentou, mostrando-a. — O crime foi cometido com ela.

— Não vejo nenhuma marca.

— Não há marcas.

— Como você sabe, então?

— A grama estava crescendo por baixo dela. Só estava ali havia alguns dias. Não havia sinal de nenhum lugar de onde ela tivesse sido tirada. Ela corresponde aos ferimentos. Não há sinal de nenhuma outra arma.

— E o assassino?

— É alto, canhoto, manca da perna direita, usa botas de caça de sola grossa e uma capa cinza, fuma charutos indianos, usa piteira e leva um canivete cego no bolso. Há mais algumas indicações, mas essas devem bastar para nos ajudar na busca.

Lestrade riu.

— Infelizmente, continuo cético — disse. — Suas teorias são muito boas, mas nos veremos às voltas com um júri britânico teimoso.

— *Nous verrons*\* — respondeu Holmes calmamente. — Use o seu método que eu uso o meu. Estarei ocupado hoje à tarde, e provavelmente voltarei para Londres no trem noturno.

— Deixando o caso sem conclusão?

— Não, concluído.

— Mas e o mistério?

— Está resolvido.

— Quem é o criminoso, então?

— O cavalheiro que descrevi.

---

\* "Veremos", em francês no original. (N. T.)

— Mas quem é ele?

— Certamente não será difícil descobrir. Esta não é uma região tão populosa.

Lestrade deu de ombros.

— Sou um homem prático — disse —, e realmente não posso sair pelo interior procurando um cavalheiro canhoto com uma perna manca. Vou me tornar motivo de piada na Scotland Yard.

— Muito bem — disse Holmes baixinho. — Eu lhe dei a chance. Chegamos aos seus aposentos. Adeus. Enviarei um bilhete antes de partir.

Depois de deixar Lestrade em seus aposentos, fomos para o nosso hotel, onde encontramos o almoço já servido. Holmes estava em silêncio e mergulhado em pensamentos, com uma expressão de dor no rosto, como alguém que se encontra numa posição intrigante.

— Olhe aqui, Watson — ele disse, depois que a mesa foi limpa —, sente-se naquela poltrona e deixe-me falar um pouco com você. Não sei bem o que fazer, e valorizo seus conselhos. Acenda um charuto e permita-me explicar.

— Por favor, faça isso.

— Bem, em relação a este caso, há dois pontos na narrativa do jovem McCarthy que instantaneamente causaram espécie a nós dois, embora tenham me impressionado em favor dele, e a você, contra. Um foi o fato de que seu pai, de acordo com o relato, gritou "Cooee!" antes de vê-lo. O outro foi a singular referência do moribundo a um rato. Ele balbuciou várias palavras, entenda, mas só aquela chamou a atenção do filho. A partir desse duplo pormenor deve começar nossa pesquisa, e vamos iniciá-la presumindo que aquilo que o rapaz diz seja a mais pura verdade.

— E esse "Cooee!", então?

— Bem, obviamente não foi um sinal para o filho. O filho, até onde o pai sabia, estava em Bristol. Foi mero acaso ele estar perto para ouvir. O "Cooee!" era para atrair a atenção da pessoa com a qual ele marcara encontro. Mas "Cooee" é um grito distintamente australiano, e é usado entre australianos. Há uma forte suposição de que a pessoa com quem McCarthy iria se encontrar no Lago Boscombe fosse alguém que morou na Austrália.

— E o rato, então?

Sherlock Holmes tirou um papel dobrado do bolso e o abriu sobre a mesa.

— Este é um mapa da Colônia de Victoria — disse. — Telegrafei para Bristol pedindo-o ontem à noite. — Ele cobriu parte do mapa com a mão. — O que você lê?

— ARAT — eu li.*

— E agora? — Ele tirou a mão.

— BALLARAT.

— Exatamente. Essa foi a palavra que o moribundo balbuciou, da qual o filho só ouviu as últimas duas sílabas. Ele estava tentando dizer o nome do assassino. Fulano de Tal, de Ballarat.

---

* *A rat*, em inglês, significa "um rato". (N. T.)

— Maravilhoso! — exclamei.

— Óbvio. E agora, veja bem, reduzi o campo de pesquisa consideravelmente. A posse de um indumento cinza é um terceiro ponto que, se o depoimento do filho for correto, é uma certeza. Agora saímos de algo meramente vago para a ideia definida de um australiano de Ballarat com uma capa cinza.

— Com certeza.

— E alguém que se sente em casa na região, pois o lago só pode ser alcançado pela fazenda ou pela propriedade, onde um estranho dificilmente andaria.

— Exato.

— E chegamos à nossa expedição de hoje. Examinando o terreno, coletei os detalhes corriqueiros que dei àquele imbecil do Lestrade, relacionados à pessoa do criminoso.

— Mas como os coletou?

— Você conhece meu método. Ele se baseia na observação de minúcias.

— A estatura eu sei que você pode estimar aproximadamente pela largura dos passos. Suas botas, também, podem ser reveladas pelas pegadas.

— Sim, eram botas peculiares.

— Mas e o fato dele mancar?

— A pegada do pé direito era sempre menos definida do que a do esquerdo. Ele punha menos peso sobre esse lado. Por quê? Porque mancava, era coxo.

— Mas e por que canhoto?

— Você mesmo achou peculiar a natureza do ferimento registrado pelo médico-legista no inquérito. O golpe foi desferido de perto, por trás, no entanto, estava do lado esquerdo. Como poderia ser assim, a menos que o agressor fosse canhoto? Ele ficou atrás daquela árvore durante a conversa entre o pai e o filho. Até fumou ali. Encontrei a cinza de um charuto, que meu conhecimento especial de cinzas de tabaco me permite identificar como um charuto indiano. Como você sabe, devotei alguma atenção a isso, e escrevi uma monografiazinha sobre as cinzas de 140 variedades diferentes de tabaco de cachimbo, charuto e cigarro. Depois de encontrar a cinza, olhei ao redor e descobri o toco no musgo, onde ele o jogara. Era um charuto indiano, de uma variedade que é manufaturada em Roterdá.

— E a piteira?

— Percebi que a ponta não estivera em sua boca. Portanto, ele usava piteira. A ponta fora cortada, não mordida, mas o corte não era liso, por isso deduzi um canivete cego.

— Holmes — eu disse —, você teceu uma teia ao redor desse homem, da qual ele não pode escapar, e salvou a vida de um inocente, tanto quanto se tivesse cortado a corda que o estava enforcando. Percebo a direção na qual tudo isso aponta. O culpado é...

— O Sr. John Turner — gritou o mensageiro do hotel, abrindo a porta de nossa saleta e introduzindo um visitante.

O homem que entrou era uma figura estranha e impressionante. Seu passo lento e coxo e ombros caídos lhe davam a aparência de decrepitude, mas seus traços duros, fundos, rústicos, e seus membros enormes, mostravam que ele possuía uma força incomum no físico e no caráter. A barba desalinhada, o cabelo grisalho e as sobrancelhas salientes e caídas se combinavam para dar um ar de dignidade e poder à sua aparência, mas o rosto era de um branco cadavérico, e seus lábios e a borda das narinas tinham um leve tom azulado. Com um olhar, ficou claro para mim que alguma doença fatal e crônica o acometia.

— Por favor, sente-se no sofá — disse Holmes delicadamente. — Recebeu o meu bilhete?

— Sim, o caseiro o trouxe. O senhor disse que queria me ver aqui para evitar um escândalo.

— Achei que as pessoas comentariam se eu fosse até a Câmara.

— E por que queria me ver? — Ele olhou para o meu colega com desespero nos olhos cansados, como se sua pergunta já tivesse sido respondida.

— Sim — disse Holmes, respondendo mais ao olhar do que às palavras. — É isso mesmo. Sei tudo sobre McCarthy.

O velho afundou o rosto nas mãos.

— Que Deus me ajude! — exclamou. — Mas eu não teria permitido que o jovem sofresse. Dou minha palavra de que teria falado, se ele fosse acusado na audiência.

— Fico feliz em ouvi-lo dizer isso — Holmes disse gravemente.

— Eu teria falado agora, se não fosse pela minha amada filha. Isso partiria seu coração, como partirá saber que fui preso.

— Não precisa chegar a isso — disse Holmes.

— Quê?

— Não sou um agente oficial. Entendo que foi sua filha que solicitou minha presença aqui, e estou agindo no interesse dela. O jovem McCarthy precisa ser inocentado, porém.

— Estou morrendo — disse o velho Turner. — Tenho diabetes há anos. Meu médico disse que talvez eu não viva mais um mês. Mas gostaria de morrer debaixo do meu teto, não numa cela.

Holmes se levantou e foi se sentar à mesa, com a pena na mão e um maço de papel diante de si.

— Apenas conte-nos a verdade — disse. — Anotarei os fatos. O senhor assinará, e Watson servirá de testemunha. Então poderei apresentar sua confissão, em último caso, para salvar o jovem McCarthy. Prometo que não a usarei a menos que seja absolutamente necessário.

— É indiferente — disse o velho —; nem sei se viverei para ver a audiência, portanto pouco importa para mim, mas gostaria de poupar Alice do choque. E agora esclarecerei tudo para os senhores; a história abrange um longo tempo, mas não demorarei muito para contá-la.

"Os senhores não conheceram o falecido McCarthy. Ele era o diabo feito gente. Estou dizendo. Deus os livre de caírem nas garras de alguém como ele. Estive sob seu domínio durante os últimos vinte anos, e ele desgraçou a minha vida. Contarei primeiro como me vi em seu poder.

"No início da década de 1860, eu estava nas escavações.

Era jovem na época, de sangue quente e impetuoso, pronto para aceitar qualquer desafio; meti-me com más companhias, comecei a beber, não tive sorte com minhas minas, enfiei-me no mato; resumindo, tornei-me o que chamam de salteador de beira de estrada. Éramos seis no bando, e levávamos uma vida livre e selvagem, assaltando uma estação de vez em quando, ou parando os vagões a caminho das minas. Eu era conhecido pelo nome de Black Jack de Ballarat, e nosso bando ainda é lembrado na colônia como a Gangue de Ballarat.

"Um dia, um comboio de ouro partiu de Ballarat para Melbourne, e nós preparamos uma emboscada e o atacamos. Eram seis patrulheiros contra nós seis, por isso foi por pouco, mas derrubamos quatro das selas já na primeira salva. Ainda assim, três dos nossos rapazes foram mortos antes de conseguirmos pôr as mãos na fortuna. Encostei minha pistola na cabeça do maquinista, que era esse mesmo McCarthy. Juro por Deus que hoje gostaria de ter atirado ali mesmo, mas o poupei, embora tivesse visto seus olhinhos perversos me fitando, como que para memorizar cada traço meu. Fugimos com o ouro, ficamos ricos e partimos para a Inglaterra sem levantar suspeitas. Então me separei dos meus colegas e resolvi me aquietar numa vida sossegada e respeitável. Comprei esta propriedade, que por acaso estava à venda, e me empenhei em fazer algum bem com meu dinheiro, para compensar a forma como o adquiri. Casei-me, também, e embora minha esposa tenha morrido jovem, me deixou minha querida Alice. Mesmo quando ainda era um bebê, sua mãozinha parecia me levar pelo caminho certo, mais do que qualquer outra coisa até então. Numa palavra, virei a página e fiz o melhor que pude para redimir meu passado. Tudo estava indo bem, quando eis que McCarthy cravou suas garras em mim.

"Eu estava na cidade cuidando de um investimento e o encontrei na Regent Street, quase sem um casaco para vestir ou botas para calçar.

"'Aqui estamos, Jack', ele disse, tocando no meu braço; 'agora vamos ser como sua família. Somos dois, eu e meu filho, e você pode tomar conta de nós. Se não quiser — a Inglaterra é um belo país, respeitador das leis, e tem sempre um policial por perto.'

"Bem, eles foram comigo para o oeste, não havia como me livrar deles, e lá viveram nas minhas melhores terras sem pagar nada desde então. Não havia descanso para mim, nem paz, nem esquecimento; para onde quer que me virasse, lá estava seu rosto matreiro e sorridente ao meu lado. A coisa piorou à medida que Alice crescia, porque ele logo percebeu que eu temia mais que ela soubesse do meu passado do que a polícia. Tudo o que ele queria, precisava ser dado, e tudo eu lhe dava sem questionar, terras, dinheiro, casas, até que finalmente ele pediu uma coisa que eu não podia dar. Ele pediu Alice.

"Seu filho, vejam bem, crescera, e minha menina também, e como se sabia que minha saúde era fraca, ele achou que seria um belo golpe seu rapaz herdar toda a propriedade. Mas nisso eu firmei o pé. Não permitiria que sua raça maldita se misturasse com a minha; não que eu tivesse alguma queixa do rapaz, mas seu sangue estava nele, e isso bastava. Eu me mantive firme. McCarthy me ameaçou. Eu o desafiei a fazer o pior que pudesse. Íamos nos encontrar no lago a meio caminho entre nossas casas para falar sobre isso.

"Quando fui para lá, encontrei-o conversando com o filho, por isso fumei um charuto e esperei atrás de uma árvore até ele ficar sozinho. Mas à medida que eu o ouvia falar, tudo o que havia de mais negro e amargo em mim pareceu vir à tona. Ele estava instigando o filho a se casar com minha filha, preocupando-se tão pouco com o que ela poderia achar disso quanto se ela fosse uma vadia achada na rua. Enlouquecia-me pensar que eu, e tudo o que era mais sagrado para mim, estávamos em poder de um homem assim. Não poderia me libertar desse grilhão? Eu já era um homem moribundo e desesperado. Embora lúcido e com muita força física, sabia que meu destino estava selado. Mas minha memória e minha filha! Ambas poderiam ser salvas se apenas eu conseguisse silenciar aquela língua imunda. Fui eu, Sr. Holmes. E faria de novo. Por mais que eu tenha pecado, levei uma vida de martírio para me redimir. Mas ver minha menina enlaçada nos mesmos tentáculos que me prendiam era mais do que eu podia aguentar. Eu o abati sem mais remorso do que se ele fosse uma fera imunda e peçonhenta. Seu grito atraiu de volta o filho; mas eu já estava escondido na floresta, embora precisasse voltar para pegar a capa que deixei cair na fuga. Essa é a verdadeira história, cavalheiros, de tudo o que aconteceu."

— Bem, não sou eu que vai julgar o senhor — disse Holmes

enquanto o velho assinava o depoimento que fora redigido. — Rezo para que jamais precisemos ficar expostos a tamanha tentação.

— Também espero, senhor. E o que pretende fazer?

— Tendo em vista a sua saúde, nada. O senhor mesmo sabe que logo terá que responder pelos seus atos num tribunal mais alto que o dos homens. Guardarei sua confissão, e se McCarthy for condenado, serei obrigado a usá-la. Caso contrário, jamais será vista por mortal algum; e seu segredo, esteja o senhor vivo ou morto, ficará seguro conosco.

— Adeus, então — disse o velho solenemente. — Seus leitos de morte, quando o momento chegar, serão mais tranquilos com a lembrança da paz que proporcionaram ao meu. — Cambaleando e tremendo, sua figura gigantesca saiu lentamente da sala.

— Deus nos ajude! — disse Holmes, depois de um longo silêncio. — Por que o destino prega tais peças em pobres vermes indefesos? Nunca ouço um caso como este sem pensar nas palavras de Baxter e dizer: "Apenas pela graça de Deus, lá vai Sherlock Holmes".

James McCarthy foi inocentado na audiência, com base em várias objeções levantadas por Holmes e submetidas ao advogado de defesa. O velho Turner viveu mais sete meses depois da nossa conversa, mas agora está morto; e tudo indica que o filho e a filha poderão viver juntos, felizes, na ignorância da nuvem negra que encobre seu passado.

*cinco*
# AS CINCO SEMENTES DE LARANJA

Quando consulto minhas anotações e registros dos casos de Sherlock Holmes entre os anos de 1882 e 1890, encontro tantos que apresentam características estranhas e interessantes, que não é fácil decidir quais escolher e quais excluir. Alguns, todavia, já ganharam publicidade através dos jornais, e outros não ofereceram um território para aquelas qualidades peculiares que meu amigo possuía em tão alto grau, e que é o objetivo destes escritos ilustrar. Alguns, também, intrigaram suas habilidades analíticas, e seriam, como narrativas, inícios sem finais, enquanto outros foram esclarecidos apenas parcialmente, e suas explicações se basearam mais em conjecturas e suposições do que nas provas lógicas absolutas que lhe eram tão caras. Existe, no entanto, um destes últimos que foi tão notável em seus detalhes, e tão surpreendente em seus resultados, que me sinto tentado a relatá-lo, apesar do fato de haver questões ligadas a ele que nunca foram, e provavelmente nunca serão, totalmente esclarecidas.

O ano de 1887 nos forneceu uma longa série de casos de maior ou menor interesse, dos quais conservo os registros. Entre meus títulos, nesse período de doze meses, encontro relatos da aventura da Câmara Paradol, da Sociedade de Mendigos Amadores, que mantinha um clube luxuoso no subsolo de um depósito de móveis, dos fatos ligados à perda da embarcação britânica *Sophy Anderson*, das singulares aventuras da família Grice Paterson na Ilha de Uffa e, finalmente, do caso do envenenamento de Camberwell. Neste último, como todos devem lembrar, Sherlock Holmes conseguiu, dando corda no relógio do falecido, provar que ele havia recebido corda duas horas antes, e que portanto o falecido havia se deitado depois desse horário — uma dedução que foi da maior importância no esclarecimento do caso. Todos esses eu posso esboçar no futuro, mas nenhum deles apresenta tantas características singulares quanto a estranha sequência de circunstâncias que agora empunho a pena para descrever.

Foi nos últimos dias de setembro, e as tempestades equinociais haviam começado com violência excepcional. O dia todo o vento gritara e a chuva fustigara as janelas, tanto que, mesmo no coração da grande e artificial Londres, éramos forçados a erguer nossa mente, por um instante, da rotina da vida e reconhecer a presença desses poderosos elementos que vociferam com a humanidade através das barras da civilização, como feras indomadas numa jaula. À medida que a noite se aproximava, a tempestade ficava mais forte e mais ruidosa, e o vento chorava e soluçava como uma criança pela chaminé. Sherlock Holmes estava sentado pensativamente de um lado da lareira, organizando seus registros de crimes, enquanto eu, do outro lado, estava mergulhado numa das belas aventuras marinhas de Clark Russell, até que o uivo da tormenta lá fora pareceu se misturar com o texto, e o chafurdar da chuva, completar o longo rastro das ondas do mar. Minha esposa fora visitar sua mãe, e por alguns dias eu voltara a ocupar minha antiga residência na Baker Street.

— Ora — disse eu, olhando para meu colega —, isso certamente foi a campainha. Quem poderia vir nesta noite? Algum amigo seu, talvez?

— À parte você, não tenho nenhum — ele respondeu. — Não encorajo visitas.

— Um cliente, então?

— Se for, é um caso sério. Nada menos faria alguém sair num dia assim, a esta hora. Mas acho mais provável que seja alguma amiga da senhoria.

Sherlock Holmes estava enganado em sua conjectura, no entanto, pois ouvimos passos no corredor e batidas à porta. Ele esticou seu longo braço para desviar o facho da lâmpada de si para a poltrona vazia na qual o recém-chegado deveria sentar.

— Entre! — Holmes disse.

O homem que entrou era jovem, uns 22 anos pela

aparência, bem cuidado e elegantemente vestido, com certo refinamento e delicadeza no porte. O guarda-chuva encharcado que ele segurava, e seu longo impermeável brilhante, contavam do tempo feroz que enfrentara. Ele olhou ao seu redor ansiosamente, ofuscado pela lâmpada, e pude ver que seu rosto estava pálido, e seu olhar, pesado, como os de um homem oprimido por uma grande ansiedade.

— Eu lhes devo desculpas — ele disse, erguendo o *pince-nez* dourado na altura dos olhos. — Espero não estar sendo inconveniente. Temo ter trazido algumas amostras da tempestade e da chuva para a sua aconchegante sala.

— Dê-me a capa e o guarda-chuva — disse Holmes. — Podem ficar pendurados aqui, e logo secarão. Vejo que veio do sudoeste.

— Sim, de Horsham.

— Essa mistura de argila e gesso que vejo nas pontas dos seus sapatos é bem distintiva.

— Vim pedir conselhos.

— Isso se obtém facilmente.

— E ajuda.

— Isso nem sempre é tão fácil.

— Ouvi falar do senhor, Sr. Holmes. O major Prendergast me contou como o senhor o salvou do escândalo do Clube Tankerville.

— Ah, claro. Ele foi injustamente acusado de trapacear nas cartas.

— Ele falou que o senhor consegue resolver qualquer coisa.

— Ele falou demais.

— Que o senhor nunca foi derrotado.

— Fui derrotado quatro vezes; três vezes por homens, e uma por uma mulher.

— Mas o que é isso, comparado com o número dos seus êxitos?

— É verdade que geralmente tenho sucesso.

— Então pode ter também comigo.

— Rogo que aproxime sua poltrona do fogo e me favoreça com alguns detalhes do seu caso.

— Ele não é comum.

— Nenhum daqueles sobre os quais me consultam é. Sou o último recurso.

— No entanto, questiono, senhor, se mesmo com toda a sua experiência, já ouviu uma sequência de acontecimentos mais misteriosos e inexplicáveis do que aqueles que aconteceram com minha família.

— O senhor me enche de interesse — disse Holmes. — Por favor, dê os fatos essenciais do início, e depois poderei interrogá-lo sobre os detalhes que me pareçam ser mais importantes.

O jovem puxou sua poltrona e esticou os pés úmidos na direção do fogo.

— Meu nome — disse ele — é John Openshaw, mas minhas ações têm, até onde sei, pouco a ver com este assunto lamentável. É uma questão hereditária; portanto, para que o senhor tenha uma ideia dos fatos, preciso voltar ao início da questão toda.

"O senhor deve saber que meu avô tinha dois filhos: meu tio, Elias, e meu pai, Joseph. Meu pai tinha uma pequena fábrica em Coventry, que ele expandiu na época da invenção da bicicleta. Ele patenteou o pneumático imperfurável Openshaw, e seu negócio fez tal sucesso que ele conseguiu vendê-lo e se aposentar com uma magnífica renda.

"Meu tio Elias emigrou para a América quando jovem e se tornou fazendeiro na Flórida, onde dizem que prosperou. Na época da guerra, lutou no exército de Jackson, e depois sob o comando de Hood, quando foi promovido a coronel. Quando Lee entregou as armas, meu tio voltou para sua plantação, onde ficou por três ou quatro anos. Por volta de 1869 ou 1870, ele voltou para a Europa e adquiriu uma pequena propriedade em Sussex, perto de Horsham. Ele fizera uma fortuna considerável nos EUA, e seu motivo para ir embora foi sua aversão aos negros, e seu desagrado pela política republicana de dar liberdade a eles. Ele era um homem peculiar, feroz e de pavio curto, de boca muito suja quando irritado, e avesso ao convívio social. Durante todos os anos em que morou em Horsham, duvido que tenha posto alguma vez os pés na cidade. Tinha um jardim e dois ou três campos ao redor da sua casa, e ali se exercitava, embora muitas vezes, por semanas a fio, nunca saísse do quarto. Bebia muito *brandy* e fumava sem parar, mas não frequentava a sociedade e não queria amizades, nem mesmo com o seu irmão.

## AS CINCO SEMENTES DE LARANJA

"Eu não o incomodava; aliás, ele simpatizou comigo, pois quando me viu pela primeira vez eu tinha uns 12 anos de idade. Isso foi no ano de 1878, depois que ele passara oito ou nove anos na Inglaterra. Implorou que meu pai me deixasse morar com ele, e à sua maneira, foi muito bom para mim. Quando estava sóbrio, gostava de jogar gamão e damas comigo, e me tornou seu representante tanto junto à criadagem quanto aos comerciantes, de modo que, aos 16 anos, eu já era praticamente o dono da casa. Eu tinha todas as chaves, podia ir aonde quisesse e fazer o que desejasse, contanto que não o perturbasse em sua privacidade. Havia uma exceção peculiar, porém, porque ele tinha um quarto, um depósito de madeira no sótão, que estava sempre trancado, onde ele não permitia que nem eu, nem ninguém jamais entrasse. Curioso como todo menino, espiei pelo buraco da fechadura, mas nunca consegui ver nada além de uma coleção de baús e pacotes velhos, como era de se esperar num quarto daqueles.

"Um dia, foi em março de 1883, uma carta com um selo estrangeiro estava sobre a mesa, diante do prato do coronel. Não era comum, para ele, receber cartas, porque suas contas eram todas pagas com dinheiro vivo, e ele não tinha nenhum amigo. 'Da Índia!' Ele disse ao pegá-la. 'Com carimbo de Pondicherry! O que pode ser?' Abrindo-a apressadamente, saíram de dentro dela cinco sementinhas de laranja, que tilintaram sobre o seu prato. Comecei a rir daquilo, mas o riso foi apagado dos meus lábios ao ver o rosto dele. Seu lábio estava caído, os olhos esbugalhados, a pele da cor de cera, e ele fitava o envelope que ainda segurava nas mãos trêmulas. 'K! K! K!', gritou, e depois: 'Meu Deus, meu Deus, meus pecados me alcançaram!'

"'O que foi, tio?', exclamei.

"'A morte', ele disse, e levantando-se da mesa, foi para o seu quarto, deixando-me palpitando de horror. Peguei o envelope e vi, rabiscada em tinta vermelha dentro da aba, logo acima da goma, a letra K três vezes repetida. Não havia mais nada além das cinco sementinhas. Qual seria o motivo do seu terror tão avassalador? Deixei a mesa do desjejum, e ao subir a escada, encontrei-o descendo com uma velha chave enferrujada, que devia ser do quarto do sótão, numa mão, e uma caixinha de metal, como um pequeno cofre, na outra.

"'Podem fazer o que quiserem, mas ainda vou derrotá-los', disse ele, praguejando. 'Diga a Mary que quero fogo na lareira do meu quarto hoje, e mande chamar Fordham, o advogado de Horsham.'

"Fiz o que ele mandou, e quando o advogado chegou, pediram que eu me retirasse. O fogo estava ardendo, brilhante, e sobre a trempe havia um monte de cinzas pretas e fofas, como de papel queimado, e a caixa de metal estava aberta e vazia ao lado. Olhando para a caixa, notei, com um sobressalto, que ela trazia na tampa o triplo K que eu vira pela manhã no envelope.

"'Quero que você, John', disse o meu tio, 'seja testemunha

do meu testamento. Deixo minha propriedade, com todas as suas vantagens e desvantagens, ao meu irmão, seu pai, por quem será deixada, sem dúvida, a você. Se você puder apreciá-la em paz, muito bem! Se descobrir que não consegue, aceite o meu conselho, garoto, e deixe-a para o seu pior inimigo. Lamento por lhe dar essa faca de dois gumes, mas não sei como as coisas vão se desenrolar. Por favor, assine o papel no lugar que o Sr. Fordham indicar.'

"Assinei o papel conforme indicado, e o advogado o levou consigo. O singular incidente causou, como o senhor pode imaginar, a mais profunda impressão em mim, e ponderei e o revirei por todos os lados mentalmente, sem conseguir entender nada. No entanto, eu não era capaz de afastar a vaga sensação de medo que ele deixou, embora tal sensação fosse ficando mais fraca à medida que as semanas passavam e nada acontecia que perturbasse a rotina costumeira de nossas vidas. Porém, eu percebia uma mudança no meu tio. Ele bebia mais do que nunca, e estava menos inclinado a qualquer convívio social. A maior parte do tempo, ficava em seu quarto, com a porta trancada por dentro, mas às vezes saía de lá numa espécie de frenesi alcoolizado e se precipitava para fora, correndo pelo jardim com um revólver na mão, gritando que não tinha medo de ninguém, e que não seria encurralado feito uma ovelha nem por homens, nem por demônios. Quando esses acessos passavam, todavia, ele entrava correndo e trancava e barricava a porta atrás de si, como alguém que não conseguisse mais ser valente contra o terror que acomete o fundo de sua alma. Em momentos assim, vi seu rosto, mesmo num dia frio, molhado de suor, como se tivesse acabado de enfiá-lo numa pia.

"Bem, para encerrar o assunto, Sr. Holmes, e não abusar da sua paciência, houve uma noite em que ele saiu num desses rompantes etílicos e nunca mais voltou. Nós o encontramos, quando fomos procurá-lo, deitado de bruços num laguinho verde de limo, na parte baixa do jardim. Não havia nenhum sinal de violência, e a água tinha sessenta centímetros de profundidade, por isso o júri, levando em conta sua conhecida excentricidade, emitiu um veredicto de 'suicídio'. Mas eu, que sabia como meu tio se horrorizava só de pensar na morte, tinha muita dificuldade em me convencer de que ele teria se dado ao trabalho de ir ao encontro dela. O assunto passou, porém, e meu pai tomou posse da propriedade e de umas catorze mil libras, que estavam em seu nome no banco."

— Um momento — Holmes interrompeu —, seu depoimento é, prevejo, um dos mais notáveis que já ouvi. Diga a data do recebimento da carta pelo seu tio, e a data de seu suposto suicídio.

— A carta chegou em 10 de março de 1883. Sua morte aconteceu sete semanas depois, na noite de 2 de maio.

— Obrigado. Por favor, prossiga.

— Quando meu pai assumiu a propriedade de Horsham, ele, a pedido meu, realizou um exame cuidadoso do sótão, que estivera sempre trancado. Encontramos a caixa de metal ali, embora seu conteúdo tivesse sido destruído. No interior da tampa havia uma etiqueta de papel com as iniciais K. K. K. repetidas e "cartas, memorandos, recibos e um livro de registro" escrito por baixo. Isso, presumimos, indicava a natureza dos papéis que haviam sido destruídos pelo coronel Openshaw. Quanto ao resto, não havia nada de muita importância no sótão, a não ser muitos papéis e cadernos espalhados, relativos à vida do meu tio na América. Alguns eram da época da guerra e mostravam que ele cumprira bem seu dever e ganhara a reputação de soldado corajoso. Outros eram de uma época durante a reconstrução dos Estados sulistas, e tratavam sobretudo de política, pois ele evidentemente tomara partido fortemente em oposição aos políticos oportunistas que haviam sido enviados do Norte.

"Bem, era o início de 1884 quando meu pai foi morar em Horsham, e tudo correu tão bem quanto possível conosco até janeiro de 1885. No quarto dia depois do ano-novo, ouvi meu pai dar um grito agudo de surpresa quando estávamos sentados à mesa do desjejum. Lá estava ele, com um envelope recém-aberto numa mão e cinco sementes secas de laranja na palma da outra. Ele sempre rira do que chamava de minha história absurda sobre o coronel, mas parecia muito assustado e intrigado, agora que a mesma coisa acontecera com ele.

"'Ora, que diabos isto significa, John?', ele balbuciou.

"Meu coração se transformara em chumbo. 'É K. K. K.', eu disse.

"Ele olhou dentro do envelope. 'É mesmo', exclamou. 'Aqui estão as iniciais. Mas o que é isto, escrito acima delas?'

"'Deixe os papéis sobre o relógio de sol', eu li, por cima do ombro dele.

"'Que papéis? Que relógio de sol?', ele perguntou.

"'O relógio de sol do jardim. Não há outro', eu disse. 'Mas os papéis devem ser aqueles que foram destruídos.'

"'Ora!', ele disse, agarrando-se à sua coragem. 'Estamos num país civilizado aqui, e não podemos tolerar esse tipo de bravata. De onde veio isto?'

"'De Dundee', respondi, olhando para o carimbo.

"'Uma brincadeira absurda', ele disse. 'O que eu tenho a ver com relógios de sol e papéis? Não vou nem me preocupar com essa bobagem.'

"'Certamente, o senhor deveria falar com a polícia', eu disse.

"'Dar-me a esse trabalho para que riam de mim? De jeito nenhum.'

"'Então me deixaria falar?'

"'Não, proíbo você. Não quero que ninguém faça um drama com essa bobagem.'

"Não adiantava discutir com ele, era um homem muito obstinado. Mas depois daquilo, fiquei com o coração cheio de maus pressentimentos.

"No terceiro dia depois da chegada da carta, meu pai saiu de casa para visitar um velho amigo seu, o major Freebody, que está no comando de um dos fortes em Portsdown Hill. Fiquei feliz por ele ir, porque me parecia que ele corria menos perigo quando estava longe de casa. Nisso, todavia, eu estava equivocado. No segundo dia de sua ausência, recebi um telegrama do major, implorando que eu viesse sem demora. Meu pai caíra numa das fundas cavas de gipsita que abundam na região, e jazia desacordado, com o crânio rachado. Corri para lá, mas ele acabou morrendo sem jamais recobrar a consciência. Ao que parecia, ele estava voltando de Fareham no lusco-fusco, e como a região lhe era desconhecida, e a cava não tinha cerca, o júri não hesitou em proferir um veredicto de 'morte por causa acidental'. Por mais que eu examinasse cuidadosamente cada fato ligado à sua morte, não consegui encontrar nada que pudesse sugerir a ideia de assassinato. Não havia sinais de violência, nenhuma pegada, nada fora roubado, não havia registro de estranhos avistados nas estradas. No entanto, não preciso dizer que minha mente nem de longe estava tranquila, e que eu tinha quase certeza de que alguma trama perversa o enredara.

"Dessa forma sinistra conquistei minha herança. O senhor deve se perguntar por que não me livrei dela. Eu respondo: porque estava totalmente convencido de que nossos problemas dependiam, de alguma forma, de um incidente na vida do meu tio, e que o perigo seria tão grande naquela casa quanto em qualquer outra.

"Foi em janeiro de 1885 que meu pobre pai encontrou seu

fim, e dois anos e oito meses se passaram desde então. Durante esse tempo, vivi feliz em Horsham, e começava a ter esperanças de que a maldição tivesse se afastado da família, e que tudo houvesse terminado na última geração. Comecei a me reconfortar cedo demais, porém; na manhã de ontem, o golpe foi desferido exatamente da mesma forma que atingiu o meu pai."

O jovem tirou um envelope amassado do bolso do colete, e virando-se para a mesa, deixou cair dele cinco sementinhas de laranja secas.

— Este é o envelope — ele continuou. — O carimbo é de Londres; divisão oriental. Dentro estão as mesmas palavras que constavam na última mensagem do meu pai: "K. K. K."; e depois "Deixe os papéis sobre o relógio de sol".

— E o que você fez? — perguntou Holmes.

— Nada.

— Nada?

— Para dizer a verdade — ele afundou o rosto nas mãos brancas e finas —, sinto-me impotente. Sinto-me como um daqueles pobres coelhos, quando a cobra está deslizando para perto deles. Pareço estar nas garras de algum mal irresistível, inexorável, contra o qual nenhuma prevenção ou precaução pode adiantar.

— Ora, ora! — exclamou Sherlock Holmes. — Você precisa agir, homem, senão está perdido. Só a energia pode salvá-lo. A hora não é de desespero.

— Procurei a polícia.

— Ah!

— Mas eles ouviram a minha história com um sorriso. Estou convencido de que, na opinião do inspetor, as cartas são apenas brincadeiras, e as mortes dos meus parentes foram realmente acidentes, como o júri declarou, e não devem ter ligação com os avisos.

Holmes agitou os punhos cerrados no ar.

— Incrível imbecilidade! — exclamou.

— Forneceram-me, de todo modo, um policial, que pode ficar em casa comigo.

— Ele o acompanhou aqui esta noite?

— Não. Suas ordens são para ficar na casa.

Mais uma vez, Holmes esmurrou o ar.

— Por que me procurou — ele exclamou —, e, acima de tudo, por que não veio antes?

— Eu não sabia. Só hoje falei dos meus problemas com o major Prendergast e ele me aconselhou a procurar o senhor.

— Realmente, passaram-se dois dias desde que você recebeu a carta. Deveríamos ter agido antes disso. Não tem mais nenhuma evidência, suponho, além daquelas que já nos apresentou, nenhum detalhe sugestivo que possa nos ajudar?

— Há uma coisa — disse John Openshaw. Ele remexeu no bolso do casaco, e retirando um pedaço de papel azul desbotado, colocou-o sobre a mesa. — Tenho alguma lembrança — disse — que no dia em que meu tio queimou os papéis, observei que os pequenos fragmentos intactos das margens em meio às cinzas eram dessa cor específica. Encontrei esta folha no chão do quarto dele, e estou inclinado a achar que pode ser um dos papéis, que talvez tenha flutuado para longe dos outros, e dessa forma escapou à destruição. Além da menção de sementes, não acho que nos ajude muito. Eu mesmo imagino que seja uma página de algum diário particular. A letra é indubitavelmente do meu tio.

Holmes moveu a lâmpada, e ambos nos debruçamos sobre a folha de papel, cuja borda irregular indicava, de fato, que ela fora arrancada de um livro. Estava datada "MARÇO DE 1869", e seguiam-se estes avisos enigmáticos:

> *Dia 4. Hudson chegou. Mesma velha plataforma.*
> *Dia 7. Mandei sementes para McCauley, Paramore e Swain de St Augustine.*
> *Dia 9. McCauley fora.*
> *Dia 10. John Swain fora.*
> *Dia 12. Visitei Paramore. Tudo está bem.*

— Obrigado! — disse Holmes, dobrando o papel e devolvendo-o para o nosso visitante. — E agora, você não deve perder mais um instante sequer, sob pretexto algum. Não temos tempo nem para discutir o que me contou. Você precisa voltar para casa imediatamente e agir.

— O que vou fazer?

— Só há uma coisa a fazer. Precisa ser feita já. Você precisa pôr o papel que nos mostrou dentro da caixa de metal que descreveu. Também deve pôr um bilhete dizendo que todos os outros papéis foram queimados pelo seu tio, e que esse é o único que sobrou. Precisa garantir isso com palavras que transmitam convicção. Depois de fazer isso, deve colocar a caixa imediatamente sobre o relógio de sol, de acordo com as instruções. Entendeu?

— Completamente.

— Nem pense em vingança ou qualquer outra coisa do tipo, no momento. Acho que podemos obter isso por meio da lei; mas ainda precisamos tecer nossa teia, enquanto a deles já está pronta. A primeira consideração é afastar o perigo imediato que ameaça você. A segunda é esclarecer o mistério e punir os culpados.

— Eu agradeço — disse o jovem, levantando-se e vestindo o sobretudo. — O senhor me deu vida renovada e esperança. Certamente farei o que aconselhou.

— Não perca um só momento. E, acima de tudo, cuide-se enquanto isso, pois acho que não resta dúvida de que você é ameaçado por um perigo muito real e iminente. Como vai voltar?

— De trem, de Waterloo.

— Ainda não são 21h. As ruas estarão cheias, portanto acredito que possa estar seguro. Mesmo assim, proteção nunca é demais.

— Estou armado.

— Isso é bom. Amanhã começarei a trabalhar no seu caso.

— Verei o senhor em Horsham, então?

— Não, seu segredo está em Londres. É ali que vou procurá-lo.

— Então visitarei o senhor daqui a um dia ou dois, com notícias da caixa e dos papéis. Seguirei seu conselho em cada detalhe. — Ele apertou nossas mãos e saiu. Lá fora, o vento ainda gritava, e a chuva encharcava e martelava as janelas. Essa história estranha e selvagem parecia ter vindo até nós saindo do meio dos elementos enlouquecidos, jogada sobre nós como um tapete de algas numa tormenta e então reabsorvida mais uma vez por eles.

Sherlock Holmes ficou algum tempo em silêncio, com a cabeça baixa e os olhos fixos no brilho avermelhado do fogo. Então acendeu o cachimbo e, refestelando-se em sua poltrona, observou os anéis de fumaça azulada dançando até o forro.

— Eu acho, Watson — ele disse por fim —, que nunca tivemos um caso mais fantástico do que esse.

— À parte, talvez, o Signo dos Quatro.

— Bem, sim. À parte, talvez, esse. No entanto, esse John Openshaw me parece andar em meio a perigos ainda maiores do que os Sholto.

— Mas você — perguntei — formou alguma concepção definida do que são esses perigos?

— Não resta dúvida quanto à sua natureza — ele respondeu.

— Então, o que são? Quem é esse K. K. K., e por que persegue essa infeliz família?

Sherlock Holmes fechou os olhos e apoiou os cotovelos nos braços da poltrona, com as pontas dos dedos unidas.

— O pensador ideal — ele comentou — conseguiria, quando lhe é exposto um único fato em todos os seus detalhes, deduzir dele não só toda a sequência de acontecimentos que levou até esse fato, como também todos os resultados que dele se seguiriam. Da mesma forma como Cuvier é capaz de descrever corretamente um animal inteiro pela contemplação de um único osso, o observador que entendeu completamente um elo de uma série de incidentes deveria ser capaz de mencionar acertadamente todos os outros, tanto antes quanto depois dele. Ainda não apreendemos os resultados que só a razão pode atingir. Com o estudo, podem-se resolver problemas que intrigaram todos aqueles que procuraram uma solução com o auxílio de seus sentidos. Para elevar a arte, todavia, aos seus píncaros mais altos, é necessário que o pensador consiga utilizar todos os fatos que chegam ao seu conhecimento; e isso por si só implica, como você prontamente irá ver, a posse de todo o conhecimento, algo que, até nestes dias de educação gratuita e enciclopédias, é uma façanha um tanto rara. Não é tão impossível, porém, que um homem possua todo o conhecimento que provavelmente ser-lhe-á útil em seu trabalho, e isso procurei, no meu caso, fazer. Se bem me lembro, você, numa ocasião, nos primeiros dias da nossa amizade, definiu minhas limitações de maneira bastante precisa.

— Sim — respondi rindo. — Era um documento singular. Filosofia, astronomia e política estavam marcadas com zero, pelo que me lembro. Botânica, variável, geologia, conhecimento profundo com relação às manchas de lama de qualquer região num raio de oitenta quilômetros ao redor da cidade, química, excêntrico, anatomia, não sistemático, literatura sensacionalista e anais do crime, impecável; violinista, pugilista, espadachim, jurista e adepto do autoenvenenamento por cocaína e tabaco. Esses, eu acho, foram os pontos principais da minha análise.

Holmes sorriu com o último item.

— Bem — ele concluiu —, eu digo agora, como disse então, que um homem deve manter seu pequeno sótão cerebral abastecido com todos os objetos que provavelmente irá usar, e o resto ele pode guardar no arquivo morto de sua biblioteca, e tirar de lá quando quiser. Bem, para um caso como o que nos foi apresentado hoje, certamente precisamos contar com todos os nossos recursos. Por gentileza, alcance a letra K da enciclopédia americana na prateleira atrás de você. Obrigado. Agora, consideremos a situação e vejamos o que conseguimos deduzir a partir dela. Em primeiro lugar, podemos começar presumindo com convicção que o coronel Openshaw tinha algum motivo muito forte para deixar a América. Homens da sua idade não mudam todos os seus hábitos e trocam, de boa vontade, o clima encantador da Flórida pela vida solitária de uma cidadezinha inglesa provinciana. Seu extremo amor à solidão na Inglaterra sugere que ele temia alguém ou algo, portanto podemos presumir, como hipótese provisória, que foi o medo de alguém ou algo que o afastou da América. Quanto ao que ele temia, só podemos deduzir isso levando em consideração as formidáveis cartas recebidas por ele e pelos seus sucessores. Você notou os carimbos daquelas cartas?

— A primeira vinha de Pondicherry, a segunda de Dundee, e a terceira de Londres.

— Do leste de Londres. O que você deduz disso?

— São todas zonas portuárias. Que o autor das cartas estava a bordo de um navio.

— Excelente. Já temos uma pista. Não pode haver dúvida de que é provável, altamente provável, que o autor estivesse a bordo de um navio. E agora, consideremos outra questão. No caso de Pondicherry, sete semanas se passaram entre a ameaça e a sua realização; no de Dundee, foram só três ou quatro dias. Isso sugere alguma coisa?

— Uma distância maior a ser percorrida.

— Mas a carta também vinha de uma distância maior.

— Então não entendo o argumento.

— Há pelo menos uma suposição de que a embarcação na qual o homem ou os homens estão seja um veleiro. Parece que eles sempre enviam seu peculiar aviso ou sinal antes de começarem sua missão. Veja quão rapidamente o ato seguiu-se ao sinal quando ele veio de Dundee. Se eles tivessem vindo de

Pondicherry num vapor, chegariam quase ao mesmo tempo que sua carta. Mas a verdade é que sete semanas se passaram. Acho que essas sete semanas representam a diferença entre as chegadas do navio postal que trouxe a carta e do veleiro que trouxe o autor.

— É possível.

— Mais do que isso. É provável. E agora você vê a urgência mortal desse novo caso, e por que instei o jovem Openshaw a se acautelar. O golpe sempre vem no fim do tempo que os remetentes levam para percorrer a distância. Mas esta carta veio de Londres, e portanto não podemos contar com nenhum atraso.

— Bom Deus! — exclamei. — O que pode significar essa perseguição incansável?

— Os papéis que Openshaw carregava são, obviamente, de importância vital para a pessoa ou as pessoas que estão no veleiro. Acho que está bastante claro que deve ser mais de uma pessoa. Um só homem não poderia ter executado duas mortes de maneira a enganar um júri. Devem ter sido várias pessoas, e devem ser homens providos de recursos e determinação. Querem reaver seus papéis, seja quem for que esteja de posse deles. Dessa maneira, você vê que K. K. K. deixam de ser as iniciais de um indivíduo e se tornam o emblema de uma sociedade.

— Mas que sociedade?

— Você nunca... — disse Sherlock Holmes, curvando-se para a frente e baixando a voz — nunca ouviu falar da Ku Klux Klan?

— Nunca.

Holmes virou as páginas do livro sobre seus joelhos.

— Aqui está — ele disse finalmente:

"Ku Klux Klan. Nome derivado da fantasiosa analogia com o som produzido pelo engatilhar de um rifle. Essa terrível sociedade secreta foi formada por alguns ex-soldados confederados nos estados do Sul depois da Guerra Civil, e rapidamente ganhou divisões locais em várias partes do país, notavelmente no Tennessee, na Louisiana, nas Carolinas, na Geórgia e na Flórida. Seu poder era usado para fins políticos, principalmente para aterrorizar os eleitores negros e assassinar ou afastar do país aqueles que se opunham aos seus princípios. Seus atos ultrajantes eram costumeiramente precedidos por um aviso enviado ao homem marcado de alguma forma fantástica, mas geralmente conhecida — um ramalhete de carvalho em alguns lugares, sementes de melão ou de laranja em outros. Ao receber isso, a vítima podia abdicar abertamente de suas antigas atitudes ou fugir do país. Se tentasse enfrentá-los, a morte se abatia infalivelmente sobre ela, e normalmente de alguma maneira estranha e imprevista. A organização da sociedade era tão perfeita, e seus métodos, tão sistemáticos, que praticamente não existem registros de casos em que alguém tenha conseguido enfrentá-la impunemente, ou onde tenham sido descobertos os autores de qualquer um dos seus atos ilícitos. Por alguns anos, a organização prosperou, apesar dos esforços do governo dos EUA e das melhores classes da comunidade sulista. Finalmente, no ano de 1869, o movimento se desfez de forma um tanto repentina, embora tenham havido ocorrências esporádicas do mesmo tipo desde essa data."

— Você observará — disse Holmes, soltando o volume — que a dissolução repentina da sociedade coincide com o desaparecimento de Openshaw da América juntamente com os documentos deles. As duas coisas podem muito bem ter sido causa e efeito. Não admira que ele e sua família tenham alguns dos espíritos mais implacáveis em seu encalço. Você pode entender como esse livro de registro e diário deve implicar algumas figuras importantes do Sul, e muitas delas certamente não dormirão tranquilas até que ele seja recuperado.

— Então, a página que vimos...

— É o que podíamos esperar. Ela dizia, se bem me lembro: "mandei sementes para A, B e C", isto é, mandou o aviso da sociedade para eles. Então há registros sucessivos de que A e B estão fora, ou saíram do país, e finalmente, que C foi visitado, com, eu temo, um resultado sinistro para C. Bem, eu acho, doutor, que podemos jogar alguma luz nesse lugar escuro, e acredito que a única chance que o jovem Openshaw tem, enquanto isso, é fazer o que eu mandei. Não há nada mais a ser dito ou feito esta noite, por isso passe-me o violino e vamos tentar esquecer por meia hora o clima horroroso e as ações ainda mais horrorosas dos nossos semelhantes.

O tempo abrira pela manhã, e o sol brilhava com uma luz baça através do véu pálido que encobria a grande cidade. Sherlock Holmes já estava fazendo o desjejum quando desci.

— Vai me desculpar por não ter esperado você — ele

disse —; prevejo que terei um dia muito cheio com esse caso do jovem Openshaw.

— Que medidas vai tomar? — perguntei.

— Isso dependerá muito dos resultados das minhas primeiras investigações. Posso precisar ir para Horsham, no fim das contas.

— Não irá para lá primeiro?

— Não, vou começar pela cidade. Toque a sineta e a criada trará o seu café.

Enquanto eu esperava, peguei o jornal fechado da mesa e corri os olhos sobre ele. Parei num título que fez meu coração gelar.

— Holmes — exclamei —, você chegou tarde demais.

— Ah! — ele disse, pousando sua xícara. — Eu temia isso. Como fizeram? — Ele falou calmamente, mas pude ver que estava profundamente abalado.

— Só li o nome de Openshaw e o título, "TRAGÉDIA PERTO DA PONTE DE WATERLOO". Aqui está o relato:

> Entre as 21h e 22h de noite passada, o policial Cook, da Divisão H, que fazia a ronda perto da Ponte de Waterloo, ouviu um pedido de socorro e um impacto na água. A noite, porém, estava extremamente escura e tempestuosa, por isso, apesar da ajuda de vários transeuntes, foi impossível efetuar um resgate. O alerta, no entanto, foi dado, e com a ajuda da polícia fluvial, o corpo finalmente foi recuperado. Ele provou ser de um

jovem cavalheiro cujo nome, pelo que indica um envelope que foi encontrado em seu bolso, era John Openshaw, e cuja residência fica perto de Horsham. Conjectura-se que ele pudesse estar correndo para pegar o último trem da Estação de Waterloo, e em sua pressa e com a escuridão extrema, saiu do caminho e se aproximou de um dos pequenos atracadouros para vapores no rio. O cadáver não exibia nenhum sinal de violência, e não resta dúvida de que o falecido foi vítima de um infeliz acidente, que deve ter o efeito de chamar a atenção das autoridades para as condições dos atracadouros do rio.

Ficamos em silêncio por alguns minutos, Holmes deprimido e abalado como jamais o vi.

— Isso fere meu orgulho, Watson — ele disse finalmente. — É um sentimento mesquinho, sem dúvida, mas fere meu orgulho. Transformou-se numa questão pessoal para mim, agora, e se Deus me der saúde, hei de pôr as mãos nesse bando. E pensar que ele pediu minha ajuda, e eu o enviei para sua morte...! — Ele saltou da poltrona e andou pela sala numa agitação incontrolável, com as pálidas bochechas em fogo e torcendo nervosamente as mãos longas e finas.

— Devem ser demônios ardilosos — exclamou finalmente. — Como podem tê-lo desencaminhado para lá? Os atracadouros não ficam no caminho da estação. A ponte, sem dúvida, estava cheia de gente demais, mesmo numa noite daquelas, para o que tinham em mente. Bem, Watson, veremos quem vencerá, no fim das contas. Vou sair agora!

— Vai à polícia?

— Não; serei minha própria polícia. Quando eu tecer minha teia, eles poderão prender as moscas, mas não antes.

O dia todo fiquei ocupado com minha atividade profissional, e só com a noite avançada pude voltar para Baker Street. Sherlock Holmes ainda não regressara. Eram quase 22h quando ele entrou, parecendo pálido e esgotado. Andou até o balcão, arrancou um pedaço de pão e o devorou vorazmente, tomando um grande gole d'água.

— Você está faminto — comentei.

— Demais. Não me lembrei de comer. Não como nada desde o desjejum.

— Nada?

— Nem uma migalha. Não tive tempo de pensar nisso.

— E como se saiu?

— Bem.

— Tem uma pista?

— Estão na palma da minha mão. O jovem Openshaw não ficará sem vingança por muito tempo. Ora, Watson, vamos fazer com que sintam o gosto de sua diabólica marca registrada. É uma boa ideia!

— O que quer dizer?

Ele pegou uma laranja da despensa e, despedaçando-a, espremeu as sementes sobre a mesa. Pegou cinco delas e enfiou num envelope. Na parte de dentro da aba, escreveu "S. H., em nome de J. O." Depois o selou e o endereçou para "Capitão James Calhoun, Embarcação *Lone Star*, Savannah, Geórgia."

— Estará à espera dele quando atracar — Holmes disse, com uma risadinha. — Vai lhe proporcionar uma noite insone. Ele verá que é uma profecia do seu destino tão certeira quanto foi a de Openshaw.

— E quem é esse capitão Calhoun?

— O líder do bando. Pegarei os outros, mas ele primeiro.

— E como você o localizou, afinal?

Ele tirou uma grande folha de papel do bolso, toda preenchida com datas e nomes.

— Passei o dia todo — disse — consultando os registros do Lloyd's e arquivos de jornais antigos, seguindo as rotas futuras de toda embarcação que atracou em Pondicherry em janeiro e fevereiro de 1883. Trinta e seis navios de grande tonelagem foram registrados durante esses meses. Desses, um, o *Lone Star*, instantaneamente chamou-me a atenção, já que, embora o registro dissesse que ele partira de Londres, seu nome é o apelido de um dos estados da União.

— Do Texas, acho.

— Eu não tinha e continuo não tendo certeza de qual; mas sabia que o navio devia ter origem americana.

— E depois?

— Vasculhei os registros de Dundee, e quando descobri que o *Lone Star* esteve lá em janeiro de 1885, minha suspeita transformou-se em certeza. Então perguntei quais são as embarcações atualmente atracadas no porto de Londres.

— Sim?

— O *Lone Star* chegou aqui semana passada. Fui até a Doca Albert e descobri que o navio partiu com a primeira maré hoje de manhã, de volta para Savannah. Telegrafei para Gravesend e descobri que ele passara por lá havia algum tempo, e como o vento leste está soprando, não tenho dúvida de que agora já passou pelas Goodwins e não deve estar longe da Ilha de Wight.

— E o que você vai fazer, então?

— Oh, já estou com a mão nele. Ele e dois marujos são, pelo que sei, os únicos americanos nativos a bordo. Os outros são finlandeses e alemães. Sei, também, que os três se ausentaram do veleiro noite passada. Fui informado pelo estivador que carregou a embarcação. Quando o veleiro deles chegar a Savannah, o navio postal já terá levado esta carta, e a polícia de Savannah terá sido informada por telégrafo que esses três cavalheiros estão sendo procurados aqui, acusados de assassinato.

Existem falhas, porém, até nos mais bem elaborados planos humanos, e os assassinos de John Openshaw jamais receberiam as sementes de laranja que mostrariam que outro homem, tão astuto e decidido quanto eles, estava em seu encalço. As tormentas equinociais foram muito longas e severas naquele ano. Esperamos muito tempo por notícias do *Lone Star* de Savannah, mas nenhuma veio. Finalmente, soubemos que, em algum lugar distante do Atlântico, a viga despedaçada da popa de um barco foi vista girando em meio às ondas, com as letras "L. S." entalhadas, e isso é tudo que jamais saberemos do destino do *Lone Star*.

*seis*
# O HOMEM COM O LÁBIO DEFORMADO

Isa Whitney, irmão do falecido Elias Whitney, doutor em Teologia, diretor da Faculdade Teológica de St George, era muito viciado em ópio. O hábito se apossara dele, pelo que sei, depois de alguma bravata tola quando ele estava na faculdade; pois ao ler as descrições que De Quincey fizera de seus sonhos e sensações, ele encharcara seu tabaco em láudano numa tentativa de produzir os mesmos efeitos. Descobriu, como tantos antes dele, que essa prática é mais fácil de se começar do que de se encerrar, e por muitos anos continuou sendo um escravo da droga, um objeto de horror misturado com piedade para seus amigos e parentes. Posso vê-lo agora, com o rosto amarelo e empastado, as pálpebras caídas, as pupilas transformadas em pontos, todo encolhido numa poltrona, a ruína de um nobre homem.

Uma noite — foi em junho de 1889 —, alguém tocou minha campainha, bem na hora em que um homem dá seus primeiros bocejos e olha para o relógio. Empertiguei-me na poltrona, e minha esposa depôs seu bordado no colo e fez uma pequena expressão de decepção.

— Um paciente! — ela disse. — Você precisará sair.

Gemi, porque acabara de voltar de um dia cansativo.

Ouvimos a porta se abrindo, algumas palavras apressadas, e passos rápidos sobre o linóleo. Nossa porta se escancarou, e uma mulher, usando roupas escuras e um véu preto, entrou na sala.

— Perdoem-me aparecer tão tarde — ela começou, e então, perdendo repentinamente o autocontrole, correu até nós, jogou os braços ao redor do pescoço da minha esposa e soluçou em seu ombro. — Oh, estou em tão grandes apuros! — exclamou. — Preciso muito de uma pequena ajuda.

— Ora — disse minha esposa, levantando o véu —, é Kate Whitney. Que susto você me deu, Kate! Não a reconheci quando entrou.

— Eu não sabia o que fazer, e a primeira pessoa que pensei em procurar foi você. — Era sempre assim. Pessoas atormentadas procuravam minha esposa como pássaros atraídos por um farol.

— Foi muita gentileza sua ter vindo. Agora tome um pouco de vinho com água, sente-se confortavelmente e conte-nos tudo. Ou prefere que eu mande James se deitar?

— Oh, não, não! Quero os conselhos e a ajuda do doutor

também. O problema é Isa. Não aparece em casa há dois dias. Temo tanto por ele!

Não era a primeira vez que ela falava conosco sobre o problema do marido, comigo como médico, com minha esposa como velha amiga e ex-colega de escola. Nós a acalmamos e reconfortamos com as palavras que nos ocorreram. Sabia onde o marido estava? Seria possível conseguirmos trazê-lo de volta?

Ao que parecia, era possível. Ela possuía a informação bastante segura de que ultimamente, quando a vontade o tomava, ele procurava uma casa de ópio no extremo leste da cidade. Até então, suas orgias sempre se limitaram a um dia, e ele voltava, tremendo e alquebrado, à noite. Mas naquele caso, o feitiço já o possuía havia 48 horas, e ele jazia lá, sem dúvida em meio à escória do cais, inalando o veneno ou dormindo sob seu efeito. Lá ele poderia ser encontrado, ela tinha certeza, na Barra de Ouro, na Upper Swandam Lane. Mas o que ela podia fazer? Como uma jovem tímida poderia abrir caminho num lugar daqueles e arrancar o marido dos rufiões que o cercavam?

Esse era o caso, e naturalmente só havia uma saída. Eu não poderia acompanhá-la a esse lugar? Aliás, pensando melhor, por que ela deveria ir? Eu era o consultor médico de Isa Whitney, tinha essa influência sobre ele. Poderia administrar melhor a situação se estivesse sozinho. Dei a ela minha palavra de que o mandaria para casa numa carruagem dentro de duas horas, se ele realmente estivesse no endereço que ela me dera. E assim, em dez minutos, eu deixara minha poltrona e minha sala de estar aconchegante para trás, e estava correndo para o leste num *hansom*, numa missão estranha, pareceu-me na época, embora somente o futuro pudesse mostrar quão estranha ela seria.

Mas não houve grande dificuldade na primeira etapa da minha aventura. A Upper Swandam Lane é um beco medonho que se estende por trás das altas margens que ladeiam o lado norte do rio, a leste da Ponte de Londres. Entre uma loja de roupas baratas e uma taverna, ao pé de um íngreme lance de escada que levava a um buraco escuro como a entrada de uma caverna, encontrei a casa que eu procurava. Pedindo ao meu cocheiro que esperasse, desci a escada, cujos degraus estavam gastos no meio pelo tropel incessante de pés ébrios; e à luz de uma lamparina bruxuleante acima da porta, encontrei o trinco e prossegui para uma sala comprida e de pé-direito baixo, inundada pela fumaça pesada e marrom do ópio, com fileiras de camas de madeira, como o castelo de proa de um navio de emigrantes.

Em meio às trevas, mal era possível divisar os corpos jazendo em poses fantásticas, com os ombros encurvados, os joelhos dobrados, as cabeças para trás, os queixos apontando para cima, e um olho escuro e embotado aqui e ali observando o recém-chegado. Em meio às sombras negras, reluziam pequenos círculos de luz vermelha, ora brilhantes, ora fracos, à medida que o veneno ardente era sugado nos bojos dos cachimbos de metal. A maioria jazia calada, mas alguns resmungavam consigo mesmos, e outros conversavam numa voz estranha, baixa, monótona, a conversa surgindo aos borbotões, e de repente degringolando em silêncio, cada um murmurando suas próprias ideias e prestando pouca atenção às palavras do vizinho. No canto mais distante, havia um pequeno braseiro de carvão aceso, ao lado do qual, numa banqueta com três pernas, sentava-se um velho alto e magro, com a mandíbula apoiada nos dois punhos e os cotovelos sobre os joelhos, fitando a chama.

Quando entrei, um atendente malaio de pele amarelada correu com um cachimbo e um suprimento da droga para mim, indicando-me uma cama vazia.

— Obrigado. Não vou ficar — eu disse. — Um amigo meu está aqui, o Sr. Isa Whitney, e desejo falar com ele.

Houve um movimento e uma exclamação à minha direita, e em meio à escuridão, vi Whitney, pálido, esgotado e desgrenhado, me olhando.

— Meu Deus! É Watson — ele disse. Estava num estado deplorável de excitação, com os nervos à flor da pele. — Diga, Watson, que horas são?

— Quase 23h.

— De que dia?

— Sexta-feira, 19 de junho.

— Pelos céus! Pensei que fosse quarta-feira. É quarta--feira. Por que quer me assustar? — Ele afundou o rosto nos braços e começou a soluçar com voz aguda.

— Estou dizendo que é sexta, homem. Sua esposa está à sua espera há dois dias. Você deveria se envergonhar!

— E me envergonho. Mas você está confuso, Watson, porque só estou aqui há algumas horas, três cachimbos, quatro cachimbos, esqueci quantos. Bem, irei para casa com você. Não quero assustar Kate, pobrezinha da Kate. Dê-me sua mão! Você tem uma carruagem?

— Sim, está à espera.

— Então voltarei com ela. Mas devo ter uma conta aqui. Descubra quanto devo, Watson. Estou péssimo. Não posso fazer nada por mim.

Andei pelo estreito corredor entre a fila dupla de criaturas adormecidas, prendendo o fôlego para evitar os eflúvios fétidos e estupefacientes da droga, procurando o gerente. Ao passar pelo homem alto sentado à frente do braseiro, senti um puxão na minha camisa, e uma voz baixa sussurrou:

— Passe por mim e depois olhe para trás. — As palavras foram bem nítidas aos meus ouvidos. Olhei para baixo. Só podiam ter vindo do velho ao meu lado, mas ele continuava absorto como antes, muito magro, enrugado, encurvado pela idade, com um cachimbo de ópio pendurado entre os joelhos, como se tivesse caído dos seus dedos devido à lassidão. Dei mais dois passos e olhei para trás. Precisei de todo o meu autocontrole para não soltar um grito de assombro. Ele havia se virado de costas, para que ninguém mais pudesse vê-lo além de mim. Suas feições se preencheram, suas rugas sumiram, os olhos baços recobraram seu fogo, e ali, sentado perto do braseiro e sorrindo com minha surpresa, estava ninguém menos do que Sherlock Holmes. Ele fez um leve aceno para que eu me aproximasse, e instantaneamente, ao virar parte do rosto novamente para os presentes, retornou à senilidade trêmula e aparvalhada.

— Holmes! — murmurei. — O que, em nome de Deus, está fazendo neste antro?

— Fale o mais baixo que conseguir — ele respondeu —; meus ouvidos são excelentes. Se fizer a imensa gentileza de se livrar desse seu imbecilizado amigo, eu ficaria muito feliz em ter uma conversinha com você.

— Tenho uma carruagem lá fora.

— Então, por favor, mande-o para casa nela. Pode seguramente confiar nele, parece entorpecido demais para fazer qualquer coisa errada. Recomendo também que envie um bilhete pelo cocheiro à sua esposa, avisando que você ficou comigo. Se me esperar lá fora, estarei com você em cinco minutos.

Era difícil recusar qualquer pedido de Sherlock Holmes, já que eles eram sempre incrivelmente definidos, e enunciados com um ar discreto de comando. Senti, de qualquer forma, que com Whitney confinado na carruagem, minha missão estava praticamente cumprida; quanto ao resto, eu não podia desejar nada melhor do que acompanhar meu amigo numa daquelas singulares aventuras que eram a condição normal de sua existência. Em poucos minutos, escrevi o bilhete, paguei a conta de Whitney, levei-o até a carruagem, e o vi partir na escuridão. Em bem pouco tempo, uma figura decrépita já havia saído da casa de ópio, e eu estava andando pela rua com Sherlock Holmes. Por duas ruas ele se arrastou, encurvado e trôpego. Depois, olhando rapidamente ao redor, endireitou-se e caiu numa sonora gargalhada.

— Suponho, Watson — disse —, que você imagine que acrescentei o consumo de ópio às injeções de cocaína e todas as outras pequenas fraquezas sobre as quais já me deu sua opinião médica.

— Certamente fiquei surpreso em encontrar você lá.

— Não mais do que eu fiquei ao ver você.

— Eu fui em busca de um amigo.

— E eu, de um inimigo.

— Um inimigo?

— Sim; um dos meus inimigos naturais, ou, melhor dizendo, minhas presas naturais. Em poucas palavras, Watson, estou no meio de uma investigação notável, e esperava encontrar uma pista nos delírios incoerentes daqueles drogados, como já fiz outras vezes. Se eu fosse reconhecido naquele antro, minha vida não valeria mais nada; pois já o usei para os meus propósitos, e o infame lascar que o administra jurou vingar-se de mim. Há um alçapão nos fundos daquele prédio, perto da esquina com Paul's Wharf, que poderia contar algumas histórias estranhas sobre o que passa por ali em noites sem luar.

— O quê?! Não está falando de cadáveres!

— Sim, cadáveres, Watson. Ficaríamos ricos se ganhássemos mil libras a cada pobre diabo espancado até a morte naquele antro. É o matadouro mais imundo de toda a margem do rio, e temo que Neville St Clair tenha entrado ali para nunca mais sair. Mas acho que nossa charrete chegou. — Ele enfiou os dois indicadores entre os dentes e deu um assobio ensurdecedor — um sinal que foi respondido por um assobio parecido, a distância, seguido pouco depois pelo barulho de rodas e de cascos de cavalos.

— Agora, Watson — disse Holmes, enquanto uma carroça alta atravessava as trevas, formando dois túneis dourados de luz amarela com suas lanternas laterais —, você me acompanhará, não?

— Se eu puder ser útil.

— Ora, um camarada de confiança é sempre útil; e um cronista, mais ainda. Meu quarto em The Cedars tem duas camas.

— The Cedars?

— Sim; é a casa do Sr. St Clair. Estou hospedado ali enquanto conduzo a investigação.

— E onde ela fica?

— Perto de Lee, em Kent. Temos onze quilômetros de viagem pela frente.

— Mas eu estou totalmente no escuro.

— Claro que está. Saberá de tudo em breve. Suba aqui. Muito bem, John; não precisaremos de você. Tome meia coroa. Procure-me amanhã às onze. Pode soltá-lo. Até mais, então!

Ele fez o cavalo partir com o chicote, e rodamos por um sem-fim de ruas escuras e desertas, que foram se alargando aos poucos, até cruzarmos velozmente uma larga ponte balaustrada, com o rio barrento correndo morosamente abaixo de nós. Depois dela, mais uma tediosa floresta de tijolos e cimento, cujo silêncio só era quebrado pelos passos pesados e regulares de um policial, ou pelas canções e gritos de algum grupo tardio de boêmios. Nuvens sem cor cruzavam lentamente o céu, e uma ou duas estrelas piscavam fracamente aqui e ali nas nesgas de céu limpo. Holmes guiava em silêncio, com a cabeça apoiada no peito e o ar de um homem perdido em pensamentos, enquanto eu ficava ao lado dele, curioso para descobrir que busca era aquela que parecia exigir tanto de seus poderes, porém receoso de interromper seus pensamentos. Rodáramos por vários quilômetros, e estávamos chegando ao limite do cinturão de mansões suburbanas, quando ele se sacudiu, encolheu os ombros e acendeu seu cachimbo com o ar de alguém que se convenceu de estar agindo da melhor forma possível.

— Você tem um belo dom do silêncio, Watson — ele disse. — Isso o torna um companheiro inestimável. Juro que é ótimo, para mim, ter alguém com quem falar, já que meus pensamentos não são dos mais agradáveis. Eu estava me perguntando o que deveria dizer a essa mulherzinha, quando ela me receber esta noite.

— Você se esquece de que nada sei a respeito.

— Tenho o tempo exato para contar os fatos do caso antes de chegarmos a Lee. Parece absurdamente simples; no entanto, por algum motivo, não consigo encontrar nenhuma pista. É um grande novelo, sem dúvida, mas não consigo encontrar a ponta do barbante. Bem, vou descrever o caso clara e concisamente, Watson, e talvez você consiga ver uma centelha onde só vejo escuridão.

— Prossiga, então.

— Há alguns anos, para ser exato, em maio de 1884, chegou a Lee um cavalheiro chamado Neville St Clair, que parecia ter muito dinheiro. Comprou uma bela mansão, mandou fazer lindos jardins, e levava uma vida em geral próspera. Aos poucos, fez amizades na vizinhança, e em 1887, casou-se com a filha de um cervejeiro local, com a qual tem agora dois filhos. Não trabalhava, mas tinha dinheiro investido em várias empresas, e ia para a cidade, via de regra, pela manhã, voltando toda noite com o transporte das 17h14 da Cannon Street. O Sr. St Clair está agora com 37 anos de idade, é um homem de hábitos moderados, bom marido, pai muito afetuoso, popular com todos que o conhecem. Eu poderia acrescentar que o montante de suas dívidas, no presente momento, até onde conseguimos averiguar, consiste em 88 libras e 10 xelins, enquanto ele tem 220 libras de crédito no Banco Capital and Counties. Não há motivo, portanto, para imaginar que quaisquer problemas financeiros pesassem em sua mente.

"Segunda-feira passada, o Sr. Neville St Clair foi para a

cidade um pouco mais cedo do que de costume, comentando, antes de partir, que tinha dois assuntos importantes para resolver, e que traria para seu filhinho uma caixa de blocos de montar. Então, pelo mais puro acaso, sua esposa recebeu um telegrama nessa mesma segunda-feira, pouco depois da partida do marido, avisando que um pequeno pacote de valor considerável, que ela estava esperando, já se encontrava à sua disposição nos escritórios da Companhia de Entregas Aberdeen. Bem, se você conhece Londres, sabe que o escritório da companhia fica na Fresno Street, uma travessa da Upper Swandam Lane, onde você me encontrou esta noite. A Sra. St Clair almoçou, partiu para a cidade, fez algumas compras, foi até os escritórios da companhia, pegou seu pacote, e exatamente às 16h35 estava atravessando a Swandam Lane, a caminho da estação. Entendeu tudo até agora?"

— Está muito claro.

— Se você se lembra, a segunda-feira foi um dia excessivamente quente, e a Sra. St Clair caminhava devagar, olhando ao seu redor, na esperança de ver uma carruagem disponível, pois não gostava do bairro onde se encontrava. Enquanto andava dessa forma pela Swandam Lane, ouviu repentinamente uma exclamação ou grito, e ficou paralisada ao ver seu marido olhando para ela e, pareceu-lhe, acenando da janela de um segundo andar. A janela estava aberta, e ela viu distintamente seu rosto, que descreveu como terrivelmente agitado. O homem gesticulou freneticamente para ela, e então desapareceu da janela tão de repente que ela teve a impressão de que ele fora puxado para trás por alguma força irresistível. Um detalhe peculiar que chamou a atenção de seu atento olhar feminino foi que, embora ele usasse um casaco escuro, como o que vestira para ir à cidade, estava sem colarinho ou gravata.

"Certa de que havia algo errado com o marido, ela correu escada abaixo, já que o prédio não era outro senão o da casa de ópio onde você me encontrou hoje, e cruzando o átrio, tentou subir a escada que levava ao primeiro andar. Ao pé da escada, porém, encontrou o maldito lascar do qual falei, que a empurrou para trás e, auxiliado por um dinamarquês que desempenha a função de seu assistente ali, expulsou-a para a rua. Cheia dos temores e dúvidas mais perturbadores, ela correu pela rua e, por uma rara sorte, encontrou na Fresno Street vários policiais e um inspetor, todos começando a sua ronda. O inspetor e dois homens a acompanharam de volta, e apesar da persistente resistência do proprietário, eles entraram na sala onde o Sr. St Clair fora visto. Não havia nem sinal dele ali. Aliás, naquele piso todo não havia ninguém, a não ser um miserável aleijado de aspecto repugnante que aparentemente habitava o local. Tanto ele quanto o lascar juraram de pés juntos que ninguém mais estivera naquela sala durante a tarde. Tão veemente foi a negativa dos dois que o inspetor ficou sem ação, e quase começava a acreditar que a Sra. St Clair se equivocara quando, com um grito, ela agarrou uma caixinha que estava sobre a mesa e arrancou a tampa. Dela caiu uma cascata de blocos de montar. Era o brinquedo que o marido prometera trazer para casa.

"Essa descoberta, e a evidente confusão que o aleijado demonstrava, fizeram o inspetor perceber que o assunto era sério. As salas foram cuidadosamente examinadas, e todos os resultados indicavam um crime abominável. A sala da frente possuía uma decoração simples de sala de estar e levava a um pequeno dormitório que dava para uma das muretas da margem do rio. Entre a mureta e a janela do quarto havia uma faixa estreita que ficava seca na maré baixa, mas era alagada na maré alta por pelo menos um metro e meio de água. A janela do quarto era larga e abria por baixo. Um exame revelou marcas de sangue no parapeito, e vários pingos espalhados eram visíveis no assoalho de madeira do quarto. Escondidas atrás de uma cortina da sala estavam todas as roupas do Sr. Neville St Clair, com exceção do seu casaco. Suas botas, meias, chapéu e relógio, tudo estava lá. Não havia sinais de violência em nenhum desses indumentos, e nenhum outro sinal do Sr. Neville St Clair. Aparentemente, ele saíra pela janela, pois nenhuma outra saída pôde ser descoberta, e as apavorantes marcas de sangue no parapeito davam pouca esperança de que ele pudesse ter se salvado nadando, porque a maré estava em seu ponto mais alto no momento da tragédia.

"E agora, falemos dos vilões que parecem estar imediatamente implicados no caso. Sabe-se que o lascar é um homem dos piores antecedentes, mas como, de acordo com a história da Sra.

St Clair, ele estava ao pé da escada poucos segundos depois da aparição do marido na janela, dificilmente poderia ser mais do que um cúmplice do crime. Sua defesa foi alegar ignorância absoluta, e ele protestou não ter conhecimento das ações de Hugh Boone, seu inquilino, dizendo que de maneira alguma poderia explicar a presença das roupas do cavalheiro desaparecido.

"Sobre o gerente lascar, é isso. Agora, quanto ao sinistro aleijado que mora no segundo andar da casa de ópio, e que certamente foi o último ser humano a pôr os olhos em Neville St Clair. Seu nome é Hugh Boone, e seu rosto repugnante é familiar a qualquer um que vá com frequência à cidade. É um mendigo profissional, muito embora, para evitar as sanções policiais, finja fazer um pequeno comércio de fósforos de cera. A alguma distância na Threadneedle Street, do lado esquerdo, há, como você já pode ter notado, uma pequena reentrância na parede. É ali que essa criatura se assenta diariamente, de pernas cruzadas, com seu pequeno estoque de fósforos no colo, e por ser ele um espetáculo deplorável, um discreto dilúvio de caridade enche seu boné ensebado de couro, colocado no chão ao seu lado. Já observei o camarada mais de uma vez, antes de imaginar que o conheceria profissionalmente, e fiquei surpreso com a colheita que o vi granjear num curto período de tempo. Sua aparência, veja bem, é tão peculiar que ninguém consegue passar por ele sem observá-lo. Um tufo de cabelo laranja, um rosto pálido desfigurado por uma cicatriz horrível, que, com sua contração, virou do avesso o lado de seu lábio superior, um queixo de buldogue e um par de olhos muito penetrantes e escuros, que fazem um contraste singular com a cor de seu cabelo, tudo isso o destaca em meio à multidão de mendigos comuns, bem como também sua inteligência, pois ele tem sempre uma resposta pronta para qualquer provocação que os transeuntes lhe enderecem. Esse é o homem que agora descobrimos morar na casa de ópio, e que foi o último a ver o cavalheiro que procuramos."

— Mas um aleijado! — eu disse. — O que ele poderia ter feito, sozinho, contra um homem na flor da idade?

— Ele é aleijado no sentido de que anda mancando; mas em outros aspectos, parece ser um homem forte e bem alimentado. Certamente, a sua experiência médica lhe diz, Watson, que a fraqueza num membro frequentemente é compensada pela força excepcional dos outros.

— Por favor, continue sua narrativa.

— A Sra. St Clair desmaiou ao ver o sangue na janela e foi levada para casa de carruagem pela polícia, já que sua presença não ajudaria em nada na investigação. O inspetor Barton, que estava encarregado do caso, realizou um exame cuidadoso do local, sem encontrar, porém, nada que esclarecesse a questão. Um engano foi cometido em não prender Boone instantaneamente, pois lhe permitiram alguns minutos, durante os quais ele pode ter se comunicado com seu amigo lascar, mas essa falha logo foi remediada, e ele foi apreendido e revistado, sem que nada que o incriminasse fosse encontrado. Havia, é verdade, algumas manchas de sangue na manga direita de sua camisa, mas ele apontou para seu dedo anular, que tinha um corte perto da unha, e explicou que o sangue vinha dali, acrescentando que ele estivera perto da janela pouco antes, e que as manchas observadas ali sem dúvida tinham a mesma origem. Negou veementemente ter visto alguma vez o Sr. Neville St Clair, e jurou que a presença das roupas no seu quarto era tão misteriosa para ele quanto para a polícia. Em relação à afirmação da Sra. St Clair de que vira o marido na janela, declarou que ela deveria estar louca ou sonhando. Foi removido, protestando em altos brados, para a chefatura de polícia, enquanto o inspetor permaneceu no local, na esperança de que a maré baixa permitisse localizar alguma nova pista.

"E permitiu, embora eles não tenham encontrado na lama o que temiam encontrar. Foi o casaco de Neville St Clair, e não o próprio Neville St Clair, que ressurgiu quando a maré baixou. E o que acha que havia em seus bolsos?"

— Nem consigo imaginar.

— Não, não achei mesmo que você adivinharia. Cada bolso estava cheio de moedas de um e meio *penny*, 421 de um *penny* e 270 de meio *penny*. Não admira que ele não tenha sido arrastado pela maré. Mas com um corpo humano é diferente. Existe uma forte correnteza entre a mureta e a casa. Parecia bastante provável que o casaco, com seu lastro, tivesse ficado, enquanto o corpo despido tivesse sido sugado para o rio.

— Mas, pelo que entendi, todas as outras peças de roupa foram encontradas no quarto. O corpo estaria vestido apenas com o casaco?

— Não, senhor, mas os fatos poderiam ser explicados de maneira assaz conveniente. Suponha que esse tal de Boone tenha jogado Neville St Clair pela janela, sem que ninguém tivesse visto a ação. O que ele faria a seguir? Claro, pensaria imediatamente em se livrar dos indumentos reveladores. Pegaria o casaco, então, e quando estivesse para jogá-lo, dar-se-ia conta de que este flutuaria, não afundaria. Ele tinha pouco tempo, pois ouvira a confusão lá embaixo quando a esposa tentara subir, e talvez já tivesse sabido, por intermédio de seu comparsa lascar, que a polícia estava vindo pela rua. Não há um instante a perder. Ele corre para algum depósito secreto, onde acumulou os frutos de sua mendicância, e enfia nos bolsos todas as moedas que consegue pegar, para se certificar de que o casaco afundará. Joga-o para fora, e teria feito o mesmo com as outras roupas, se não tivesse ouvido o barulho de passos lá embaixo, e só teve tempo de fechar a janela antes que a polícia aparecesse.

— Certamente parece possível.

— Bem, vamos usá-la como hipótese provisória, por falta de outra melhor. Boone, como relatei, foi preso e levado para a chefatura, mas lá não se revelou nenhum antecedente que o condenasse. Durante anos, fora conhecido como mendigo profissional, mas sua vida parecia ser bastante tranquila e inocente. Assim as coisas estão no momento, e as perguntas que precisam ser respondidas, o que Neville St Clair estava fazendo na casa de ópio, o que aconteceu com ele enquanto estava lá, onde ele está agora, e o que Hugh Boone teve a ver com seu desaparecimento, estão mais longe de uma solução do que nunca. Confesso que não me lembro de nenhum caso, na minha experiência, que parecesse tão simples à primeira vista, mas que apresentasse tamanhas dificuldades.

Enquanto Sherlock Holmes detalhava essa peculiar sequência de acontecimentos, giramos pelos arredores da grande cidade, até que as últimas casas isoladas ficaram para trás, e prosseguimos com arbustos dos dois lados. Mas quando ele terminou de falar, atravessamos duas aldeias espalhadas, onde algumas luzes ainda brilhavam nas janelas.

— Estamos na periferia de Lee — disse meu colega. — Visitamos três condados em nossa curta viagem, começando com Middlesex, passando por um canto de Surrey, e terminando em Kent. Está vendo aquela luz em meio às árvores? É The Cedars, e ao lado daquela lâmpada está uma mulher cujos ouvidos ansiosos, não tenho dúvida, já captaram o som dos cascos do nosso cavalo.

— Mas por que você não está conduzindo o caso na Baker Street? — perguntei.

— Porque muitas investigações precisam ser feitas aqui. A Sra. St Clair muito gentilmente deixou dois aposentos à minha disposição, e você pode ter certeza de que ela receberá muito bem meu amigo e colega. Odeio ir encontrá-la, Watson, sem notícias do seu marido. Chegamos. Eia, ei, eia!

Havíamos parado diante de uma grande mansão que ficava num terreno próprio. Um pajem viera segurar a cabeça do cavalo, e descendo da charrete, segui Holmes pelo pequeno caminho tortuoso de brita que levava até a casa. Ao nos aproximarmos, a porta se escancarou, e uma mulherzinha loura apareceu no vão, vestida com alguma espécie de musselina de seda leve, com um toque de *chiffon* bufante rosa na gola e nos punhos. Sua silhueta se destacava à frente do halo de luz, com uma mão na porta e a outra semierguida em sua ansiedade, seu corpo levemente encurvado, sua cabeça e rosto projetados, com olhos sôfregos e lábios entreabertos, uma pergunta personificada.

— E então? — ela exclamou. — E então? — Em seguida, vendo que estávamos em dois, ela soltou um grito de esperança, que se transformou em gemido quando viu que meu colega balançava a cabeça e dava de ombros.

— Nenhuma boa notícia?

— Nenhuma.

— Nem ruim?

— Não.

— Graças a Deus por isso. Mas entre. Deve estar exausto, já que teve um longo dia. — Este é meu amigo, o Dr. Watson. Ele tem sido vital para mim em vários casos, e um acaso feliz possibilitou que eu o trouxesse e o associasse a esta investigação.

— Estou encantada em vê-lo — ela disse, apertando minha mão amigavelmente. — Sei que perdoará qualquer deficiência nas nossas acomodações, considerando o golpe que nos atingiu tão de repente.

— Cara madame — eu disse —, sou um velho ex-combatente, e mesmo se não fosse, posso ver muito bem que não precisa se desculpar por nada. Se eu puder ser de qualquer valia para a senhora ou para meu amigo aqui, ficarei muito feliz.

— Agora, Sr. Sherlock Holmes — disse a dama quando entramos numa sala de jantar bem iluminada, em cuja mesa uma refeição fria fora servida —, gostaria muito de fazer uma ou duas perguntas diretas, às quais rogo que dê respostas diretas.

— Certamente, madame.

— Não se preocupe com meus sentimentos. Não sou histérica nem dada a desmaios. Quero simplesmente ouvir sua opinião real, real.

— Sobre o quê?

— No fundo do seu coração, o senhor acha que Neville está vivo?

Sherlock Holmes parecia constrangido pela pergunta.

— Fale francamente! — ela repetiu, de pé sobre o tapete e olhando severamente para ele, sentado numa poltrona de vime.

— Francamente, então, madame, não acho.

— Acha que ele está morto?

— Acho.

— Assassinado?

— Não digo isso. Talvez.

— E em que dia ele morreu?

— Na segunda-feira.

— Então, talvez, Sr. Holmes, teria a bondade de me explicar como é que recebi uma carta dele hoje.

Sherlock Holmes saltou da poltrona como se tivesse sido galvanizado.

— O quê?! — ele rugiu.

— Sim, hoje. — Ela sorria, segurando um papelzinho no ar.

— Posso ver?

— Claro.

Ele arrancou o papel da mão dela, de tão ansioso, e alisando-o sobre a mesa, aproximou a lâmpada e o examinou atentamente. Eu havia saído de minha poltrona e olhava o bilhete por cima de seu ombro. O envelope era bem rústico e tinha o carimbo de envio de Gravesend com a data daquele dia, ou melhor, do dia anterior, porque já passava consideravelmente da meia-noite.

— Caligrafia ruim — murmurou Holmes. — Certamente esta no envelope não é a letra do seu marido, madame.

— Não, mas a da carta é.

— Também percebo que quem endereçou este envelope precisou ir perguntar o endereço.

— Como o senhor sabe?

— O nome, veja bem, está escrito em tinta perfeitamente preta, que secou sozinha. O resto tem uma cor acinzentada, o que mostra que um mata-borrão foi usado. Se tudo tivesse sido escrito de uma vez, e o excesso de tinta retirado, nenhuma parte teria ficado mais escura. Este homem escreveu o nome, e houve uma pausa antes que ele escrevesse o endereço, o que só pode significar que não estava familiarizado com ele. Isso é trivial, claro, mas nada é mais importante do que as coisas triviais. Agora, vejamos a carta. Ha! Havia algo mais no envelope!

— Sim, havia um anel. Seu anel de sinete.

— E tem certeza de que esta é a letra do seu marido?

— Uma de suas letras.

— Uma?

— Sua letra quando escrevia às pressas. É bem diferente de sua letra normal, mas conheço-a muito bem.

— "Querida, não tenha medo. Tudo ficará bem. Aconteceu um grande erro que pode demorar um pouco para ser retificado. Espere pacientemente. — NEVILLE." Escrito a lápis na folha de rosto de um livro, in-oitavo, sem marca-d'água. Hum! Postado hoje em Gravesend por um homem com o polegar sujo. Ha! E a aba foi lambida, se eu não estiver muito enganado, por uma pessoa que havia mascado tabaco. E a senhora não tem dúvida de que a letra é do seu marido, madame?

— Nenhuma. Neville escreveu essas palavras.

— E a carta foi postada hoje em Gravesend. Bem, Sra. St Clair, as nuvens se abrem, embora eu não ouse dizer que o perigo já acabou.

— Mas ele deve estar vivo, Sr. Holmes.

— A menos que esta seja uma engenhosa falsificação para

nos pôr na pista errada. O anel, afinal, não prova nada. Pode ter sido tirado do seu marido.

— Não, não; a letra é dele mesmo, é dele!

— Muito bem. A carta pode, no entanto, ter sido escrita na segunda-feira e postada somente hoje.

— Isso é possível.

— Se for assim, muita coisa pode ter acontecido nesse ínterim.

— Oh, não deve me desencorajar, Sr. Holmes. Eu sei que ele está bem. Existe uma sintonia tão forte entre nós que eu saberia se algo de mal tivesse lhe acontecido. No mesmo dia em que o vi pela última vez, ele se cortou no quarto, e eu, que estava na sala de jantar, subi correndo a escada na hora, com a certeza absoluta de que algo havia acontecido. Acha que eu iria reagir a algo tão banal e depois ignorar sua morte?

— Já vi exemplos demais para ignorar que a intuição de uma mulher pode ser mais valiosa do que as conclusões de um pensador analítico. E essa carta certamente é uma prova muito robusta para corroborar sua visão. Mas se o seu marido está vivo e em condições de escrever cartas, por que deveria ficar longe da senhora?

— Não consigo imaginar. É impensável.

— E na segunda-feira ele não fez nenhum comentário, antes de sair?

— Não.

— E a senhora ficou surpresa quando o viu na Swandam Lane?

— Muito.
— A janela estava aberta?
— Sim.
— Então ele poderia ter gritado?
— Poderia.
— Mas, pelo que entendi, só fez menção de gritar, sem som?
— Sim.
— Um pedido de ajuda, a senhora achou?
— Sim. Ele gesticulava.
— Mas pode ter sido um grito de surpresa. O assombro por ver inesperadamente a senhora poderia tê-lo feito agitar as mãos?
— É possível.
— E a senhora achou que ele foi puxado para trás?
— Desapareceu tão de repente.
— Pode ter saltado para trás. A senhora não viu mais ninguém na sala?
— Não, mas um homem horrível confessou que estava lá, e o lascar estava ao pé da escada.
— De fato. Seu marido, até onde a senhora pôde ver, estava usando suas roupas normais?
— Mas sem colarinho nem gravata. Vi distintamente seu pescoço nu.
— Ele nunca falara de Swandam Lane?
— Nunca.
— Já apresentou qualquer sinal de ter usado ópio?
— Nunca.

— Obrigado, Sra. St Clair. Esses são os pontos principais que eu desejava esclarecer completamente. Agora faremos um leve jantar e nos recolheremos, pois talvez tenhamos um dia muito cheio amanhã.

Um quarto amplo e confortável com duas camas fora colocado à nossa disposição, e logo me meti entre os lençóis, visto que estava exausto depois da minha noite de aventura. Sherlock Holmes era alguém, no entanto, que quando tinha um problema não resolvido em mente, ficava dias, e até uma semana sem descanso, revirando-o, reorganizando os fatos, olhando-o por todos os ângulos até resolvê-lo ou se convencer de que seus dados eram insuficientes. Logo tornou-se evidente para mim que ele estava se preparando para ficar de vigília a noite toda. Tirou o casaco e o colete, vestiu um grande roupão azul e andou pelo quarto, coletando travesseiros de sua cama e almofadas do sofá e das poltronas. Com eles, construiu uma espécie de otomana, na qual se aboletou de pernas cruzadas, com trinta gramas de tabaco solto e uma caixa de fósforos diante de si. À luz fraca da lâmpada, eu o vi sentado ali, com um velho cachimbo de roseira entre os lábios, o olhar vazio fixo num canto do forro, a fumaça azul rodopiando ao seu redor, silencioso, imóvel, com a luz brilhando em seus traços aquilinos e decididos. Assim ele ficou enquanto eu pegava no sono, e assim estava quando uma exclamação repentina me acordou, e descobri que o sol de verão já brilhava dentro do aposento. O cachimbo ainda estava em seus lábios, a fumaça ainda rodopiava, subindo, e o quarto estava tomado pela densa neblina do fumo, mas nada restava do monte de tabaco que eu vira na noite anterior.

— Está acordado, Watson? — ele perguntou.

— Sim.

— Pronto para uma excursão matinal?

— Certamente.

— Então vista-se. Ninguém acordou ainda, mas sei onde o pajem dorme, e logo teremos nossa charrete pronta. — Ele ria para si mesmo enquanto falava, seus olhos brilhavam, e parecia uma pessoa diferente do pensador sombrio da noite anterior.

Enquanto me vestia, olhei para o relógio. Não era de se admirar que ninguém estivesse acordado. Eram 4h25. Eu mal terminara quando Holmes voltou com a notícia de que o pajem estava atrelando a égua.

— Quero testar uma singela teoria minha — ele disse, calçando as botas. — Acho, Watson, que você está diante de um dos maiores tontos da Europa. Mereço ser levado a pontapés daqui até Charing Cross. Mas acho que agora tenho a chave do caso.

— E onde ela está? — perguntei sorrindo.

— No banheiro — ele respondeu. — Oh, sim, não estou brincando — continuou, percebendo meu olhar incrédulo. — Acabo de ir lá, pegá-la e guardá-la nesta maleta. Venha, meu rapaz, e veremos se ela não se encaixa na fechadura.

Descemos a escada o mais silenciosamente possível e saímos para o brilhante sol da manhã. Nosso cavalo e a charrete estavam na estrada, com o pajem parcialmente vestido esperando com as rédeas na mão. Subimos nela e saímos velozmente pela estrada para Londres. Algumas carroças estavam passando, levando hortaliças para a metrópole, mas as fileiras de casas de ambos os lados estavam tão silenciosas e sem vida quanto numa cidade de sonho.

— Sob certos aspectos, foi um caso peculiar — disse Holmes, pondo o cavalo a galope. — Confesso que fiquei tão cego quanto uma toupeira, mas é melhor a sabedoria que tarda do que aquela que nunca vem.

Na cidade, apenas os mais madrugadores começavam a olhar sonolentamente de suas janelas enquanto percorríamos as ruas da área de Surrey. Passando pela Ponte de Waterloo, cruzamos o rio, e depois de subir a Wellington Street, viramos à direita e nos vimos na Bow Street. Sherlock Holmes era bastante conhecido na polícia, e os dois policiais na entrada o cumprimentaram. Um deles segurou o cavalo, enquanto o outro nos acompanhava para dentro.

— Quem está em serviço? — perguntou Holmes.

— O inspetor Bradstreet, senhor.

— Ah, Bradstreet, como vai? — Um oficial alto e robusto caminhava sobre o piso de pedra do corredor, de quepe e uniforme. — Quero ter uma palavrinha discreta com você, Bradstreet.

— Claro, Sr. Holmes. Entre na minha sala.

Era uma saleta com aspecto de escritório, com um enorme livro de registro sobre a mesa e um aparelho telefônico preso à parede. O inspetor se sentou à sua escrivaninha.

— Em que posso ajudá-lo, Sr. Holmes?

— Vim falar daquele mendigo, Boone — o que foi acusado de participação no desaparecimento do Sr. Neville St Clair, de Lee.

— Sim. Foi trazido e detido para futuros interrogatórios.

— Foi o que ouvi. Ele está aqui?

— Na carceragem.

— Ele é calmo?

— Oh, não dá trabalho nenhum. Mas é um porcalhão, o bandido.

— Porcalhão?

— Sim, só conseguimos fazê-lo lavar as mãos, e seu rosto está preto como o de um ferreiro. Bem, quando este caso for encerrado, terá que tomar banho na prisão; e acho que, se o senhor o vir, há de concordar comigo que ele está precisando.

— Eu gostaria muito de vê-lo.

— Gostaria? Isso é fácil. Acompanhe-me. Pode deixar a sua maleta.

— Não, acho que vou levá-la.

— Muito bem. Por aqui, por gentileza. — Ele nos levou por uma passagem, abriu uma porta reforçada, desceu uma escada em caracol, e chegamos a um corredor caiado de branco, com uma fileira de portas de cada lado.

— A terceira da direita é a dele — disse o inspetor. — Aqui está! — Ele puxou silenciosamente uma portinhola na parte de cima da porta e espiou.

— Está dormindo — disse. — Pode vê-lo muito bem.

Nós dois pusemos os olhos na grade. O preso estava deitado com o rosto virado para nós, num sono muito profundo, respirando lenta e pesadamente. Era um homem de estatura mediana, maltrapilho, como condizia com seu ofício, com uma camisa colorida aparecendo pelo rasgo do casaco esfarrapado. Estava, como o inspetor dissera, extremamente sujo, mas a fuligem que cobria seu rosto não conseguia esconder sua feiura repulsiva. Um largo queloide de uma velha cicatriz corria do olho ao queixo, e sua contração repuxara um lado do lábio superior, de forma que três dentes estavam expostos num perpétuo esgar. Um tufo de cabelo ruivo muito vermelho cobria seus olhos e sua testa.

— Uma belezinha, não? — disse o inspetor.

— Precisa mesmo se lavar — comentou Holmes. — Imaginei que poderia precisar, e tomei a liberdade de trazer umas ferramentas. — Ele abriu a maleta enquanto falava, e tirou dela, para meu assombro, uma grande esponja de banho.

— He! He! O senhor é engraçado — riu o inspetor.

— Agora, se tiver a imensa bondade de abrir essa porta muito silenciosamente, logo o deixaremos com um ar muito mais respeitável.

— Bem, não sei por que não deveria — disse o inspetor. — Nesse estado, ele depõe contra a carceragem de Bow Street, não? — Ele enfiou a chave na fechadura, e todos entramos em silêncio na cela. O dorminhoco se virou um pouco, e então voltou a afundar no sono. Holmes se curvou, pegou a jarra d'água, umedeceu sua esponja e a esfregou vigorosamente duas vezes no rosto do preso, na horizontal e na vertical.

— Permitam-me apresentar — Holmes gritou — o Sr. Neville St Clair, de Lee, no condado de Kent.

Nunca na minha vida vi tal espetáculo. O rosto do homem descamou debaixo da esponja como a casca de uma árvore. A tez marrom e áspera se fora! Também se fora a hedionda cicatriz que a cortava, e o lábio deformado que conferia aquele esgar repulsivo ao seu rosto! Um tremor derrubou o cabelo ruivo desgrenhado, e ali, sentado na cama, estava um homem pálido, triste, de aspecto refinado, cabelo preto e pele lisa, esfregando os olhos e nos encarando com sonolenta estupefação. Então, percebendo de repente a revelação, deu um grito e se jogou na cama, afundando o rosto no travesseiro.

— Santo Deus! — exclamou o inspetor. — É de fato o desaparecido. Reconheço-o da fotografia.

O preso se virou com o ar destemido de um homem que se abandona ao seu destino.

— Que seja — disse. — E, por obséquio, do que sou acusado?

— De assassinar o Sr. Neville St... ora, você não pode ser acusado disso, a não ser que transformem o caso em tentativa de suicídio — disse o inspetor, sorrindo. — Bem, estou há 27 anos na polícia, mas essa realmente é nova.

— Se eu sou o Sr. Neville St Clair, então é óbvio que nenhum crime foi cometido, e que, portanto, estou detido ilegalmente.

— Nenhum crime, mas um enorme erro foi cometido

— disse Holmes. — Você teria feito melhor em confiar na sua esposa.

— Não foi a esposa; foram as crianças — gemeu o preso. — Que Deus me ajude, não quero que se envergonhem do pai. Meu Deus! Que exposição! O que posso fazer?

Sherlock Holmes sentou-se ao lado dele no sofá e lhe deu alguns tapinhas gentis no ombro.

— Se você deixar que um tribunal esclareça a questão — disse —, é claro que não poderá evitar a publicidade. Por outro lado, se convencer as autoridades policiais de que não há acusação possível contra você, não vejo motivo para que os detalhes cheguem aos jornais. O inspetor Bradstreet aceitará, tenho certeza, anotar tudo o que você nos disser e submeter o depoimento às devidas autoridades. O caso, então, nem iria para o tribunal.

— Deus abençoe o senhor! — exclamou o preso, emocionado. — Prefereria suportar a prisão, sim, até a execução, para evitar que meu segredo miserável se tornasse uma mácula hereditária para meus filhos.

"Os senhores são os primeiros que ouvem minha história. Meu pai era diretor de escola em Chesterfield, onde recebi excelente educação. Viajei na juventude, frequentei os palcos, e finalmente me tornei jornalista de um vespertino de Londres. Um dia, meu editor pediu uma série de artigos sobre a mendicância na metrópole, e me ofereci para escrevê-los. Foi então que todas as minhas aventuras começaram. Somente me tornando um mendigo amador eu poderia obter os fatos nos quais basear meus artigos. Quando trabalhei como ator, tive oportunidade, naturalmente, de aprender todos os segredos da maquiagem, e fiquei famoso nos teatros por minha habilidade. Então tirei vantagem da minha formação. Pintei meu rosto, e para me tornar tão digno de pena quanto possível, fiz uma bela cicatriz e prendi um lado do meu lábio puxado, com ajuda de um pouco de massa cor da pele. Então, com uma peruca ruiva e roupas adequadas, levei minha situação para o distrito financeiro da cidade, ostensivamente como vendedor de fósforos, mas na verdade mendigo. Por sete horas exerci meu ofício, e quando voltei para casa à noite descobri, para minha surpresa, ter recebido nada menos que 26 xelins e 4 *pence*.\*

"Escrevi meus artigos e não pensei mais no assunto até que, algum tempo depois, fui fiador da dívida de um amigo e recebi uma intimação para pagar 25 libras. Nem imaginava onde arranjaria o dinheiro, mas subitamente tive uma ideia. Implorei 15 dias de prazo para o credor, pedi férias no emprego e passei esse tempo mendigando na cidade com meu disfarce. Em dez dias, levantei o dinheiro e paguei a dívida.

"Bem, os senhores podem imaginar quão difícil foi voltar ao trabalho árduo, ganhando duas libras por semana, quando eu sabia que poderia ganhar essa quantia num dia, lambuzando o rosto com um pouco de tinta, deixando meu boné no chão e ficando parado. Travou-se uma longa luta entre meu orgulho

---

\* Xelim — moeda britânica. 20 xelins = 1 libra esterlina. *Penny* (plural *pence*) — outra moeda britânica. Até 1971, 12 *pence* equivaliam a 1 xelim. (N. T.)

e o dinheiro, mas o vil metal acabou vencendo, e abandonei a profissão de jornalista e passei os dias sentado no canto que escolhera no início, inspirando piedade com meu rosto assustador e enchendo os bolsos de moedas. Só um homem conhecia meu segredo. Era o gerente de uma casa de má fama na qual eu me abrigava na Swandam Lane, de onde eu podia emergir toda manhã como um mendigo esquálido, e à noite me transformar num homem bem-vestido na cidade. Esse camarada, um lascar, era bem remunerado por mim pelo uso do lugar, por isso eu sabia que meu segredo estava a salvo com ele.

"Bem, em pouco tempo descobri que estava acumulando quantias consideráveis. Não quero dizer que qualquer mendigo nas ruas de Londres consegue faturar 700 libras por ano — menos do que minha arrecadação média —, mas eu tinha vantagens excepcionais, pelo meu domínio da maquiagem, e também pela facilidade na conversação, que melhorou com a prática e me tornou uma personagem reconhecida na cidade. O dia todo, um rio de moedas, algumas de prata, se derramava sobre mim, e só nos dias muito ruins eu não faturava mais de duas libras.

"À medida que enriquecia, fui me tornando mais ambicioso, comprei uma casa na zona rural, e finalmente me casei, sem que ninguém suspeitasse qual era a minha verdadeira profissão. Minha querida esposa sabia que eu tinha negócios na cidade. Ela nem imaginava quais.

"Segunda-feira passada, eu havia terminado meu dia de trabalho e estava me vestindo, na sala sobre a casa de ópio, quando olhei pela janela e vi, para meu horror e espanto, que minha esposa estava parada na rua, com os olhos pregados em mim. Dei um grito de surpresa, ergui os braços para cobrir o rosto, e correndo para meu confidente, o lascar, instei-o a impedir que qualquer um subisse para me ver. Ouvi a voz dela lá embaixo, mas sabia que ela não conseguiria subir. Rapidamente, tirei minhas roupas, vesti as de mendigo e apliquei os pigmentos e a peruca. Nem os olhos de uma esposa conseguiriam penetrar um disfarce tão completo. Mas então pensei que poderiam revistar a sala, e que as roupas iriam me denunciar. Puxei a janela com violência, reabrindo um pequeno corte que eu fizera no quarto pela manhã. Depois, peguei meu casaco, com o lastro de moedas que eu acabara de tirar da bolsa de couro em que carregava a féria do dia. Joguei-o pela janela e ele desapareceu no Tâmisa. As outras roupas o seguiriam, mas exatamente naquele momento, policiais subiram a escada, e alguns minutos depois descobri — para meu alívio, confesso — que em vez de ser identificado como o Sr. Neville St Clair, fui preso como o assassino dele.

"Não sei se há mais alguma coisa a explicar. Eu estava determinado a manter meu disfarce até quando fosse possível, por isso preferia ter o rosto sujo. Sabendo que minha esposa ficaria terrivelmente ansiosa, tirei meu anel e o confiei ao lascar, num momento em que nenhum policial estava me vigiando, junto com um bilhete escrito às pressas, dizendo-lhe que ela não tinha o que temer."

— Ela só recebeu esse bilhete ontem — disse Holmes.

— Bom Deus! Que semana ela deve ter passado!

— A polícia estava vigiando esse lascar — disse o inspetor Bradstreet — e entendo perfeitamente que ele tenha achado difícil enviar uma carta sem ser observado. Provavelmente a entregou a algum dos seus clientes marinheiros, que se esqueceu de postá-la por alguns dias.

— Foi isso — disse Holmes, balançando a cabeça com aprovação —; não tenho dúvida. Mas você nunca foi autuado por mendicância?

— Muitas vezes; mas o que era uma multa para mim?

— Porém, agora isso precisa acabar — disse Bradstreet. — Se quiser que a polícia mantenha segredo, Hugh Boone deve deixar de existir.

— Jurei isso com os votos mais solenes que um homem pode fazer.

— Nesse caso, acho provável que nenhuma outra medida deva ser tomada. Mas se você for pego de novo, tudo será revelado. Tenho certeza, Sr. Holmes, de que lhe devemos muito por ter esclarecido este caso. Gostaria de saber como atinge esses resultados.

— Atingi este — disse o meu amigo — sentando-me sobre cinco travesseiros e fumando trinta gramas de tabaco. Acho, Watson, que se partirmos para Baker Street, chegaremos a tempo para o desjejum.

*sete*
# A AVENTURA DO CARBÚNCULO AZUL

Eu visitara meu amigo Sherlock Holmes na segunda manhã depois do Natal, com a intenção de lhe desejar boas festas. Ele estava deitado no sofá, de roupão violeta, com um porta-cachimbos ao seu alcance à direita, e uma pilha de jornais matutinos amassados, evidentemente recém-analisados, perto de si. Ao lado do sofá estava uma cadeira de madeira, e num canto do encosto estava pendurado um chapéu-coco de feltro em péssimo estado, deselegante, muito malconservado e rachado em vários lugares. Uma lente e um fórceps no assento da cadeira sugeriam que o chapéu fora pendurado daquela maneira a fim de ser examinado.

— Você está ocupado — falei —; talvez eu esteja interrompendo.

— De modo algum. Fico feliz em ter um amigo com

quem possa discutir meus resultados. A questão é perfeitamente trivial — ele apontou o velho chapéu com o polegar —, mas há detalhes ligados a ela que não são totalmente desprovidos de interesse, ou até de oportunidades de instrução.

Eu me sentei na poltrona e aqueci as mãos diante do fogo crepitante, porque uma forte geada caíra, e as janelas estavam carregadas de cristais de gelo.

— Suponho — comentei — que, por mais simplória que pareça, essa coisa tenha ligação com alguma história sanguinolenta e seja a pista que levará você à solução de algum mistério e à punição de algum crime.

— Não, não. Nenhum crime — disse Sherlock Holmes, rindo. — Só um daqueles incidentezinhos que acontecem quando você tem quatro milhões de seres humanos se acotovelando num espaço de alguns quilômetros quadrados. Em meio à ação e à reação de um enxame humano tão denso, cada possível combinação de eventos tem probabilidade de acontecer, e muitos probleminhas que podem ser marcantes e bizarros, sem serem criminosos, hão de se apresentar. Já tivemos experiências assim.

— A tal ponto — lembrei — que, dos últimos seis casos que acrescentei às minhas anotações, três eram inteiramente desprovidos de qualquer crime, do ponto de vista legal.

— Exatamente. Você se refere à minha tentativa de recuperar as cartas de Irene Adler, ao singular caso da Srta. Mary Sutherland, e à aventura do homem com o lábio deformado. Bem, não tenho dúvidas de que esta pequena questão há de se enquadrar na mesma inocente categoria. Conhece Peterson, o comissário?

— Sim.

— É a ele que este troféu pertence.

— É o chapéu dele.

— Não, não, ele o encontrou. Seu dono é desconhecido. Rogo que você o encare, não como um chapéu-coco surrado, mas como um problema intelectual. E, primeiro, saiba como ele veio parar aqui. Chegou na manhã de Natal, na companhia de um belo ganso gordo, que neste momento está, não tenho dúvidas, assando na casa de Peterson. Os fatos são os seguintes: por volta das 4h da manhã de Natal, Peterson, que, como você sabe, é um sujeito muito honesto, estava voltando de uma pequena comemoração, indo para casa pela Tottenham Court Road. Diante de si viu, à luz dos lampiões, um sujeito alto, com o andar levemente cambaleante, carregando um ganso branco sobre o ombro. Ao chegar à esquina de Goodge Street, começou uma briga entre esse estranho e um grupinho de valentões. Um destes últimos derrubou o chapéu do homem, que ergueu sua bengala para se defender e, girando-a sobre a cabeça, quebrou a vitrine da loja atrás dele. Peterson correra para proteger o estranho dos agressores; mas o homem, chocado por ter quebrado a vitrine, e vendo uma pessoa uniformizada com ar de policial se aproximando, largou o ganso, passou sebo nas canelas e desapareceu no labirinto de ruazinhas que se abrem por trás da Tottenham Court Road. Os valentões também fugiram com a chegada de Peterson, portanto ele se viu de posse do campo de batalha, e também dos despojos da vitória, na forma deste surrado chapéu e de um impecável ganso de Natal.

— Que certamente ele devolveu ao seu dono?

— Caro colega, aí está o problema. É verdade que "Para a Sra. Henry Baker" estava impresso num cartãozinho amarrado à perna da ave, e também é verdade que as iniciais "H. B." são legíveis no forro deste chapéu, mas como existem alguns milhares de pessoas chamadas Baker, e algumas centenas de sujeitos chamados Henry Baker nesta nossa cidade, não é fácil devolver os pertences perdidos de qualquer um deles.

— O que, então, fez Peterson?

— Trouxe chapéu e ave para mim nesta manhã de Natal, sabendo que até os menores problemas são interessantes para mim. O ganso nós conservamos até hoje de manhã, quando surgiram sinais de que, apesar da leve geada, ele deveria ser comido sem uma demora desnecessária. O policial o levou embora, portanto, para cumprir o destino final de um ganso, enquanto eu continuo guardando o chapéu do cavalheiro desconhecido que perdeu sua ceia de Natal.

— Ele não publicou um anúncio?

— Não.

— Então, que pista você pode ter de sua identidade?

— Só aquelas que possamos deduzir.

— Do chapéu dele?

— Exatamente.

— Mas você está brincando. O que pode descobrir a partir deste velho e esfarrapado chapéu de feltro?

— Aqui está a minha lupa. Você conhece os meus métodos. O que você mesmo pode descobrir acerca da individualidade do homem que usava este artigo?

Peguei o esfarrapado objeto e o revirei, um tanto arrependido. Era um chapéu preto bastante comum, do costumeiro formato redondo, rígido e muito desgastado. O forro um dia fora de seda vermelha, mas estava bem desbotado. Não trazia o nome do fabricante; mas, como Holmes comentara, as iniciais "H. B." foram rabiscadas num lado. A aba estava furada para a passagem de uma amarra, mas o elástico desaparecera. De resto, estava rachado, excessivamente empoeirado e manchado em vários lugares, embora parecesse ter havido alguma tentativa de disfarçar as partes desbotadas, cobrindo-as com tinta.

— Não vejo nada — eu disse, devolvendo-o ao meu amigo.

— Pelo contrário, Watson, você vê tudo. Não consegue, no entanto, tirar conclusões daquilo que vê. É tímido demais ao fazer suas inferências.

— Então, por favor, me diga, o que você consegue inferir deste chapéu?

Ele o pegou e o observou à peculiar maneira introspectiva que era sua característica.

— Talvez seja menos sugestivo do que poderia ter sido — comentou —, todavia, há algumas inferências assaz distintas, e algumas outras que representam no mínimo um forte lastro de probabilidade. Que o homem era altamente intelectual é, claro, imediatamente óbvio, e também que era bastante abastado há menos de três anos, embora agora esteja enfrentando dias ruins. Era previdente, mas hoje nem tanto, o que aponta um retrocesso moral, que, em conjunto com o declínio de sua prosperidade, parece indicar alguma influência maligna, provavelmente da bebida, agindo sobre ele. Isso pode explicar também o fato óbvio de que sua esposa deixou de amá-lo.

— Meu caro Holmes!

— Ele conservou, de qualquer forma, algum grau de amor-próprio — Holmes continuou, ignorando minha interjeição. — É um homem que leva uma vida sedentária, sai pouco, está completamente fora de forma, é de meia-idade, tem cabelo grisalho e o cortou nos últimos dias, e usa creme para penteá-lo. Esses são os fatos mais patentes que podem ser deduzidos deste chapéu. A propósito, também é extremamente improvável que ele tenha gás encanado em casa.

— Com certeza você está brincando, Holmes.

— Nem um pouco. Será possível que mesmo agora, depois de eu lhe dar esses resultados, você não consegue ver como cheguei a eles?

— Não tenho dúvida de que sou muito burro, mas devo confessar que não consigo acompanhar o seu raciocínio. Por exemplo, como deduziu que esse homem era um intelectual?

Como resposta, Holmes pôs o chapéu na cabeça. Este afundou, cobrindo sua testa e descendo até o nariz.

— É uma questão de volume — ele disse —; alguém com um cérebro tão grande deve ter alguma coisa dentro dele.

— E o declínio de sua prosperidade?

— Este chapéu tem três anos. Estas abas chatas e encurvadas na borda entraram na moda nessa época. É um chapéu da melhor qualidade. Veja a faixa de seda preguedada e o excelente forro. Se este homem podia comprar um chapéu tão caro há três anos, e não troca de chapéu desde então, é evidente que sua situação piorou.

— Bem, isso certamente está claro. Mas e quanto à previdência e ao retrocesso moral?

Sherlock Holmes riu.

— Aqui está a previdência — disse, enfiando o dedo no pequeno disco da amarra do chapéu. — Nenhum chapéu vem com ela. Se nosso homem encomendou uma, é sinal de uma certa dose de previdência, já que ele decidiu se precaver contra o vento. Mas como vemos que o elástico se partiu e ele não se deu ao trabalho de substituí-lo, é óbvio que agora é menos previdente do que antes, o que é uma prova clara de enfraquecimento de caráter. Por outro lado, ele tentou disfarçar algumas destas manchas do feltro cobrindo-as com tinta, o que indica que não perdeu totalmente o amor-próprio.

— Seu raciocínio certamente é plausível.

— Os detalhes seguintes, que ele é de meia-idade, que seu cabelo é grisalho, que foi cortado recentemente e que ele o penteia com creme, foram todos coletados com um exame minucioso da parte inferior do forro. A lente revela um grande número de pontas de cabelo, todas bem cortadas pela tesoura de um barbeiro. Parecem ser adesivas, e têm um cheiro distinto de creme para cabelo. Este pó, observe, não é a poeira fuliginosa e cinzenta das ruas, mas o cisco marrom e felpudo de uma casa, mostrando que o chapéu ficava pendurado em casa a maior parte do tempo, enquanto as marcas de umidade em seu interior são a prova positiva de que o dono do chapéu suava abundantemente, e assim, dificilmente estaria em forma.

— Mas a esposa, você disse que ela deixou de amá-lo.

— Este chapéu não é escovado há semanas. Quando eu vir você, meu caro Watson, com uma semana de pó acumulado sobre seu chapéu, e quando sua esposa permitir que você saia nesse estado, temerei que você também tenha a infelicidade de ter perdido a afeição de sua amada.

— Mas ele pode ser solteiro.

— Não, estava levando o ganso para casa como uma oferta de paz para a esposa. Lembre-se do cartãozinho amarrado à perna da ave.

— Você tem respostas para tudo. Mas como diabos deduziu que ele não tem gás encanado em casa?

— Uma mancha de sebo, ou até duas, podem acontecer por acidente; mas quando vejo nada menos do que cinco, acho que resta pouca dúvida de que o indivíduo deve ter contato frequente com uma vela de sebo acesa, provavelmente sobe a escada à noite com o chapéu numa mão e uma vela gotejante na outra. O fato é que essas manchas de sebo não vieram de um bico de gás. Satisfeito?

— Bem, é muito engenhoso — eu disse rindo —; mas já que, como você acabou de dizer, nenhum crime foi cometido, e nenhum mal aconteceu, salvo a perda de um ganso, tudo isso me parece um certo desperdício de energia.

Sherlock Holmes mal abrira a boca para responder quando a porta se escancarou, e Peterson, o comissário, irrompeu no aposento com as bochechas vermelhas e a expressão de alguém atordoado pela surpresa.

— O ganso, Sr. Holmes! O ganso, senhor! — ele gaguejou.

— Hein? O que tem ele? Voltou à vida e fugiu voando pela janela da cozinha? — Holmes se virou no sofá para ver melhor o rosto agitado do homem.

— Veja aqui, senhor! Veja o que minha esposa encontrou no papo dele! — O policial estendeu a mão e exibiu em sua palma uma pedra azul cintilante, pouco menor que um feijão, mas de tal pureza e brilho que faiscava como um arco elétrico na escuridão de sua mão.

Sherlock Holmes endireitou o corpo e assobiou.

— Por Jove, Peterson! — ele disse. — É realmente um tesouro. Imagino que saiba o que tem aí?

— Um diamante, senhor? Uma pedra preciosa. Corta o vidro como se fosse manteiga.

— É mais do que uma pedra preciosa. É *a* pedra preciosa.

— Não é o carbúnculo azul da condessa de Morcar?! — exclamei.

— Exatamente. Eu deveria reconhecer seu tamanho e formato, considerando que tenho lido o anúncio do seu desaparecimento no *The Times* todo dia ultimamente. É absolutamente único, e seu valor só pode ser conjecturado, mas a recompensa oferecida, de mil libras, certamente não chega a um vigésimo do seu valor de mercado.

— Mil libras! Deus misericordioso! — O comissário desabou numa poltrona e olhava ora um, ora outro de nós dois.

— Essa é a recompensa, e tenho motivos para crer que há considerações sentimentais de fundo que induziriam a condessa a entregar metade de sua fortuna para recuperar a joia.

— Que desapareceu, se bem me lembro, do Hotel Cosmopolitan — comentei.

— Exato, em 22 de dezembro, há apenas cinco dias. John Horner, um encanador, foi acusado de tê-la subtraído da caixa de joias da madame. As provas contra ele eram tão fortes que uma audiência no tribunal foi marcada. Acredito que tenho um relato do caso aqui. — Ele remexeu seus jornais, olhando as datas, até que finalmente alisou um, dobrou-o e leu o seguinte parágrafo:

"Roubo de Joia no Hotel Cosmopolitan. John Horner, de 26 anos, encanador, foi preso sob a acusação de ter furtado, no dia 22 do corrente, da caixa de joias da condessa de Morcar, a valiosa pedra conhecida como carbúnculo azul. James

Ryder, superintendente do hotel, disse em seu depoimento que mandou Horner ao toucador da condessa de Morcar no dia do furto, para que ele soldasse a segunda barra da grade, que estava solta. Ele ficou com Horner por algum tempo, mas acabou sendo chamado. Ao retornar, descobriu que Horner havia desaparecido, que a penteadeira fora arrombada, e que o pequeno baú de couro no qual, como se soube depois, a condessa costumava guardar sua joia, jazia aberto sobre a mesa. Ryder deu o alarme instantaneamente, e Horner foi preso naquela mesma noite; mas a pedra não foi encontrada nem com ele, nem em sua residência. Catherine Cusack, criada da condessa, depôs dizendo que ouviu o grito de desespero de Ryder ao descobrir o roubo, e que correu para o quarto, onde encontrou tudo como a testemunha anterior descreveu. O inspetor Bradstreet, da divisão B, relatou a prisão de Horner, que se debateu freneticamente e protestou sua inocência nos termos mais veementes. Como foi levantado contra o acusado o antecedente de uma prisão anterior por roubo, o magistrado se recusou a lidar sumariamente com o delito, marcando em vez disso uma audiência. Horner, que mostrara sinais de intensa emoção durante a sessão, desmaiou com a conclusão e foi carregado para fora do tribunal."

— Hum! Lá se vai o juizado de pequenas causas — disse Holmes, pensativo, jogando o jornal para o lado. — A questão que devemos resolver agora é a sequência de acontecimentos ligando numa ponta uma caixa de joias arrombada ao papo de um ganso na Tottenham Court Road na outra. Veja bem, Watson, como nossas deduçõezinhas assumiram de repente um papel muito mais importante e menos inocente. Aqui está a pedra; a pedra veio do ganso, e o ganso veio do Sr. Henry Baker, o cavalheiro com o chapéu ruim e todas as outras características com as quais entediei você. Portanto, agora precisamos nos empenhar muito seriamente em encontrar esse cavalheiro e averiguar que papel ele desempenha neste misteriozinho. Para fazer isso, devemos tentar primeiro os métodos mais simples, e entre eles está, sem dúvida, um anúncio em todos os jornais vespertinos. Se isso falhar, recorrerei a outros métodos.

— O que vai dizer?

— Dê-me um lápis e aquele pedaço de papel. Então: "Encontrados na esquina da Goodge Street um ganso e um chapéu de feltro preto. O Sr. Henry Baker pode reaver os mesmos comparecendo às 18h30 de hoje na Baker Street, 221B". Está claro e conciso.

— Muito. Mas ele o verá?

— Bem, certamente ficará de olho nos jornais, já que, para um pobre homem, a perda foi considerável. Claramente, assustou-se tanto com o azar de quebrar a vitrine e com a aproximação de Peterson que só pensou em fugir, mas desde então, deve ter lamentado amargamente o impulso que o fez soltar sua ave. Ademais, a menção ao seu nome fará com que ele o veja, pois todos que o conhecem chamarão sua atenção para o anúncio. Aqui está, Peterson, corra até a agência e mande colocar nos jornais vespertinos.

— Em quais, senhor?

— Oh, no *Globe, Star, Pall Mall, St James's, Evening News, Standard, Echo* e quaisquer outros que você lembrar.

— Muito bem, senhor. E a pedra?

— Ah, sim, ficarei com a pedra. Obrigado. E, Peterson, compre um ganso na volta e deixe-o aqui comigo, porque precisamos ter um para dar ao cavalheiro, no lugar daquele que sua família está devorando neste momento.

Quando o comissário se foi, Holmes pegou a pedra e a observou contra a luz.

— É uma coisa linda — disse. — Veja como brilha e centelha. Naturalmente, é um núcleo e um foco de crime. Toda pedra boa é. São as iscas favoritas do diabo. Nas pedras maiores e mais antigas, cada faceta pode representar um ato de sangue. Esta pedra não tem nem vinte anos. Foi encontrada nas margens do rio Amoy, no sul da China, e é notável por ter todas as características do carbúnculo, só que de tonalidade azul, em vez de vermelho-rubi. Apesar de sua juventude, já tem uma história sinistra. Houve dois assassinatos, um ataque com vitríolo, um suicídio e vários roubos por causa destes dois gramas e meio de carvão cristalizado. Quem imaginaria que um brinquedo tão bonito seria um passaporte para a forca e a prisão? Vou trancá-lo no meu cofre, agora, e escrever um bilhete para a condessa, avisando que está conosco.

— Você acha que esse tal de Horner é inocente?

— Não posso dizer.

— Bem, então, você imagina que esse outro sujeito, Henry Baker, tenha alguma coisa a ver com o caso?

— Acho muito mais provável que Henry Baker seja um homem absolutamente inocente, que nem imaginava que a ave que carregava valia consideravelmente mais do que se fosse feita de ouro maciço. Isso, de todo modo, determinarei fazendo um teste muito simples, se tivermos resposta ao nosso anúncio.

— E você não pode fazer nada até lá?

— Nada.

— Nesse caso, vou continuar com minhas consultas. Mas voltarei à noite, na hora que você mencionou, porque gostaria de ver a solução de um caso tão complicado.

— Será um prazer. Eu janto às 19h. Acredito que comeremos galinhola. A propósito, à luz dos recentes acontecimentos, talvez eu deva pedir que a Sra. Hudson examine o papo da ave.

Demorei-me num atendimento, e passava um pouco das 18h30 quando me vi mais uma vez na Baker Street. Ao me aproximar da casa, vi um homem alto usando uma touca escocesa, com um casaco abotoado até o queixo, esperando do lado de fora no semicírculo luminoso projetado pelo arco da porta. Quando eu estava chegando, a porta foi aberta, e fomos levados juntos para os aposentos de Holmes.

— O Sr. Henry Baker, presumo — ele disse, levantando-se da poltrona e cumprimentando seu visitante com o ar fácil de simpatia que conseguia assumir tão prontamente. — Por favor, sente-se perto do fogo, Sr. Baker. A noite está fria, e observo que sua circulação está mais adaptada ao verão do que ao inverno. Ah, Watson, você chegou na hora certa. Aquele é o seu chapéu, Sr. Baker?

— Sim, senhor, sem dúvida é o meu chapéu.

Ele era um homem grande, de ombros redondos, cabeça enorme e um rosto largo e inteligente, terminando numa barba pontuda de um castanho grisalho. Um toque de vermelho no nariz e nas bochechas, com um leve tremor de sua mão estendida, ocasionaram a suposição de Holmes sobre os costumes do homem. Seu casaco longo e puído estava abotoado até em cima, com o colarinho levantado, e seus pulsos magros saíam das mangas sem sinal do punho de uma camisa. Falava lentamente, em *staccato*, escolhendo as palavras com cuidado, e dava a impressão geral de um homem instruído e letrado que sofrera nas mãos da sorte.

— Guardamos essas coisas por alguns dias — disse Holmes —, pois esperávamos ver algum anúncio seu, dando seu endereço. Não entendo por que o senhor não anunciou.

Nosso visitante riu, um tanto envergonhado.

— Meus bolsos não andam tão cheios como antigamente — comentou. — Eu não tinha dúvidas de que o bando de arruaceiros que me atacou havia levado meu chapéu e a ave. Não quis gastar mais dinheiro numa tentativa sem esperanças de recuperá-los.

— Naturalmente. A propósito, quanto à ave, fomos obrigados a comê-la.

— Comê-la! — Nosso visitante ergueu o corpo da poltrona, exaltado.

— Sim, não teria utilidade nenhuma para ninguém se não tivéssemos feito isso. Mas presumo que este outro ganso sobre o balcão, que é do mesmo peso e fresquinho, atenderá às suas necessidades igualmente bem?

— Oh, certamente, certamente — respondeu o Sr. Baker, com um suspiro de alívio.

— Naturalmente, ainda temos as penas, patas, papo e o resto da sua ave, se o senhor quiser...

O homem soltou uma sonora gargalhada.

— Poderiam ser úteis como relíquias da minha aventura — disse —, mas, à parte isso, não vejo de que me valeriam as *disjecta membra*\* do meu falecido amigo. Não, senhor, acho que, com sua permissão, limitarei minhas atenções à excelente ave que observo sobre o balcão.

Sherlock Holmes olhou intensamente para mim, dando levemente de ombros.

— Lá está o seu chapéu, então, e lá está a sua ave — ele disse. — A propósito, seria pedir demais que me contasse onde comprou a outra? Sou uma espécie de aficionado por aves, e poucas vezes vi um ganso mais bem criado.

— Certamente, senhor — disse Baker, que se levantara e

---
\* "Partes rejeitadas", em latim no original. (N. T.)

enfiara sua nova posse debaixo do braço. — Somos uns poucos que frequentamos o Alpha Inn, perto do museu; ficamos no museu mesmo durante o dia, entende? Este ano, nosso bom anfitrião, chamado Windigate, instituiu o clube do ganso, no qual, pagando uns poucos *pence* por semana, tínhamos o direito de receber uma ave no Natal. Minhas parcelas foram devidamente pagas, e o resto o senhor já sabe. Fico muito grato, senhor, pois uma touca escocesa não condiz com meus anos ou com minha seriedade. — Com uma pomposidade cômica, ele se curvou solenemente para nós dois e foi embora.

— Isso descarta o Sr. Henry Baker — disse Holmes, depois de fechar a porta. — Estamos seguros de que ele não sabe nada sobre o caso. Está com fome, Watson?

— Não particularmente.

— Então sugiro que transformemos nosso jantar numa ceia, e sigamos essa pista enquanto ainda está quente.

— Com certeza.

Era uma noite gelada, por isso vestimos nossos sobretudos e enrolamos cachecóis no pescoço. Lá fora, as estrelas brilhavam friamente num céu sem nuvens, e o hálito dos transeuntes saía como a fumaça de tiros de pistola. Nossos passos ecoavam nítida e sonoramente enquanto andávamos pelo distrito médico, Wimpole Street, Harley Street, e atravessando a Wigmore Street até a Oxford Street. Um quarto de hora depois, estávamos em Bloomsbury, no Alpha Inn, que era uma pequena cervejaria na esquina de uma das ruas que vão para

Holborn. Holmes abriu a porta do local e pediu dois copos de cerveja ao proprietário de rosto vermelho e avental branco.

— Sua cerveja deve ser excelente, se for tão boa quanto seus gansos — Holmes disse.

— Meus gansos! — O homem pareceu surpreso.

— Sim. Eu estava falando há meia hora com o Sr. Henry Baker, que é membro do seu clube do ganso.

— Ah! Sim, entendo. Mas, veja bem, não são nossos gansos.

— Deveras! De quem são, então?

— Bem, comprei as duas dúzias de um vendedor em Covent Garden.

— É mesmo? Conheço alguns deles. Qual foi?

— Seu nome é Breckinridge.

— Ah! Não conheço. Bem, à sua saúde, senhor, e prosperidade para o seu estabelecimento. Boa noite.

— Agora, o Sr. Breckinridge — ele continuou, abotoando o casaco, quando saímos para o ar gelado. — Lembre-se, Watson, que embora tenhamos algo tão banal como um ganso numa ponta desta corrente, temos na outra um homem que certamente pegará sete anos de prisão, a menos que possamos estabelecer sua inocência. É possível que nossa investigação apenas confirme sua culpa; mas, em todo caso, temos uma linha de investigação que foi ignorada pela polícia, e que um acaso singular pôs em nossas mãos. Vamos segui-la até o triste fim. Para o sul, então, em marcha rápida!

Passamos por Holborn, descemos a Endell Street, e

um zigue-zague de cortiços até o Covent Garden Market. Um dos maiores quiosques tinha o nome de Breckinridge, e o proprietário, um homem de aparência equina, com um rosto fino e costeletas aparadas, estava ajudando um menino a fechar o local.

— Boa noite. Está uma noite fria — disse Holmes.

O vendedor balançou a cabeça e dirigiu um olhar interrogativo ao meu colega.

— Vejo que acabaram os gansos — continuou Holmes, apontando para os balcões de mármore vazios.

— Amanhã vou ter quinhentos para o senhor.

— Não adianta.

— Bem, ainda tem alguns no quiosque com o bico de gás.

— Ah, mas me recomendaram o senhor.

— Quem recomendou?

— O proprietário do Alpha.

— Ah, sim; mandei duas dúzias para ele.

— E eram aves ótimas. Onde o senhor as comprou?

Para minha surpresa, a pergunta provocou uma explosão de raiva do vendedor.

— Olhe aqui, senhor — ele disse, com a cabeça inclinada para um lado e as mãos na cintura —, quais são as suas intenções? Diga claramente.

— Eu falei claramente. Gostaria de saber quem lhe vendeu os gansos que o senhor forneceu ao Alpha.

— Bom, então eu não vou contar. E pronto!

— Ora, é um assunto sem importância; mas não entendo por que o senhor se exalta tanto por uma bobagem dessas.

— Exaltar! Talvez o senhor também se exaltasse, se fosse tão importunado quanto eu fui. Quando pago um bom dinheiro por um bom produto, o negócio deveria acabar ali; mas agora é "Onde estão os gansos?" e "Para quem você vendeu os gansos?" e "Quanto quer pelos gansos?". Até parece que são os únicos gansos do mundo, a julgar pela celeuma que estão fazendo.

— Bem, não tenho nenhuma relação com qualquer outra pessoa que tenha feito perguntas — disse Holmes com ar de pouco caso. — Se o senhor não contar, cancelaremos a aposta, só isso. Mas estou sempre pronto a bancar minha opinião em matéria de aves, e apostei cinco xelins que a ave que comi foi criada no campo.

— Bom, então o senhor perdeu cinco xelins, porque foi criada na cidade — retorquiu o vendedor.

— Não é nada disso.

— Eu digo que é.

— Não acredito.

— Acha que sabe mais sobre aves do que eu, que mexo com elas desde criança? Estou dizendo que todas aquelas aves que foram para o Alpha foram criadas na cidade.

— Nunca me convencerá a acreditar nisso.

— Quer apostar, então?

— Isso é simplesmente tomar o seu dinheiro, pois sei que

estou certo. Mas aposto um soberano com o senhor, só para lhe ensinar a não ser teimoso.

O vendedor deu uma risada sinistra.

— Traga os livros, Bill — disse.

O rapazinho trouxe um volume pequeno e fino e um grande, de capa engordurada, deixando os dois debaixo da lâmpada.

— Pois então, Sr. Arrogante — disse o vendedor —, achei que minhas aves tivessem acabado, mas em breve o senhor verá que ainda há um pato na loja. Está vendo este livrinho?

— O que tem?

— É a lista das pessoas de quem eu compro. Está vendo? Bem, aqui nesta página estão os criadores do campo, e os números depois dos nomes são as páginas das contas deles no livro-caixa grande. Pois bem! Está vendo esta outra página em tinta vermelha? É uma lista dos meus fornecedores da cidade. Agora veja o terceiro nome. Leia-o para mim.

— Sra. Oakshott, Brixton Road, 117 — 249 — leu Holmes.

— Exatamente. Agora procure essa página no livro-caixa.

Holmes foi para a página indicada.

— Aqui está. "Sra. Oakshott, Brixton Road, 117, fornecedora de ovos e aves."

— E qual a última anotação?

— "22 de dezembro. 24 gansos a 7 xelins e 6 *pence*."

— Exato. Aí está. E embaixo?

— "Vendidos ao Sr. Windigate, do Alpha, a 12 xelins."

— O que me diz agora?

Sherlock Holmes parecia profundamente contrariado. Tirou um soberano do bolso e o jogou sobre o balcão, virando-se e indo embora com o ar de um homem cujo desgosto é profundo demais para ser posto em palavras. Alguns metros depois, parou sob um lampião e riu da forma intensa e silenciosa que lhe era tão peculiar.

— Quando você vir um homem com costeletas naquele formato e o *Pink 'Un*\* saindo do bolso, pode propor uma aposta que ele topa — Holmes disse. — Ouso garantir que se eu tivesse posto cem libras diante dele, aquele homem não teria me dado informações tão completas quanto as que obtive com a ideia de que ele estava me derrotando numa aposta. Bem, Watson, acredito que estejamos perto do fim de nossa busca, e o único detalhe que ainda falta determinar é se devemos ir ver essa Sra. Oakshott hoje à noite, ou se devemos deixar para amanhã. Está claro, pelo que aquele camarada mal-humorado falou, que há outras pessoas ansiosas com este caso, e eu deveria...

Seus comentários foram interrompidos repentinamente por uma gritaria fragorosa que eclodiu em frente ao quiosque de onde acabáramos de sair. Virando-nos, vimos um sujeitinho com cara de rato no meio do círculo de luz amarela projetado pela lâmpada de teto, enquanto Breckinridge, o vendedor, emoldurado pelo vão da porta de seu quiosque, agitava ferozmente os punhos para o homenzinho encolhido.

---

\* "Rosa" — apelido do jornal inglês de esportes *The Sporting Times*, publicado de 1865 a 1932, que era impresso em papel cor-de-rosa. (N. T.)

— Já estou farto de vocês e dos seus gansos — ele gritou. — Gostaria que fossem todos para o diabo. Se vierem me importunar de novo com essas idiotices, vou soltar-lhes o cachorro em cima. Traga a Sra. Oakshott aqui e responderei para ela, mas o que você tem a ver com isso? Eu comprei os gansos de você?

— Não, mas um deles era meu mesmo assim — choramingou o homenzinho.

— Então vá perguntar dele à Sra. Oakshott.

— Ela mandou perguntar para o senhor.

— Bem, pode perguntar para o rei da Prússia, pouco me importa. Para mim, já chega. Saia daqui! — Ele avançou, enfurecido, e o homenzinho desapareceu na escuridão.

— Ha! Isso pode nos poupar a visita à Brixton Road — murmurou Holmes. — Venha comigo, e veremos qual o papel desse sujeito. — Abrindo caminho entre os grupinhos de pessoas que se demoravam ao redor dos quiosques ainda abertos, meu colega rapidamente alcançou o homenzinho e bateu no seu ombro. Ele se virou com um sobressalto, e pude ver, à luz dos lampiões, que qualquer traço de cor havia desaparecido do seu rosto.

— Quem é o senhor? O que quer? — ele perguntou com voz trêmula.

— O senhor vai me perdoar — Holmes disse brandamente —, mas não pude deixar de ouvir as perguntas que fez ao vendedor agora há pouco. Acho que eu poderia ajudá-lo.

— O senhor? Quem é o senhor? Como pode saber qualquer coisa a respeito do assunto?

— Meu nome é Sherlock Holmes. É minha profissão saber o que os outros não sabem.

— Mas o senhor não tem como saber nada sobre isto!

— Perdoe-me, mas sei tudo a respeito. O senhor está tentando rastrear um ganso que foi vendido pela Sra. Oakshott, da Brixton Road, a um vendedor chamado Breckinridge, que por sua vez o vendeu ao Sr. Windigate, do Alpha, e este o vendeu ao seu clube, do qual o Sr. Henry Baker é membro.

— Oh, senhor, é exatamente o homem que eu queria conhecer — exclamou o sujeitinho, estendendo as mãos com dedos trêmulos. — Mal posso lhe explicar quanto esse assunto me interessa.

Sherlock Holmes fez sinal para uma carruagem de quatro rodas que passava.

— Nesse caso, é melhor discutirmos o caso numa sala aconchegante, em vez de aqui neste mercado, expostos ao vento — ele disse. — Mas, por favor, diga-me, antes que prossigamos, quem tenho o prazer de assistir.

O homem hesitou por um instante.

— Meu nome é John Robinson — respondeu, olhando para o lado.

— Não, não; o nome verdadeiro — disse Holmes docemente. — É sempre problemático fazer negócios com um nome falso.

As bochechas brancas do desconhecido foram tomadas pelo rubor.

— Pois bem — ele disse —, meu verdadeiro nome é James Ryder.

— Exatamente. Superintendente do Hotel Cosmopolitan. Por favor, entre na cabine, e logo poderei lhe contar tudo o que deseja saber.

O olhar do homenzinho saltava de mim para Holmes, meio a meio entre assustado e esperançoso, como o de alguém que não sabe ao certo se está na iminência de um golpe de sorte ou de uma catástrofe. Então ele entrou na cabine, e em meia hora estávamos de volta à sala de estar da Baker Street. Nada fora dito durante a viagem, mas a respiração ofegante e fina do nosso novo colega, e o abrir e fechar de suas mãos, revelavam a tensão nervosa dentro dele.

— Chegamos! — disse Holmes alegremente, quando entramos na sala. — O fogo parece bastante adequado a este clima. Parece estar com frio, Sr. Ryder. Por favor, sente-se na poltrona de vime. Só vou calçar meus chinelos antes de acertarmos este nosso assuntozinho. Muito bem! Quer saber o que foi feito daqueles gansos?

— Sim, senhor.

— Ou melhor, suponho, daquele ganso. É numa ave, imagino, que estava interessado; branca, com uma faixa preta na cauda.

Ryder tremeu de emoção.

— Oh, senhor — exclamou —, pode me informar o paradeiro dela?

— Ela veio para cá.

— Para cá?

— Sim, e provou ser uma ave muito especial. Não admira que o senhor se interessasse por ela. Pôs um ovo depois de morta, o ovo azul mais lindo e brilhante que já se viu. Tenho-o aqui no meu museu.

Nosso visitante se levantou, cambaleando, e se segurou no friso da lareira com a mão direita. Holmes destrancou seu cofre e exibiu o carbúnculo azul, que brilhava como uma estrela, com uma radiância fria, brilhante, multifacetada. Ryder o fitava com o rosto tenso, sem saber se o reivindicava ou negava conhecê-lo.

— O jogo acabou, Ryder — disse Holmes em voz baixa. — Segure-se, homem, ou vai cair sobre as brasas! Ajude-o a voltar para a poltrona, Watson. Ele não tem forças para viver do crime com impunidade. Dê-lhe um gole de *brandy*. Então! Agora ele parece mais humano. Mas é um moleirão mesmo!

Por um momento, ele vacilara e quase caíra, mas o *brandy* fez um pouco de cor voltar ao seu rosto, e ele ficou encarando com olhar assustado seu acusador.

— Tenho quase todos os elos nas mãos, e todas as provas de que poderia precisar, portanto há pouco que você precise me contar. Ainda assim, tanto vale esclarecer esse pouco para deixar o caso completo. Você tinha ouvido falar, Ryder, desta pedra azul da condessa de Morcar?

— Foi Catherine Cusack que me falou dela — disse o homem, com voz roufenha.

— Entendo — a criada da condessa. Bem, a tentação da riqueza repentina obtida tão facilmente foi demais para você, como já foi antes para gente melhor; mas você não foi muito escrupuloso nos métodos usados. Parece-me, Ryder, que você tem a matéria-prima de um belíssimo canalha. Sabia que aquele tal de Horner, o encanador, já se envolvera num furto parecido, e que a suspeita recairia mais prontamente sobre ele. Como agiu, então? Fez um trabalhinho no quarto da condessa, você e sua aliada Cusack, e providenciou para que ele fosse chamado para o conserto. Então, depois que ele saiu, você arrombou a caixa de joias, deu o alarme, e mandou prender esse infeliz. Depois...

Ryder, de repente, jogou-se sobre o tapete e agarrou os joelhos do meu colega.

— Pelo amor de Deus, tenha piedade! — gritou. — Pense no meu pai! Na minha mãe! Isso partiria o coração dos dois. Eu nunca fiz nada errado antes! E nunca mais vou fazer. Juro. Juro sobre a Bíblia. Oh, não leve o caso aos tribunais! Pelo amor de Jesus Cristo, não faça isso!

— Volte para a sua poltrona! — disse Holmes, ríspido. — É muito fácil se retorcer e rastejar agora, mas pensou pouco nesse pobre Horner, preso por um crime do qual nada sabia.

— Vou fugir, Sr. Holmes. Vou sair do país, senhor. Assim, a acusação contra ele será retirada.

— Hum! Depois falaremos disso. E agora, vamos ouvir o verdadeiro teor do ato seguinte. Como a pedra foi parar no ganso, e como o ganso foi parar no mercado? Diga a verdade, pois nisso reside a sua única esperança de se safar.

Ryder passou a língua sobre os lábios ressecados.

— Contarei exatamente o que aconteceu, senhor — disse. — Depois que Horner foi preso, pareceu-me melhor fugir logo com a pedra, porque eu não sabia em que momento a polícia poderia resolver me revistar e vasculhar meu quarto. Não havia nenhum lugar no hotel onde ela estaria segura. Saí, como se fosse fazer alguma tarefa, e fui até a casa da minha irmã. Ela se casara com um homem chamado Oakshott, e morava na Brixton Road, onde engordava aves para revender. Durante todo o caminho para lá, todo homem que eu encontrava me parecia ser um policial ou um detetive; e mesmo sendo uma noite fria, o suor já escorria do meu rosto antes que eu chegasse à Brixton Road. Minha irmã perguntou o que eu tinha, por que estava tão pálido; mas eu disse a ela que estava nervoso com o roubo da joia no hotel. Então fui para o pátio dos fundos, fumei um cachimbo e fiquei pensando no que seria melhor fazer.

"Um velho amigo meu, Maudsley, entrara para o mundo do crime, e acabara de sair da prisão em Pentonville. Um dia o encontrei, e ele começou a falar da vida dos ladrões, e de como eles se livravam do que roubavam. Eu sabia que ele seria leal a mim, porque eu conhecia umas coisas a respeito dele; por isso decidi ir logo para Kilburn, onde ele morava, confidenciar-me com ele. Maudsley me mostraria como transformar a pedra em dinheiro. Mas como chegar lá com segurança? Pensei na agonia que havia sido voltar do hotel. A qualquer momento, eu poderia ser preso e revistado, e lá estaria a pedra, no bolso do meu colete. Eu estava apoiado à parede, nesse momento, olhando para os gansos que andavam em volta dos meus pés, e subitamente surgiu na minha cabeça uma ideia que me mostrava como eu poderia derrotar o melhor detetive que já existiu.

"Minha irmã me dissera, algumas semanas antes, que eu poderia escolher seu melhor ganso como presente de Natal, e eu sabia que ela sempre mantinha sua palavra. Eu pegaria meu ganso, então, e levaria dentro dele minha pedra para Kilburn. Havia uma pequena edícula no pátio, e eu levei uma das aves para trás dela, um belo ganso grande, branco, com uma faixa na cauda. Eu o peguei e, forçando-o a abrir o bico, meti-lhe a pedra goela abaixo até onde meu dedo alcançou. O pássaro deglutiu, e senti a pedra passando pela sua garganta e se alojando no papo. Mas a criatura bateu as asas e se agitou, e minha irmã veio ver o que estava acontecendo. Quando me virei para falar com ela, o bruto se soltou e misturou-se com os outros.

"'O que estava fazendo com aquele ganso, Jem?', ela perguntou.

"'Bem', respondi, 'você disse que me daria um no Natal, e eu o estava apalpando para ver se era o mais gordo.'

"'Oh', ela disse, 'já separamos o seu; o ganso de Jem, nós o chamamos. É aquele grandão branco ali. São 26, então tem um para você, um para nós, e duas dúzias que irão para o mercado.'

"'Obrigado, Maggie', eu disse; 'mas se você não se importar, prefiro ficar com aquele que apalpei ainda agora.'

"'O outro pesa pelo menos um quilo e meio a mais', ela disse, 'e nós o engordamos especialmente para você.'

"'Não importa. Quero o outro, e vou levá-lo agora', eu disse.

"'Oh, como quiser', ela respondeu, um tanto contrariada. 'Qual você quer, então?'

"'Aquele branco com a faixa na cauda, bem no meio do bando.'

"'Pois bem. Pode matá-lo e levá-lo.'

"Bem, fiz o que ela mandou, Sr. Holmes, e carreguei o pássaro até Kilburn. Contei ao meu camarada o que eu fizera, porque ele era do tipo para quem era fácil contar algo assim. Ele riu até se engasgar, e nós pegamos uma faca e abrimos o ganso. Meu coração derreteu, já que não havia sinal da pedra, e percebi que um terrível equívoco acontecera. Deixei a ave, voltei correndo para a casa da minha irmã e me precipitei para o pátio dos fundos. Não havia ave nenhuma lá.

"'Onde estão todos os gansos, Maggie?', gritei.

"'Já levei para o vendedor, Jem.'

"'Que vendedor?'

"'Breckinridge, de Covent Garden.'

"'Mas havia algum outro com uma faixa na cauda', perguntei, 'como aquele que escolhi?'

"'Sim, Jem; havia dois com essa faixa, e nunca consegui distingui-los.'

"Bem, naquele momento, naturalmente, entendi tudo, e corri tão rápido quanto meus pés conseguiram me levar até o tal de Breckinridge; mas ele vendera o lote todo de uma vez, e não quis me dizer uma palavra sobre o paradeiro das aves. Os senhores o ouviram hoje. Bem, ele sempre me respondia assim. Minha irmã acha que estou ficando louco. Às vezes, eu mesmo acho que estou. E agora, agora estou marcado como um ladrão, sem nem ter tocado na riqueza pela qual vendi o meu caráter. Deus me ajude! Deus me ajude!"

Ele rebentou em soluços convulsivos, com o rosto nas mãos.

Houve um longo silêncio, quebrado apenas por sua respiração pesada e pelo tamborilar comedido dos dedos de Sherlock Holmes na borda da mesa. Então meu amigo se levantou e abriu a porta.

— Saia! — ele disse.

— O quê, senhor! Oh, Deus o abençoe!

— Nem mais uma palavra. Saia!

E nem mais uma palavra foi necessária. Houve um movimento rápido, um tropel na escada, uma porta batendo, e o som agudo de passos velozes na rua.

— Afinal de contas, Watson — disse Holmes, estendendo a mão para seu cachimbo de argila —, não sou obrigado a suprir as deficiências da polícia. Se Horner estivesse em perigo, a coisa seria diferente; mas esse sujeito não comparecerá para depor contra ele, e o caso será arquivado. Suponho que estou cometendo um delito, mas é possível que eu esteja salvando uma alma. Esse sujeito não errará de novo; o susto foi terrível demais. Se o mandarmos para a prisão, faremos dele um bandido para o resto da vida. Além disso, estamos na época do perdão. O acaso pôs em nosso caminho um problema muito singular e caprichoso, e sua solução é também a recompensa. Se você tiver a bondade de tocar a sineta, doutor, começaremos outra investigação, na qual uma ave também terá o papel principal.

*oito*
# A AVENTURA DA FAIXA PINTADA

Consultando as anotações sobre os setenta e tantos casos nos quais, durante os últimos oito anos, eu estudei os métodos do meu amigo Sherlock Holmes, encontro muitos que são trágicos, alguns cômicos, inúmeros meramente estranhos, mas nenhum corriqueiro; porque trabalhando como ele trabalhava, mais pelo amor à sua arte do que pelo acúmulo de riqueza, recusava-se a se associar com qualquer investigação que não tendesse para o incomum e até o fantástico. De todos esses casos variados, no entanto, não consigo lembrar de algum que apresente características mais singulares do que aquele associado com a conhecida família de Surrey, os Roylott de Stoke Moran. Os acontecimentos em questão ocorreram nos primeiros dias de minha associação com Holmes, quando eu era solteiro e dividíamos os aposentos na

Baker Street. É possível que eu já os tivesse registrado, mas uma promessa de segredo fora feita na época, da qual só fui liberado mês passado pela intempestiva morte da senhora que me fizera prometer. Talvez seja melhor que os fatos venham à tona, agora, pois tenho razões para crer que há boatos circulando sobre a morte do Dr. Grimesby Roylott que tendem a tornar o assunto ainda mais terrível do que a realidade.

Foi no início de abril do ano de 1883 que acordei uma manhã e encontrei Sherlock Holmes de pé, completamente vestido, ao lado da minha cama. Ele acordava tarde, normalmente, e como o relógio sobre a lareira mostrava que eram só 7h15, pisquei para ele com uma certa surpresa e talvez só um pouco de ressentimento, pois meus hábitos eram regulares.

— Lamento derrubar você da cama, Watson — ele disse —, mas é algo comum hoje. A Sra. Hudson foi derrubada da cama, descontou em mim, e eu em você.

— O que aconteceu, então; um incêndio?

— Não; uma cliente. Parece que uma jovem chegou, consideravelmente exaltada, e insiste em me ver. Está esperando agora na sala de estar. Bem, quando jovens vagam pela metrópole a esta hora da manhã, e derrubam gente dorminhoca da cama, presumo que tenham algo muito urgente para comunicar. Se o caso provar ser interessante, você vai querer, tenho certeza, acompanhá-lo desde o início. Por isso achei que deveria chamá-lo e lhe dar essa chance.

— Caro colega, eu não perderia isso por nada.

Para mim, não havia prazer maior do que acompanhar Holmes em suas investigações profissionais, e admirar as rápidas deduções, tão repentinas quanto intuições, e mesmo assim sempre fundadas numa base lógica, com as quais ele destrinchava os problemas que lhe eram submetidos. Rapidamente enfiei minhas roupas e em alguns minutos estava pronto para acompanhar meu amigo até a sala de estar. Uma jovem vestida de preto e com muitos véus, que estava sentada na janela, levantou-se quando chegamos.

— Bom dia, madame — Holmes disse alegremente. — Meu nome é Sherlock Holmes. Este é meu amigo íntimo e colega, Dr. Watson, diante do qual pode falar com a mesma liberdade com que fala comigo. Ha! Fico feliz em ver que a Sra. Hudson teve o bom senso de acender o fogo. Por favor, aproxime-se dele, e pedirei uma xícara de café quente, pois observo que está tremendo.

— Não é o frio que me faz tremer — disse a mulher em voz baixa, mudando de lugar conforme lhe foi pedido.

— O quê, então?

— É medo, Sr. Holmes. É terror. — Ela ergueu o véu ao falar, e pudemos ver que ela estava de fato num estado deplorável de agitação, com o rosto todo tenso e cinzento, olhos inquietos e assustados, como os de um animal sendo caçado. Seus traços e sua silhueta eram os de uma mulher de 30 anos, mas seu cabelo estava prematuramente encanecido, e sua expressão era cansada e decrépita. Sherlock Holmes a examinou com um de seus olhares rápidos e abrangentes.

— Não precisa ter medo — ele disse para tranquilizá-la, curvando-se e afagando seu braço. — Logo acertaremos as coisas, não tenho dúvida. Vejo que veio de trem esta manhã.

— O senhor me conhece, então?

— Não, mas observo o canhoto de uma passagem de trem na palma de sua luva esquerda. Deve ter partido cedo, e mesmo assim precisou andar de carroça por estradas rústicas antes de chegar à estação.

A jovem teve um violento sobressalto e olhou para o meu colega, assombrada.

— Não há mistério nenhum, cara madame — ele disse, sorrindo. — O braço esquerdo do seu casaco está sujo de lama em nada menos que sete lugares. As manchas estão perfeitamente frescas. Nenhum veículo, a não ser uma carroça, joga lama para cima dessa forma, e só quando alguém se senta à esquerda do cocheiro.

— Sejam quais forem seus motivos, o senhor está absolutamente correto — ela disse. — Saí de casa antes das seis, cheguei em Leatherhead às 6h20, e vim com o primeiro trem para Waterloo. Senhor, não suporto mais essa tensão; vou enlouquecer, se continuar. Não tenho ninguém a quem recorrer, ninguém, a não ser um homem que gosta de mim, e ele, pobrezinho, pouco pode ajudar. Ouvi falar do senhor, Sr. Holmes; quem me falou foi a Sra. Farintosh, que o senhor ajudou quando ela mais precisava. Foi com ela que peguei seu endereço. Oh, senhor, não acha que poderia me ajudar, também, e ao menos jogar um pouco de luz na densa escuridão que me rodeia? Atualmente, está fora das minhas possibilidades recompensá-lo por seus serviços, mas dentro de quatro a seis semanas vou me casar, controlar a minha renda, e então, pelo menos, verá que não sou ingrata.

    Holmes se virou para a sua escrivaninha e, destrancando-a, tirou um pequeno caderno, que consultou.

    — Farintosh — disse. — Ah, sim, lembro-me do caso; envolvia uma tiara de opalas. Acho que foi antes da sua época, Watson. Só posso dizer, madame, que ficarei feliz em devotar ao seu caso a mesma atenção que tive com o da sua amiga. Quanto à recompensa, minha profissão é sua própria recompensa; mas fique à vontade para ressarcir quaisquer despesas que eu tiver, no momento que melhor lhe aprouver. E agora, peço que nos exponha tudo o que puder nos ajudar a formar uma opinião sobre o assunto.

    — Ai! — respondeu nossa visitante. — O verdadeiro horror da minha situação está no fato de meus temores serem tão vagos, e minhas suspeitas dependerem tão completamente de pequenos detalhes, que ela pode parecer trivial para os outros, a ponto de até ele, de quem, entre todos, eu teria o direito de esperar ajuda e conselhos, considerar tudo o que lhe conto as fantasias de uma mulher nervosa. Ele não diz isso, mas posso perceber por suas respostas calmantes e o modo como desvia o olhar. Mas eu ouvi, Sr. Holmes, que o senhor consegue enxergar profundamente na multifária perversidade do coração humano. Pode me aconselhar sobre como caminhar entre os perigos que me cercam.

— Sou todo ouvidos, madame.

— Meu nome é Helen Stoner, e moro com meu padrasto, que é o último sobrevivente de uma das mais antigas famílias saxônicas da Inglaterra, os Roylott de Stoke Moran, na fronteira ocidental de Surrey.

Holmes balançou a cabeça.

— O nome me é familiar — disse.

— A família já esteve entre as mais ricas da Inglaterra, e as propriedades se estendiam para além das fronteiras, até Berkshire ao norte e Hampshire a oeste. No último século, porém, quatro herdeiros sucessivos tinham um caráter dissoluto e perdulário, e a ruína da família foi finalmente completada por um jogador compulsivo nos dias da regência. Nada sobrou, a não ser alguns hectares de terra, e a casa de duzentos anos, que se encontra oprimida por uma pesada hipoteca. O último nobre arrastou sua existência ali, levando a vida horrível de um mendigo aristocrata; mas seu filho único, meu padrasto, percebendo que precisava se adaptar às novas condições, obteve um adiantamento de um parente, o que lhe possibilitou formar-se em Medicina e ir para Calcutá, onde, com sua habilidade profissional e sua força de caráter, estabeleceu uma grande clínica. Num acesso de fúria, porém, causado por alguns roubos que estavam acontecendo na casa, ele espancou seu mordomo nativo até a morte e escapou por pouco da pena capital. Mesmo assim, sofreu uma longa sentença de encarceramento, e depois voltou para a Inglaterra, fraco e decepcionado.

"Enquanto o Dr. Roylott estava na Índia, casou-se com minha mãe, a Sra. Stoner, jovem viúva do major-general Stoner, da Artilharia de Bengala. Minha irmã Julia e eu éramos gêmeas, e tínhamos apenas dois anos de idade quando minha mãe se casou de novo. Ela possuía uma riqueza considerável, nada menos que mil libras por ano, e a entregou inteiramente ao Dr. Roylott enquanto morávamos com ele, com a condição de que um certo valor anual deveria ser repassado a cada uma de nós, caso nos casássemos. Pouco depois da nossa volta à Inglaterra, minha mãe morreu, foi há oito anos, num acidente ferroviário perto de Crewe. O Dr. Roylott, então, abandonou suas tentativas de estabelecer uma prática em Londres e nos levou para morar com ele na velha casa ancestral em Stoke Moran. O dinheiro que minha mãe deixara bastava para todas as nossas necessidades, e parecia não haver obstáculo algum à nossa felicidade.

"Mas uma mudança terrível se verificou no nosso padrasto por volta dessa época. Em vez de fazer amizades e visitar e ser visitado pelos nossos vizinhos, que de início ficaram extáticos ao verem um Roylott de Stoke Moran de volta à velha sede familiar, ele se trancou em casa e raramente saía, a não ser para meter-se em altercações ferozes com quem quer que cruzasse o seu caminho. O temperamento violento, beirando a psicopatia, era hereditário nos homens da família, e no caso do meu padrasto fora, acredito, intensificado por sua longa residência nos trópicos. Aconteceu uma série de rusgas lamentáveis, duas das quais terminaram na chefatura de polícia, até que ele se tornou o terror da cidadezinha, e as pessoas fugiam ao vê-lo aproximar-se, porque é um homem de imensa força, e absolutamente incontrolável em sua fúria.

"Semana passada, ele jogou de uma ponte o ferreiro local dentro de um rio, e foi só pagando com todo o dinheiro que pude levantar que consegui evitar mais um escândalo. Ele não tem amigo algum além dos ciganos nômades, e dá a esses vagabundos permissão para acamparem nos poucos hectares infestados de espinheiros que representam a propriedade da família, e aceita em troca a hospitalidade de suas tendas, partindo com eles, às vezes, por semanas a fio. Também tem uma paixão pelos animais indianos, que lhe são enviados por um correspondente, e possui no momento um guepardo e um babuíno, que vagam livremente por suas terras e são quase tão temidos quanto o seu dono pelos moradores da cidadezinha.

"O senhor pode imaginar, pelo que estou dizendo, que minha pobre irmã Julia e eu não tínhamos grandes prazeres em nossa vida. Nenhuma criada aceitava ficar conosco, e por muito tempo, fizemos todos os serviços domésticos. Ela não tinha nem 30 anos quando morreu, mas seu cabelo já começara a encanecer, como o meu."

— Sua irmã está morta, então?

— Morreu há apenas dois anos, e é da sua morte que gostaria de falar com o senhor. Deve ter entendido que, levando a vida que descrevi, tínhamos poucas chances de conhecer alguém da nossa idade e posição social. Porém, tínhamos uma tia, a irmã solteira de minha mãe, Srta. Honoria Westphail, que mora perto de Harrow, e ocasionalmente nos era permitido fazer visitas breves à casa dessa dama. Julia foi visitá-la no Natal há dois anos, e lá conheceu um major da fuzilaria naval, de quem ficou noiva. Meu padrasto soube do noivado quando minha irmã voltou e não fez nenhuma objeção à união; mas quinze dias antes do dia marcado para o casamento, aconteceu o terrível fato que me privou de minha única companheira.

Sherlock Holmes estava deitado na poltrona, de olhos fechados e cabeça afundada numa almofada, mas ergueu um pouco as pálpebras e olhou para a nossa visitante.

— Por favor, seja precisa nos detalhes — ele disse.

— É fácil ser, já que cada fato daquele momento pavoroso está gravado em fogo na minha memória. A mansão é, como já falei, muito velha, e só uma ala é habitada agora. Os quartos nessa ala ficam no térreo, e as salas de estar ficam no bloco central. O primeiro desses quartos é o do Dr. Roylott, o segundo é o da minha irmã, e o terceiro é o meu. Não existe comunicação entre eles, mas todos dão para o mesmo corredor. Estou sendo clara?

— Perfeitamente.

— As janelas dos três quartos abrem-se para o jardim.

Naquela noite fatal, o Dr. Roylott foi para seu quarto cedo, embora soubéssemos que ele não se recolhera para descansar, pois minha irmã estava incomodada com o cheiro dos fortes charutos indianos que ele costumava fumar. Ela saiu do seu quarto, então, e veio para o meu, onde ficou por algum tempo, conversando sobre seu iminente casamento. Às 23h, levantou-se para sair, mas parou à porta e olhou para trás.

"'Diga-me, Helen', ela perguntou, 'você já ouviu alguém assobiar no meio da noite?'

"'Nunca', eu disse.

"'Imagino que não seja possível que você assobie enquanto dorme?'

"'Claro que não. Mas por quê?'

"'Porque nas últimas noites, por volta das três da madrugada, tenho sempre ouvido um assobio baixo, mas distinto. Meu sono é leve, e ele me acorda. Não sei dizer de onde vem, talvez do quarto ao lado, talvez do jardim. Resolvi perguntar se você alguma vez o ouviu.'

"'Não, não ouvi. Deve ser algum desses malditos ciganos na plantação.'

"'É bem provável. Porém, se fosse no jardim, seria de se espantar você não tê-lo ouvido também.'

"'Ah, mas meu sono é mais pesado que o seu.'

"'Bem, não tem muita importância, de qualquer forma.' Ela sorriu para mim, fechou minha porta, e alguns instantes depois, ouvi sua chave virando na fechadura."

— De fato — disse Holmes. — A senhorita e ela costumavam se trancar sempre nos quartos à noite?

— Sempre.

— E por quê?

— Acho que já mencionei que o doutor criava um guepardo e um babuíno. Não nos sentíamos seguras, a não ser que nossas portas estivessem trancadas.

— Perfeito. Por favor, continue seu depoimento.

— Não consegui dormir naquela noite. Uma vaga sensação de infortúnio iminente me impressionava. Minha irmã e eu, como o senhor deve lembrar, éramos gêmeas, e o senhor sabe quão sutis são os elos que unem duas almas tão próximas. Era uma noite tempestuosa. O vento uivava lá fora, e a chuva fustigava e escorria nas janelas. De repente, em meio a todo o estrondo da procela, chegou o grito animalesco de uma mulher aterrorizada. Eu sabia que era a voz da minha irmã. Saltei da cama, enrolei-me num xale e saí para o corredor. Ao abrir minha porta, pensei ter ouvido um assobio baixo, como o que minha irmã descrevera, e alguns instantes depois, um barulho alto, como o de um pesado objeto de metal caindo. Quando corri, vi que a porta do quarto da minha irmã estava destrancada, e girava lentamente sobre as dobradiças. Olhei para a porta, horrorizada, sem saber o que estava para sair de lá. À luz da lâmpada do corredor, vi minha irmã aparecer no vão da porta, seu rosto branco de terror, suas mãos se agitando, pedindo ajuda, todo o seu corpo balançando como o de uma pessoa ébria. Corri para ela e a abracei, mas naquele momento seus joelhos pareceram ceder, e ela desabou no chão. Contorcia-se como alguém sofrendo de uma dor terrível, e seus membros se agitavam numa convulsão pavorosa. De início, achei que ela não me reconhecera, mas quando me curvei, ela gritou repentinamente, numa voz que jamais vou esquecer: 'Oh, meu Deus! Helen! Foi a faixa! A faixa pintada!'. Ela queria dizer algo mais, e apontou na direção do quarto do doutor, mas uma nova convulsão apoderou-se dela e sufocou-lhe as palavras. Corri para fora, chamando meu padrasto aos brados, e o encontrei saindo de seu quarto de roupão. Quando ele se aproximou da minha irmã, ela estava inconsciente, e ainda que ele a fizesse engolir *brandy* e pedisse ajuda médica na cidade, todos os esforços foram em vão, porque ela definhou lentamente e morreu sem recobrar os sentidos. Esse foi o horripilante fim da minha amada irmã.

— Um momento — disse Holmes —, tem certeza quanto a esse assobio e ao som metálico? Poderia jurar que os ouviu?

— Foi isso que o legista me perguntou no inquérito. Tenho a forte impressão de tê-los ouvido, no entanto, com todo o ruído da tormenta e os estalos da velha casa, posso ter me enganado.

— Sua irmã estava vestida?

— Não, estava de camisola. Em sua mão direita foi encontrado um fósforo queimado, e na esquerda, uma caixa de fósforos.

— Mostrando que ela riscara um fósforo para fazer luz e

olhar ao seu redor, quando o alerta foi dado. Isso é importante. E a que conclusões chegou o legista?

— Ele investigou o caso com grande cuidado, visto que a conduta do Dr. Roylott já era notória no condado havia muito tempo, mas não conseguiu encontrar nenhuma *causa mortis* satisfatória. Meu depoimento mostrou que a porta havia sido trancada por dentro, e as janelas estavam travadas com trincos antiquados, com grossas barras de ferro, que eram trancados toda noite. As paredes foram cuidadosamente sondadas, e provaram ser maciças no cômodo todo, e o piso também foi minuciosamente examinado, com o mesmo resultado. A chaminé é larga, mas é protegida por quatro grossas barras de ferro. É certo, portanto, que minha irmã estava completamente sozinha quando teve esse fim. Além disso, não havia marcas de violência em seu corpo.

— E quanto a venenos?

— Os médicos a examinaram, procurando traços, mas sem sucesso.

— Do que a senhorita acha que essa infeliz jovem morreu, então?

— Acredito que ela tenha morrido de puro medo e colapso nervoso, embora nem consiga imaginar o que a tenha assustado.

— Os ciganos estavam na plantação, na época?

— Sim, quase sempre há alguns ali.

— Ah, e o que a senhorita pensou dessa alusão a uma faixa, uma faixa pintada?

— Já pensei que poderiam ser apenas loucuras ditas em

seu delírio, e também que ela poderia estar se referindo a algum adereço, como aqueles que os próprios ciganos que ocupam a plantação usam. Não sei se os lenços com pintas que tantos deles amarram na cabeça poderiam ter sugerido o estranho adjetivo que ela usou.

Holmes balançou a cabeça como alguém que está longe de se dar por satisfeito.

— São águas muito profundas — disse —; por favor, continue sua narrativa.

— Dois anos se passaram desde então, e minha vida, até há pouco, foi mais solitária do que nunca. Um mês atrás, no entanto, um caro amigo, que conheço há muitos anos, fez-me a honra de pedir minha mão em casamento. Seu nome é Armitage, Percy Armitage, o segundo filho do Sr. Armitage, de Crane Water, perto de Reading. Meu padrasto não se opôs à união, e vamos nos casar durante a primavera. Há dois dias, alguns consertos foram iniciados na ala oeste do prédio, e a parede do meu quarto foi perfurada, por isso tive que me mudar para o cômodo no qual minha irmã morreu, e dormir na mesma cama em que ela dormia. Imagine, então, o meu terror quando, noite passada, estando eu acordada, pensando no terrível destino dela, de súbito ouvi no silêncio da noite o assobio baixo que foi o arauto de sua morte. Saltei de pé e acendi a lâmpada, mas nada vi no quarto. Estava abalada demais para voltar a me deitar, porém, então me vesti e, assim que amanheceu, desci, aluguei uma carroça no Crown Inn, que fica em frente, e fui para Leatherhead, de onde vim esta manhã com o único objetivo de ver o senhor e pedir seus conselhos.

— Agiu sabiamente — meu amigo disse. — Mas me contou tudo?

— Sim, tudo.

— Srta. Roylott, não contou. Está defendendo seu padrasto.

— Por quê? O que quer dizer?

Como resposta, Holmes arregaçou o punho de renda preta da mão que nossa visitante apoiava no joelho. Cinco pequenas manchas lívidas, as marcas de quatro dedos e um polegar, estavam impressas em seu pulso branco.

— A senhorita foi tratada cruelmente — disse Holmes.

A mulher corou muito e cobriu o pulso machucado.

— Ele é um homem rude — ela disse —, e talvez desconheça a própria força.

Houve um longo silêncio, durante o qual Holmes apoiou o queixo nas mãos e olhou para o fogo crepitante.

— Esse é um assunto muito complexo — ele disse finalmente. — Existem mil detalhes que eu gostaria de saber, antes de decidir como devemos agir. No entanto, não temos um minuto a perder. Se fôssemos a Stoke Moran hoje, seria possível vermos esses quartos sem o conhecimento do seu padrasto?

— Por acaso, ele falou que iria à cidade hoje, cuidar de negócios importantes. É provável que fique fora o dia todo, e que ninguém os incomode. Temos uma criada agora, mas ela é velha e tola, e posso despistá-la com facilidade.

— Excelente. Não se opõe a esta viagem, Watson?

— De modo algum.

— Então nós dois iremos. O que a senhorita vai fazer?

— Quero fazer algumas coisas, agora que estou na cidade. Mas voltarei com o trem das 12h, para estar lá a tempo quando os senhores chegarem.

— Pode nos esperar no início da tarde. Também tenho alguns assuntozinhos a resolver. Não quer esperar o desjejum conosco?

— Não, preciso ir. Já sinto meu coração mais leve por ter confidenciado meu problema ao senhor. Espero vê-lo novamente hoje à tarde. — Ela soltou o grosso véu preto sobre o rosto e deslizou para fora da sala.

— E o que você acha de tudo isso, Watson? — perguntou Sherlock Holmes, acomodando-se na poltrona.

— Parece-me um caso muito sombrio e sinistro.

— Sombrio e sinistro mesmo.

— Mas se a madame está correta em dizer que o piso e as paredes estavam intactas, e que a porta, a janela e a chaminé são impenetráveis, então sua irmã sem dúvida devia estar sozinha quando teve seu misterioso fim.

— O que pensar, então, desses assobios noturnos, e das palavras tão peculiares da moribunda?

— Não sei dizer.

— Quando você junta as ideias de assobios à noite, a presença de um bando de ciganos que conhecem intimamente esse velho médico, o fato de que temos todos os motivos para crer que era de seu interesse impedir o casamento da enteada, a alusão da moribunda a uma faixa, e finalmente, o fato de que a Srta. Helen Stoner ouviu um barulho metálico, que pode ter sido causado por uma daquelas barras de metal que travavam as trancas voltando para seu lugar, acho que há um bom embasamento para pensar que o mistério pode ser esclarecido seguindo essas pistas.

— Mas, então, o que os ciganos fizeram?

— Nem imagino.

— Tenho muitas objeções a qualquer teoria assim.

— Eu também. É justamente por esse motivo que iremos a Stoke Moran hoje. Quero ver se as objeções são irrefutáveis, ou se podem ser explicadas. Mas o quê, em nome do diabo!

A exclamação do meu colega deveu-se ao fato de que nossa porta havia sido abruptamente escancarada, e um homem enorme se postara no vão. Seu traje era uma mistura peculiar do profissional e do agrícola: uma cartola preta, um casaco longo, um par de polainas altas e um chicote de caça em sua mão. Ele era tão alto que seu chapéu encostava na viga acima da porta, e seus ombros pareciam preencher o vão todo. Um rosto largo, vincado por mil rugas, amarelado pelo sol e marcado com todo tipo de emoção perversa, encarava ora um, ora o outro de nós dois, enquanto seus olhos fundos, injetados de bílis, e seu nariz alto, fino, descarnado, lhe davam de certa forma a aparência de uma velha e feroz ave de rapina.

— Qual de vocês é Holmes? — perguntou a aparição.

— É meu nome, senhor; mas está em vantagem sobre mim — disse meu colega em voz baixa.

— Sou o Dr. Grimesby Roylott, de Stoke Moran.

— Pois bem, doutor — disse Holmes com voz branda. — Por favor, sente-se.

— Não farei nada disso. Minha enteada esteve aqui. Eu a segui. O que ela lhe disse?

— Está um pouco frio para esta época do ano — disse Holmes.

— O que ela lhe disse? — gritou o velho, furioso.

— Mas ouvi dizer que a safra de açafrão vai ser boa — continuou meu colega, imperturbável.

— Ha! Vai me ignorar, é? — disse nosso novo visitante, dando um passo à frente e agitando o chicote de caça. — Conheço você, seu canalha! Já ouvi falar de você. É Holmes, o intrometido.

Meu amigo sorriu.

— Holmes, o enxerido!

Seu sorriso se alargou.

— Holmes, o joão-bobo da Scotland Yard!

Holmes deu uma gargalhada.

— Sua conversa é muito divertida — disse. — Quando sair, feche a porta, pois está ventando muito.

— Sairei depois de dizer o que vim dizer. Não ouse se meter nos meus negócios. Eu sei que a Srta. Stoner esteve aqui. Eu a segui! É perigoso me contrariar! Veja. — Ele avançou rapidamente, pegou o atiçador e o curvou com suas manoplas bronzeadas.

— Trate de ficar longe das minhas garras — ele rosnou, e, jogando o atiçador deformado na lareira, saiu da sala pisando duro.

— Parece uma pessoa muito amigável — disse Holmes, rindo. — Não sou tão corpulento, mas se ele tivesse ficado, poderia lhe mostrar que minhas garras não são muito mais fracas do que as dele. — Enquanto falava, ele pegou o atiçador de aço e, com um esforço repentino, endireitou-o de novo.

— Imagine, ele teve a insolência de me confundir com um detetive oficial! Esse incidente apimenta nossa investigação, todavia, e só espero que nossa amiguinha não sofra por sua imprudência em permitir que esse bruto a seguisse. E agora, Watson, pediremos o desjejum, e depois eu irei até o Conselho de Medicina, onde espero conseguir alguns dados que possam nos ajudar com este caso.

Eram quase 13h quando Sherlock Holmes voltou de sua excursão. Trazia na mão uma folha de papel azul, toda rabiscada com anotações e cifras.

— Vi o testamento da falecida esposa — ele disse. — Para determinar seu significado exato, fui obrigado a calcular os preços atuais dos investimentos a que ele se refere. A renda total, que na época da morte da esposa era pouco menos de

1.100 libras, é agora, graças à queda dos preços na agricultura, de menos de 750 libras. Cada filha pode reivindicar uma renda de 250 libras na eventualidade de um casamento. É evidente, portanto, que se as duas garotas se casassem, aquela graça de homem passaria a receber uma ninharia, e mesmo se só uma delas se casasse, ele teria um prejuízo considerável. Meu trabalho matinal não foi em vão, pois provou que ele tem os mais fortes motivos para impedir qualquer coisa do tipo. E agora, Watson, este assunto é sério demais para tergiversar, especialmente considerando que o velho sabe que estamos interessados em seus negócios; portanto, se está pronto, vamos chamar uma carruagem e ir para Waterloo. Eu agradeceria muito se você levasse seu revólver no bolso. Uma Eley's* número 2 é um excelente argumento contra um cavalheiro que consegue dar nós em atiçadores de aço. Isso e uma escova de dente são, acho, tudo de que precisamos.

    Em Waterloo, tivemos a sorte de pegar um trem para Leatherhead, onde alugamos uma carroça no hotel da estação e viajamos por sete ou oito quilômetros pelas adoráveis alamedas de Surrey. Era um dia perfeito, com o sol brilhando e umas poucas nuvens lanuginosas no céu. As árvores e as sebes dos lados da estrada produziam seus primeiros brotos verdes, e o ar estava cheio do cheiro agradável da terra úmida. Para mim, pelo menos, havia um estranho contraste entre a doce promessa da primavera e a sinistra busca em que estávamos envolvidos. Meu colega

---

\* Eley's — marca inglesa de munição. (N. T.)

estava sentado na dianteira da carroça, com os braços cruzados, o chapéu puxado sobre os olhos e o queixo afundado no peito, perdido nos mais profundos pensamentos. De repente, porém, ele estremeceu, bateu no meu ombro e apontou para a pradaria.

— Veja ali! — ele disse.

Um parque de árvores densas cobria um aclive suave, engrossando até se tornar um bosque no ponto mais alto. Por entre os galhos despontavam os telhados cinza e a alta cumeeira de uma mansão muito antiga.

— Stoke Moran? — Holmes perguntou.

— Sim, senhor, essa é a casa do Dr. Grimesby Roylott — respondeu o cocheiro.

— A casa está em obras — disse Holmes —; é para lá que nós vamos.

— Lá está a aldeia — disse o cocheiro, apontando para um aglomerado de telhados a certa distância à esquerda —; mas se o senhor quer ir para a casa, o caminho mais curto é subir estes degraus e fazer o caminho a pé pelos campos. Ali, onde a madame está andando.

— E a madame, imagino, é a Srta. Stoner — observou Holmes, protegendo os olhos. — Sim, acho melhor fazermos o que o senhor sugere.

Descemos, pagamos a corrida, e a carroça chocalhou de volta para Leatherhead.

— Achei melhor — Holmes disse, enquanto subíamos os degraus —, esse sujeito pensar que estamos aqui como arquitetos, para tratar de negócios. Isso evitará mexericos. Boa tarde, Srta. Stoner. Como vê, cumprimos nossa palavra.

Nossa cliente matutina correra para nos alcançar com uma expressão que revelava sua alegria.

— Estava tão ansiosa esperando os senhores — exclamou, apertando carinhosamente nossas mãos. — Tudo correu esplendidamente. O Dr. Roylott foi para a cidade, e é improvável que ele volte antes de anoitecer.

— Tivemos o prazer de conhecer o doutor — disse Holmes, e em poucas palavras esboçou o que acontecera. A Srta. Stoner ficou pálida como um fantasma ao ouvir.

— Santos céus! — exclamou. — Ele me seguiu, então.

— Aparentemente.

— É tão astuto que nunca sei quando estou livre dele. O que dirá quando voltar?

— O doutor precisa se controlar, pois pode descobrir que há alguém mais astuto do que ele em seu encalço. A senhorita precisa se trancar esta noite. Se ele ficar violento, vamos levá-la para a casa da sua tia, em Harrow. Agora, precisamos fazer o melhor uso do nosso tempo, portanto, por gentileza, leve-nos já aos quartos que precisamos examinar.

A construção era de pedra cinza, marcada por liquens, com uma porção central alta e duas alas curvas, como as garras de um caranguejo, estendendo-se para cada lado. Numa dessas alas, as janelas estavam quebradas e cobertas por tábuas, e o telhado desabara parcialmente, o retrato de uma ruína. A porção central estava em pouco melhor estado, mas o bloco da direita era comparativamente moderno, e as persianas nas janelas, com a fumaça azul subindo das chaminés, mostravam que era ali que a família residia. Alguns andaimes haviam sido construídos no muro dos fundos, e a parede fora perfurada, mas não havia nenhum sinal de operários no momento de nossa visita. Holmes andava lentamente de um lado para o outro pela grama mal aparada, e examinava com profunda atenção o lado de fora das janelas.

— Esta, presumo, pertence ao quarto onde a senhorita dormia, a do meio ao quarto da sua irmã, e a outra, ao lado do prédio principal, ao dormitório do Dr. Roylott?

— Exatamente. Mas agora estou dormindo no quarto do meio.

— Durante a reforma, pelo que entendi. A propósito, aquela parede não parece estar necessitando de um conserto urgente.

— Não necessita mesmo. Acredito que foi um pretexto para me tirar do meu quarto.

— Ah! Isso é sugestivo. Agora, do outro lado dessa ala estreita fica o corredor para o qual dão estes três quartos. Há janelas nele, naturalmente?

— Sim, mas muito pequenas. Pequenas demais para alguém passar.

— Como as duas trancavam seus quartos à noite, eles eram inatingíveis por aquele lado. Bem, faria a gentileza de ir até seu quarto e travar a janela?

A Srta. Stoner fez isso, e Holmes, depois de um exame

cuidadoso através da janela aberta, tentou de todas as maneiras forçar o trinco, mas sem sucesso. Não havia uma fenda na qual uma faca pudesse ser enfiada para erguer a trava. Então, com sua lupa, ele testou as dobradiças, mas eram de ferro maciço, firmemente engastadas na robusta alvenaria.

— Hum! — disse ele, coçando o queixo com alguma perplexidade. — Minha teoria certamente apresenta algumas dificuldades. Ninguém consegue passar por esses trincos, quando estão travados. Bem, veremos se o lado de dentro joga alguma luz sobre o caso.

Uma pequena porta lateral levava ao corredor caiado que dava acesso aos três dormitórios. Holmes se recusou a examinar o terceiro quarto, por isso passamos diretamente ao segundo, aquele no qual a Srta. Stoner dormia agora, e onde sua irmã encontrara a morte. Era um quartinho simples, com pé-direito baixo e uma lareira enorme, à moda das velhas casas de campo. Havia um gaveteiro marrom num canto, uma cama estreita, de colcha branca, no outro, e uma penteadeira à esquerda da janela. Esses artigos, juntamente com duas pequenas cadeiras de vime, compunham toda a mobília do quarto, além de um tapete quadrado no centro. As tábuas do assoalho e dos painéis nas paredes eram de carvalho marrom e carcomido, tão velho e desbotado que devia datar da construção original da casa. Holmes puxou uma das cadeiras para um canto e se sentou em silêncio, enquanto seus olhos fitavam ao redor, em cima e embaixo, absorvendo cada detalhe do aposento.

— Onde toca aquela sineta? — ele perguntou finalmente, apontando para um cordão grosso que pendia ao lado da cama, com o arremate bem em cima do travesseiro.

— No quarto da criada.

— Parece mais nova do que o resto.

— Sim, só foi instalada há alguns anos.

— Por ordem de sua irmã, suponho?

— Não, nunca soube que ela a usasse. Nós sempre íamos pegar o que queríamos sozinhas.

— De fato, parece desnecessário colocar um tão belo cordão ali. Deem-me licença por alguns minutos para realizar um exame satisfatório deste assoalho. — Ele se jogou de bruços no chão, com sua lupa numa mão, e rastejou agilmente de um lado para o outro, examinando minuciosamente as fendas entre as tábuas. Depois fez a mesma coisa com as tábuas dos painéis que forravam as paredes. Finalmente, foi até a cama e passou algum tempo olhando para ela e correndo o olhar para cima e para baixo na parede. Finalmente, pegou o cordão da campainha e deu um puxão firme.

— Ora, é falso — ele disse.

— Não toca?

— Não, não está nem preso a nenhum fio. Muito interessante. Pode ver agora que está preso a um gancho logo acima da pequena abertura de ventilação.

— Que absurdo! Nunca notei isso.

— Muito estranho! — resmungou Holmes, puxando o cordão. — Há uma ou duas coisas muito singulares neste quarto. Por exemplo, que tolo o arquiteto deve ser para fazer uma abertura de ventilação que sai no outro quarto, quando daria o mesmo trabalho fazê-la na parede externa!

— Isso também é bem recente — disse a madame.

— Mais ou menos da mesma época da sineta? — perguntou Holmes.

— Sim, várias pequenas mudanças foram feitas nessa época.

— Todas de natureza deveras interessante; cordões de sineta falsos e aberturas de ventilação que não ventilam. Com sua permissão, Srta. Stoner, agora continuaremos nossa pesquisa no quarto mais central.

O quarto do Dr. Grimesby Roylott era maior que o da enteada, mas igualmente modesto na decoração. Um catre de campanha, uma pequena estante de madeira cheia de livros, técnicos na maioria, uma poltrona ao lado da cama, uma cadeira simples de madeira apoiada na parede, uma mesa redonda e um grande cofre de ferro eram as coisas que mais chamavam a atenção. Holmes andou lentamente pelo quarto e examinou todas elas com o mais profundo interesse.

— O que há aqui dentro? — ele perguntou, batendo no cofre.

— Documentos do trabalho do meu padrasto.

— Oh! Já o viu aberto, então?

— Só uma vez, há alguns anos. Lembro que estava cheio de papéis.

— Não há um gato dentro dele, por exemplo?

— Não. Que ideia estranha!

— Bem, veja isto! — Ele levantou um pratinho de leite que estava em cima do cofre.

— Não; não temos gatos. Mas temos um guepardo e um babuíno.

— Ah, sim, claro! Bem, um guepardo é apenas um gato grande; no entanto, ouso dizer que um pratinho de leite não ajudaria muito a satisfazer suas necessidades. Existe uma coisa que eu gostaria de determinar. — Ele se agachou diante da cadeira de madeira e examinou o assento com a maior atenção.

— Obrigado. Está bastante claro — ele disse, levantando-se e guardando a lupa no bolso. — Olá! Aqui está algo interessante!

O objeto que lhe chamara a atenção era uma pequena guia de cão pendurada num canto da cama. A guia, porém, estava enrolada e amarrada, como um rolo de corda.

— O que acha disto, Watson?

— É uma guia bastante comum. Mas não sei por que está amarrada.

— Isso não é tão comum, é? Ai de mim! Este mundo é perverso, e quando um homem inteligente devota a sua mente ao crime, é o pior de todos. Acho que já vi o suficiente, Srta. Stoner, e com sua permissão, iremos para o jardim.

Nunca vira o rosto do meu amigo tão conturbado, nem seu cenho tão franzido, como depois de sairmos do local dessa investigação. Andáramos várias vezes de um lado para o outro do jardim, nem a Srta. Stoner, nem eu, querendo interromper seus pensamentos antes que ele emergisse de seus devaneios.

— É essencial, Srta. Stoner — ele disse —, que siga os meus conselhos em todos os aspectos.

— Certamente farei isso.

— O assunto é grave demais para qualquer hesitação. Sua vida pode depender de sua concordância.

— Garanto que estou em suas mãos.

— Em primeiro lugar, meu amigo e eu precisaremos passar a noite no seu quarto.

Tanto a Srta. Stoner quanto eu o olhamos assombrados.

— Sim, é preciso. Deixe-me explicar. Imagino que aquele deva ser o hotel da cidade?

— Sim, é o Crown.

— Pois bem. Suas janelas seriam visíveis de lá?

— Com certeza.

— A senhorita precisa se confinar ao seu quarto, fingindo ter dor de cabeça, quando seu padrasto voltar. Então, quando o ouvir se recolhendo, deve destravar sua janela, abrir o trinco, pôr sua lâmpada como sinal para nós, e em seguida retirar-se silenciosamente, com tudo de que possa precisar, para o quarto que usava antes. Não tenho dúvida de que, apesar das obras, pode ficar ali por uma noite.

— Oh, sim, facilmente.

— O resto, deixe por nossa conta.

— Mas o que vão fazer?

— Vamos passar a noite no seu quarto e investigar a causa desse barulho que a incomodou.

— Acredito, Sr. Holmes, que já tirou suas conclusões — disse a Srta. Stoner, pondo a mão na manga do meu colega.

— Talvez eu já tenha tirado.

— Então, por caridade, diga-me qual foi a causa da morte da minha irmã.

— Prefiro ter provas mais claras antes de falar.

— Pode ao menos me dizer se o que pensei está correto, se ela morreu pelo terror repentino.

— Não, acho que não. Acho que, provavelmente, houve uma causa mais tangível. E agora, Srta. Stoner, precisamos deixá-la, porque se o Dr. Roylott voltar e nos vir aqui, nossa jornada terá sido em vão. Adeus, e tenha coragem, pois se fizer o que mandei, pode ter certeza de que logo afastaremos os perigos que a ameaçam.

Sherlock Holmes e eu não tivemos dificuldade para conseguir um quarto e uma sala de estar no Crown Inn. Ficavam no andar superior, e da nossa janela, tínhamos uma visão do portão na avenida e da ala habitada da mansão de Stoke Moran. No crepúsculo, vimos o Dr. Grimesby Roylott passar, com sua enorme silhueta se agigantando ao lado da pequena figura de seu jovem cocheiro. O rapazinho teve alguma dificuldade para abrir os pesados portões de ferro, e ouvimos o rugido rouco da voz do doutor e vimos a fúria com a qual agitou os punhos fechados para o cocheiro. A carruagem entrou, e alguns minutos depois, vimos uma luz surgir entre as árvores, quando a lâmpada foi acesa numa das salas de estar.

— Sabe, Watson — Holmes disse enquanto esperávamos na escuridão crescente —, tenho realmente alguns escrúpulos sobre levar você esta noite. Há um distinto elemento de perigo.

— Posso ser útil?

— Sua presença pode ser inestimável.

— Então certamente irei.

— É muita gentileza sua.

— Você fala de perigo. Evidentemente, viu nesses quartos mais do que aquilo que era visível para mim.

— Não, mas acho que deduzi um pouco mais. Imagino que você tenha visto tudo aquilo que vi.

— Não vi nada notável, a não ser o cordão da sineta, e qual poderia ser a sua finalidade, confesso que é mais do que posso responder.

— Viu a abertura de ventilação também?

— Sim, mas não acho que seja algo tão incomum haver uma pequena abertura entre dois quartos. Era tão pequena que um rato mal conseguiria passar.

— Eu sabia que encontraríamos uma abertura de ventilação antes mesmo de chegarmos a Stoke Moran.

— Meu caro Holmes!

— Oh, sim, sabia. Você lembra que, em seu depoimento, a jovem disse que a irmã sentia o cheiro do charuto do Dr. Roylott. Bem, naturalmente, isso sugeriu de imediato que devia haver uma comunicação entre os dois quartos. Só poderia ser pequena, ou teria sido notada no inquérito do legista. Deduzi uma abertura de ventilação.

— Mas que mal pode haver nisso?

— Bem, há no mínimo uma coincidência curiosa de datas. Uma abertura de ventilação é feita, um cordão é pendurado, e uma jovem que dorme na cama morre. Não acha isso estranho?

— Ainda não consigo ver uma conexão.

— Você observou algo de muito peculiar naquela cama?

— Não.

— Ela era pregada no chão. Alguma vez você viu uma cama presa assim?

— Não posso dizer que já tenha visto.

— A jovem não podia mudar a cama de lugar. Ela devia ficar sempre na mesma posição relativamente à abertura de ventilação e à corda, como podemos chamá-la, pois claramente não foi feita para ser usada como uma sineta.

— Holmes — exclamei —, começo a enxergar vagamente o que você está insinuando. Chegamos bem a tempo de prever um crime sutil e horrível.

— Sutil e horrível mesmo. Quando um médico segue o caminho do mal, torna-se um mestre entre os criminosos. Tem sangue-frio e conhecimento. Palmer e Pritchard faziam parte da nata da sua profissão. Este homem golpeia até mais forte, mas acho, Watson, que conseguiremos golpeá-lo com mais força ainda. Todavia, veremos horrores suficientes antes que a noite acabe; por caridade, vamos fumar cachimbo em paz e ocupar nossa mente por algumas horas com algo mais alegre.

Por volta das 21h, a luz entre as árvores foi apagada, e tudo ficou escuro na direção da mansão. Duas horas passaram lentamente, e então, abruptamente, quando batiam as onze, uma única luz brilhante se acendeu bem à nossa frente.

— É o nosso sinal — disse Holmes, saltando de pé —; vem da janela do meio.

Quando saímos, ele trocou algumas palavras com o senhorio, explicando que íamos fazer uma visita tardia a um conhecido, e que era possível que passássemos a noite lá. Um momento depois, estávamos na estrada escura, com um vento frio soprando no nosso rosto e uma luz amarela tremulando à nossa frente nas trevas, para guiar-nos em nossa sombria missão.

Tivemos pouca dificuldade em entrar no terreno, pois havia rachaduras sem conserto nos velhos muros do parque. Abrindo caminho entre as árvores, chegamos ao gramado, atravessamo-lo, e estávamos para entrar pela janela, quando de um tufo de arbustos de loureiro saiu o que parecia ser uma criança deformada e hedionda, que se jogou sobre a grama contorcendo os membros e correu rapidamente para a escuridão.

— Meu Deus! — murmurei. — Você viu aquilo?

Por um momento, Holmes ficou tão assustado quanto eu. Sua mão se fechou como uma morsa sobre o meu pulso, na agitação. Então ele riu baixinho e encostou os lábios no meu ouvido.

— Que bela casa — ele murmurou. — Aquele é o babuíno.

Eu havia esquecido os estranhos bichos de estimação que o doutor criava. Havia o guepardo também; talvez o encontrássemos saltando sobre nós a qualquer momento. Confesso que me senti mais tranquilo quando, depois de seguir o exemplo de Holmes e tirar os sapatos, me encontrei dentro do quarto. Sem fazer barulho, meu colega travou a janela, pôs a lâmpada sobre a mesa e correu os olhos pelo quarto. Tudo estava como víramos durante o dia. Então, aproximando-se de mim e pondo as mãos em cone, ele sussurrou ao meu ouvido mais uma vez, tão baixinho que mal consegui distinguir as palavras:

— O menor ruído seria fatal para os nossos planos.

Balancei a cabeça para mostrar que havia entendido.

— Precisamos esperar sem luz. Ele a veria pela abertura de ventilação.

Balancei a cabeça de novo.

— Não durma; sua vida pode depender disso. Mantenha a pistola pronta para o caso de precisarmos dela. Vou me sentar na borda da cama, e você, naquela poltrona.

Tirei meu revólver e o deixei no canto da mesa.

Holmes trouxera uma bengala longa e fina, e a colocou na cama, ao seu lado. Perto dela, deixou a caixa de fósforos e um toco de vela. Então apagou a lâmpada, e ficamos na escuridão.

Como poderei esquecer aquela terrível vigília? Eu não ouvia um som, nem mesmo da sua respiração, e mesmo assim sabia que meu colega estava de olhos abertos, a poucos metros de mim, no mesmo estado de tensão nervosa em que eu me encontrava. As persianas bloquearam o último raio de luz, e nós esperamos na mais absoluta escuridão.

De fora vinha o pio ocasional de algum pássaro noturno, e uma vez, perto da nossa janela, um guincho prolongado e felino, que nos indicou que o guepardo estava de fato à solta. Bem longe, podíamos ouvir os tons profundos do relógio da paróquia, cujo sino batia a cada quarto de hora. Como pareciam intermináveis, aqueles quartos! Bateu a meia-noite, a uma, as duas e as três, e nós continuávamos esperando silenciosamente pelo que pudesse acontecer.

De repente, houve o brilho momentâneo de uma luz de cima, vindo da direção da abertura de ventilação, que desapareceu imediatamente, mas seguida por um forte cheiro de óleo queimando e metal aquecido. Alguém no quarto ao lado havia acendido e abafado uma lanterna. Ouvi um ruído baixo de movimento, e então tudo ficou em silêncio mais uma vez, embora o cheiro ficasse mais forte. Por meia hora esperei, aguçando os ouvidos. Então, de repente, outro som ficou audível — um som suave e calmante, como o de um pequeno jato de vapor escapando continuamente de uma chaleira. Assim que o ouvimos, Holmes pulou da cama, riscou um fósforo e bateu furiosamente com sua bengala no cordão da sineta.

— Está vendo, Watson? — ele gritou. — Consegue vê-la?

Mas eu não via nada. No momento em que Holmes riscou o fósforo, ouvi um assobio baixo e nítido, mas o clarão repentino nos meus olhos cansados impossibilitava que eu visse o que meu amigo golpeava tão selvagemente. Eu podia ver, todavia, que seu rosto estava mortalmente pálido e cheio de horror e ódio. Ele havia parado de bater e estava olhando para cima, para a abertura de ventilação, quando de súbito o silêncio da noite foi quebrado pelo urro mais horrível que já ouvi na vida. Ficava cada vez mais alto, um berro rouco de dor, medo e raiva, tudo misturado num uivo pavoroso. Dizem que lá na aldeia, e até na sacristia, que ficava mais distante, aquele uivo tirou da cama quem dormia. Congelou o coração de todos, e eu fiquei olhando para Holmes, e ele para mim, até que seus últimos ecos morreram no silêncio do qual surgiram.

— O que pode significar isso? — gaguejei.

— Significa que está tudo acabado — Holmes respondeu. — E talvez, no fim das contas, seja melhor assim. Pegue sua pistola e vamos entrar no quarto do Dr. Roylott.

Com um grave semblante, ele acendeu a lâmpada e andou pelo corredor. Por duas vezes bateu à porta do cômodo, sem obter nenhuma resposta. Então girou a maçaneta e entrou, comigo seguindo-o de perto, com a pistola engatilhada na mão.

Foi uma visão singular que se revelou aos nossos olhos. Sobre a mesa havia uma lanterna com a portinhola semiaberta, jogando um brilhante facho de luz sobre o cofre de ferro, cuja porta estava aberta. Ao lado dessa mesa, na cadeira de madeira, estava o Dr. Grimesby Roylott, usando um longo roupão cinza, de baixo do qual projetavam-se seus tornozelos nus, com os pés metidos em chinelas turcas vermelhas sem salto. Em seu colo jazia a coleira curta com a longa guia que havíamos notado durante o dia. Seu queixo estava erguido, e seus olhos fitavam, com um olhar medonho e rígido, o canto do forro. Ao redor da testa, ele usava uma peculiar faixa amarela, com pintas amarronzadas, que parecia estar fortemente atada em sua cabeça. Quando entramos, ele não emitiu nenhum som, tampouco se mexeu.

— A faixa! A faixa pintada! — murmurou Holmes.

Dei um passo à frente. Subitamente, o estranho adereço começou a se mover, e dos cabelos do homem ergueu-se a cabeça chata e rombuda e o pescoço inchado de uma detestável serpente.

— É uma víbora dos pântanos! — gritou Holmes. — O ofídeo mais mortal da Índia. Ele morreu dez segundos depois de ser picado. A violência se volta, de fato, contra quem é violento, e o conspirador cai no fosso que cavou para outrem. Joguemos essa criatura de volta à sua morada, e então poderemos levar a Srta. Stoner para algum abrigo, e contar à polícia local o que aconteceu.

Enquanto falava, ele tirou rapidamente a guia do regaço do morto, e passando o laço em volta do pescoço do réptil, retirou-o de seu hediondo poleiro e, carregando-o com o braço esticado, jogou-o no cofre de ferro, fechando a porta em seguida.

Esses são os verdadeiros fatos da morte do Dr. Grimesby Roylott, de Stoke Moran. Não é necessário que eu prolongue uma narrativa que já está longa demais contando como demos a triste notícia à aterrorizada jovem, como a levamos no trem matutino para ser cuidada por sua boa tia em Harrow, como o longo processo do inquérito oficial chegou à conclusão de que o médico encontrou a morte ao brincar com um perigoso animal de estimação. O pouco que ainda me faltava saber sobre o caso, Sherlock Holmes me contou enquanto regressávamos, no dia seguinte.

— Eu havia — ele disse — chegado a uma conclusão inteiramente equivocada, o que mostra, meu caro Watson, quão perigoso é raciocinar a partir de dados insuficientes. A presença dos ciganos, e o uso da palavra "faixa" pela pobre jovem, sem dúvida para explicar a aparição que ela vislumbrara de relance à luz de um fósforo, foram suficientes para me jogar completamente na pista errada. Só posso reivindicar o mérito de ter instantaneamente reconsiderado minha posição, todavia, quando ficou claro para mim que qualquer perigo para a ocupante do quarto não poderia vir nem da janela, nem da porta. Minha atenção foi rapidamente atraída, como já comentei com você, para essa abertura de ventilação, e para o cordão da sineta que descia até a cama. A descoberta de que o cordão era falso, e de que a cama estava pregada ao chão, imediatamente fizeram surgir a suspeita de que o cordão servia de ponte para algo que passava pelo buraco e descia até a cama. A ideia de uma cobra me ocorreu instantaneamente, e quando a associei com meu conhecimento de que o médico tinha um suprimento de criaturas da Índia, achei que provavelmente estava na pista certa. A ideia de usar uma forma de veneno que não poderia ser descoberta por nenhum teste químico era bem do tipo que ocorreria a um homem astuto e impiedoso, familiarizado com o Oriente. A rapidez com que um tal veneno faz efeito, também, de seu ponto de vista, seria uma vantagem. Só um legista muito meticuloso, de fato, notaria as duas pequenas marcas escuras que mostravam onde as presas venenosas fizeram seu trabalho. Então pensei no assobio. Naturalmente, ele precisava chamar de volta a cobra antes que a luz da manhã a revelasse para a vítima. Ele a treinara, provavelmente usando o leite que vimos, para voltar quando fosse chamada. Soltava-a através da abertura de ventilação na hora que achasse melhor, com a certeza de que ela desceria pela corda e chegaria à cama. Podia morder a ocupante ou não, talvez esta escapasse todas as noites por uma semana, mas cedo ou tarde seria vitimada.

"Cheguei a essas conclusões antes mesmo de entrar no quarto dele. Uma inspeção da sua cadeira revelou que ele costumava ficar de pé sobre ela, o que, naturalmente, seria necessário para alcançar a abertura de ventilação. A presença do cofre, do prato de leite e da guia enrolada bastou para finalmente afastar quaisquer dúvidas que pudessem permanecer. O ruído metálico ouvido pela Srta. Stoner era obviamente causado por seu padrasto fechando rapidamente a porta do cofre sobre sua terrível ocupante. Depois de ter me convencido, você conhece as medidas que tomei para pôr a questão à prova. Ouvi a criatura sibilando, como sem dúvida você também a ouviu, e imediatamente risquei o fósforo e a ataquei."

— Fazendo-a fugir através da abertura de ventilação.

— E também fazendo-a revoltar-se contra seu dono do outro lado. Alguns golpes da minha bengala a atingiram e despertaram seu temperamento reptiliano, e ela saltou sobre a primeira pessoa que viu. Dessa forma, sem dúvida sou indiretamente responsável pela morte do Dr. Grimesby Roylott, e não posso dizer que acho que isso há de me pesar muito na consciência.

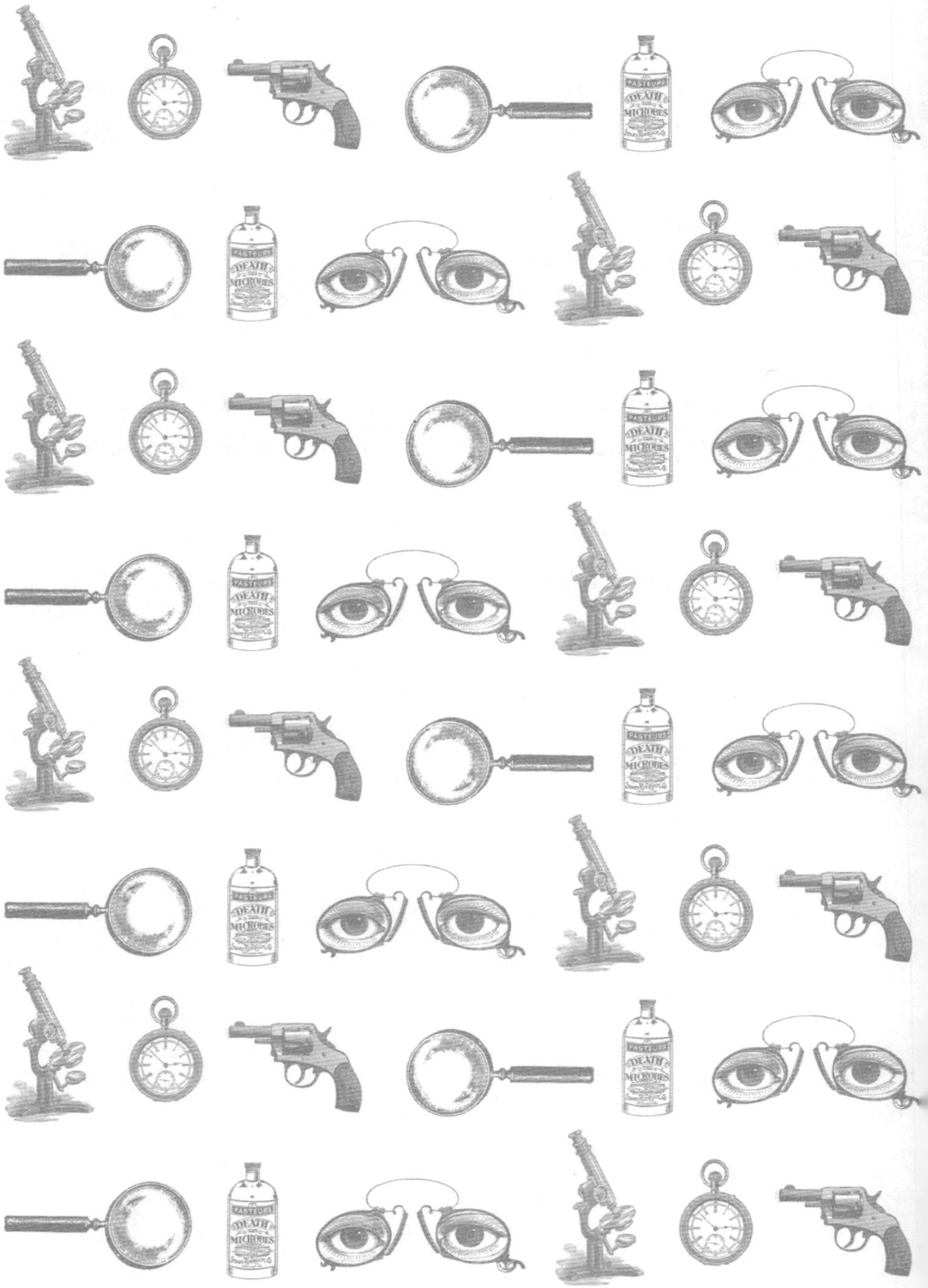
PASTEURS
DEATH
MICROBES

*nove*
# A AVENTURA DO POLEGAR DO ENGENHEIRO

De todos os problemas que foram submetidos ao meu amigo, o Sr. Sherlock Holmes, para serem solucionados, durante os anos em que fomos íntimos, somente dois foram trazidos à sua atenção por meu intermédio — o do polegar do Sr. Hatherley e o da loucura do coronel Warburton. Desses dois, o segundo pode ter proporcionado um campo melhor para um observador contundente e original, mas o outro foi tão estranho em seu início e tão dramático nos detalhes, que pode ser o mais digno de ser registrado, mesmo tendo dado ao meu amigo menos oportunidades de usar os métodos dedutivos de raciocínio com os quais ele atingia resultados tão notáveis. A história foi, creio, contada mais de uma vez pelos jornais, mas, como todas as narrativas do gênero, é muito menos impactante quando publicada em bloco numa única meia coluna de texto, do que quando os fatos evoluem lentamente diante dos seus olhos, e o mistério se aclara gradualmente à medida que cada nova descoberta fornece um passo que leva à verdade completa. Na época, as circunstâncias me impressionaram profundamente, e dois anos depois, o efeito não enfraqueceu tanto.

Foi no verão de 1889, pouco depois do meu casamento, que ocorreram os acontecimentos que estou prestes a resumir. Eu voltara à prática da medicina civil e finalmente abandonara Holmes em seus aposentos na Baker Street, embora o visitasse continuamente, e ocasionalmente até o persuadisse a abandonar seus hábitos boêmios o suficiente para vir nos visitar. Minha prática aumentava de maneira regular, e como eu não morava muito longe da Estação Paddington, alguns de meus pacientes eram funcionários da ferrovia. Um desses, que eu curara de uma doença dolorosa e persistente, não se cansava de alardear minhas virtudes e tentar me enviar todo sofredor sobre o qual pudesse exercer alguma influência.

Uma manhã, pouco depois das sete, fui acordado pela criada batendo à porta para anunciar que dois homens tinham vindo de Paddington e esperavam no consultório. Vesti-me apressadamente, já que sabia por experiência que os casos ferroviários raramente eram triviais, e me precipitei escada abaixo. Quando desci, meu velho aliado, o vigia, saiu da sala e fechou a porta atrás de si.

— Estou com ele aqui — sussurrou, apontando com o polegar por cima do ombro —; ele está bem.

— O que é, afinal? — perguntei, pois sua atitude sugeria que ele prendera alguma estranha criatura em minha sala.

— É um novo paciente — ele cochichou. — Achei melhor eu mesmo trazê-lo; assim, ele não poderia fugir. Está ali dentro, a salvo. Agora preciso ir, doutor; tenho meus deveres, como o senhor. — E saiu, esse fiel prosélito, sem nem me dar tempo de lhe agradecer.

Entrei no meu consultório e encontrei um cavalheiro sentado à mesa. Estava vestido discretamente com um terno de *tweed* e um gorro de tecido, que ele deixara sobre meus livros. Tinha um lenço enrolado ao redor de uma das mãos, todo manchado de sangue. Era jovem, devia ter menos de 25 anos, eu diria, com um rosto forte e másculo; mas estava demasiadamente pálido e me deu a impressão de alguém que sofria de forte agitação, e precisava usar de toda a sua força mental para se controlar.

— Lamento acordá-lo tão cedo, doutor — ele disse —, mas sofri um acidente muito grave durante a noite. Cheguei de trem hoje de manhã, e ao perguntar em Paddington onde poderia encontrar um médico, fui gentilmente acompanhado até aqui por um excelente sujeito. Dei meu cartão à criada, mas vejo que ela o deixou sobre a mesinha.

Eu o peguei e corri os olhos por ele.

— Sr. Victor Hatherley, engenheiro hidráulico, Victoria Street, 16A (3º andar). — Esses eram o nome, a profissão e a residência do meu visitante matinal. — Lamento tê-lo feito esperar — eu disse, sentando-me em minha poltrona de leitura. — O senhor acaba de fazer uma viagem noturna, pelo que entendo, o que já é uma ocupação monótona.

— Oh, não se pode dizer que minha noite foi monótona — ele disse, e riu. Ria desbragadamente, com um tom agudo e estridente, jogando-se para trás na poltrona e agitando o corpo. Todos os meus instintos médicos se eriçaram com aquela risada.

— Pare com isso! — gritei. — Controle-se! — E lhe servi um pouco d'água de uma jarra.

Foi inútil, porém. Ele fora acometido por um daqueles rompantes histéricos que se apossam dos fortes quando alguma grande crise é superada. Finalmente, voltou a si mais uma vez, exausto e com o rosto afogueado.

— Estou fazendo papel de tolo — gaguejou.

— De modo algum. Tome isto. — Joguei um pouco de *brandy* na água, e a cor começou a voltar às suas bochechas pálidas.

— Assim está melhor! — ele disse. — E agora, doutor, talvez possa fazer a gentileza de cuidar do meu polegar, ou melhor, do lugar onde ficava o meu polegar.

Ele desatou o lenço e estendeu a mão. Até com meus nervos calejados, senti um calafrio ao olhar. Havia quatro dedos e uma horrenda superfície vermelha e esponjosa onde deveria estar o polegar. Ele fora decepado ou arrancado na raiz.

— Pelos céus! — exclamei. — É um ferimento terrível. Deve ter sangrado consideravelmente.

— Sangrou, sim. Desmaiei quando aconteceu, e acho que devo ter ficado desacordado por muito tempo. Quando despertei, vi que ainda estava sangrando, por isso amarrei meu lenço bem apertado em volta do pulso e prendi-o com um graveto.

— Excelente! O senhor deveria ter sido cirurgião.

— É um problema de hidráulica, veja bem, por isso estava na minha área.

— Isto foi feito — eu disse, examinando o ferimento — com um instrumento muito pesado e afiado.

— Algo como uma machadinha de açougueiro — ele disse.

— Um acidente, presumo?

— De modo algum.

— O quê! Um ataque assassino?

— Muito assassino mesmo.

— Estou horrorizado.

Passei uma esponja no ferimento, limpei-o, pensei-o, e finalmente o enfaixei com tufos de algodão e bandagens fenólicas. Ele ficou imóvel, sem se encolher, embora mordesse o lábio de vez em quando.

— Que tal? — perguntei, quando terminei.

— Excelente! Com seu *brandy* e seu curativo, sinto-me um novo homem. Eu estava muito fraco, mas passei por uns maus bocados.

— Talvez seja melhor não falar nesse assunto. Evidentemente, faz mal aos seus nervos.

— Oh, não, agora não. Vou precisar contar minha história à polícia; porém, cá entre nós, se não fosse pela convincente prova que é este meu ferimento, eu ficaria surpreso se acreditassem no meu depoimento, porque o caso é deveras extraordinário, e não tenho muitas provas para corroborá-lo; e ainda que acreditassem em mim, as pistas que posso lhes fornecer são tão vagas que é de se duvidar que a justiça será feita.

— Ha! — exclamei. — Se o caso é como um problema que o senhor deseja resolver, recomendo veementemente que procure meu amigo, o Sr. Sherlock Holmes, antes de ir à polícia oficial.

— Oh, ouvi falar desse sujeito — respondeu meu visitante —, e ficaria muito feliz se ele se interessasse pelo assunto, embora, é claro, eu também precise procurar a polícia oficial. O senhor escreveria uma carta de apresentação?

— Farei melhor do que isso. Levarei pessoalmente o senhor.

— Eu ficaria imensamente agradecido.

— Vamos chamar uma carruagem e ir juntos. Chegaremos bem a tempo de fazer o desjejum com ele. Sente-se disposto?

— Sim; não descansarei enquanto não contar a minha história.

— Então minha criada chamará uma carruagem, e estarei com o senhor daqui a um instante. — Subi a escada, expliquei brevemente a questão à minha esposa, e cinco minutos depois, estava num *hansom*, levando meu novo conhecido para a Baker Street.

Sherlock Holmes estava, como eu esperava, matando o tempo em sua sala de estar, de roupão, lendo os anúncios de desaparecidos do *The Times* e fumando seu cachimbo pré-desjejum, formado por todos os restos de tabaco dos cachimbos do dia anterior, cuidadosamente secos e coletados no canto da moldura da lareira. Ele nos recebeu à sua maneira discretamente simpática, pediu ovos com toucinho e nos acompanhou numa refeição reforçada. Quando terminamos, acomodou nosso novo conhecido no sofá, pôs um travesseiro debaixo de sua cabeça, e deixou um copo de *brandy* com água ao seu alcance.

— É fácil perceber que sua experiência não foi comum, Sr. Hatherley — ele disse. — Por favor, acomode-se ali e sinta-se completamente em casa. Conte-nos o que puder, mas pare quando estiver cansado e preserve as forças com um pequeno estimulante.

— Obrigado — disse meu paciente —, mas sinto-me um novo homem desde que o doutor me enfaixou, e acho que seu desjejum completou a cura. Tomarei o mínimo possível de seu valioso tempo, por isso começarei imediatamente a narrar minhas peculiares experiências.

Holmes se sentou em sua grande poltrona com a expressão fatigada e de pálpebras pesadas que mascarava sua natureza sagaz e ansiosa, e eu me sentei na frente dele, e ouvimos em silêncio a estranha história que nosso visitante detalhou.

— Os senhores precisam saber — ele disse — que sou órfão e solteiro, e moro sozinho numa hospedaria em Londres. Profissionalmente, sou engenheiro hidráulico, e adquiri considerável experiência no meu trabalho durante os sete anos em que fui aprendiz na Venner and Matheson, a famosa firma de Greenwich. Dois anos atrás, depois de terminar meu período de aprendizado, e também tendo herdado uma quantia razoável mediante o falecimento do meu pobre pai, resolvi abrir um negócio próprio e aluguei um imóvel comercial na Victoria Street.

"Suponho que todos achem sua primeira incursão independente nos negócios uma experiência desanimadora. Para mim, isso se confirmou de maneira excepcional. Durante dois anos, fiz três orçamentos e um pequeno serviço, e isso é absolutamente tudo o que minha profissão me trouxe. Meu faturamento bruto totaliza 27 libras e 10 xelins. Dia após dia, das nove da manhã às quatro da tarde, eu esperava na minha saleta, até que finalmente meu coração começou a fraquejar, e acabei acreditando que nunca conseguiria ter um negócio.

"Ontem, no entanto, quando eu estava pensando em fechar o escritório, meu funcionário entrou para dizer que havia um cavalheiro me esperando, e que queria falar comigo de negócios. Trouxe um cartão, também, com o nome 'Coronel Lysander Stark' gravado. O próprio coronel seguia-o de perto, um homem de estatura pouco mais que mediana, mas excessivamente magro. Acho que nunca vi um homem tão magro. Seu rosto se afinava até sumir no nariz e no queixo, e a pele de suas bochechas estava esticada sobre seus ossos saltados. Porém, essa emaciação parecia ser seu estado natural, e não dever-se a doenças, visto que seu olhar era brilhante, seu andar, ligeiro, e sua atitude, confiante. Estava vestido de maneira simples, mas bem, e sua idade, pelo que calculei, estava mais perto da casa dos 40 que dos 30.

"'Sr. Hatherley?', ele disse, com um pouco de sotaque alemão. 'O senhor me foi recomendado, Sr. Hatherley, não só como alguém eficiente em sua profissão, mas também discreto e capaz de guardar um segredo.'

"Fiz uma reverência, sentindo-me tão lisonjeado quanto qualquer jovem ficaria em ser tratado assim. 'Posso perguntar quem falou tão bem de mim?'

"'Bem, talvez seja melhor não lhe contar isso neste momento. A mesma fonte me contou que o senhor é órfão e solteiro, e mora sozinho em Londres.'

"'Isso está correto', respondi; 'mas vai me desculpar se eu disser que não entendo em que isso pesa na minha qualificação profissional. Entendi que o senhor queria falar comigo de uma questão profissional?'

"'Sem dúvida. Mas o senhor descobrirá que tudo o que digo realmente tem relevância. Tenho um empenho profissional para o senhor, mas sigilo absoluto é completamente essencial, sigilo absoluto, entenda, e naturalmente podemos esperar isso mais de um homem sozinho do que de alguém que mora no seio de uma família.'

"'Quando prometo guardar um segredo', eu disse, 'pode ter absoluta confiança de que o farei.'

"Ele me olhava intensamente enquanto eu falava, e jamais vi um olhar tão cheio de suspeita e interrogações.

"'Promete, então?', disse finalmente.

"'Sim, prometo.'

"'Silêncio absoluto e total antes, durante e depois? Nenhuma referência ao assunto, nem falada, nem por escrito?'

"'Já lhe dei minha palavra.'

"'Muito bem.' Ele se levantou de repente, e voando como um raio pela sala, abriu a porta. O corredor lá fora estava vazio.

"'Está tudo bem', ele disse, voltando. 'Sei que funcionários às vezes ficam curiosos com os negócios de seus patrões. Agora podemos conversar com segurança.' Ele puxou sua cadeira bem perto da minha e começou a me encarar novamente com aquele olhar interrogador e pensativo.

"Uma sensação de repulsa, e de algo parecido com medo, começara a surgir dentro de mim ao ver os gestos estranhos daquele homem descarnado. Nem meu horror de perder um cliente me impediu de manifestar minha impaciência.

"'Rogo que explique seu negócio, senhor', eu disse; 'meu tempo é valioso.' Deus me perdoe por essa última frase, mas as palavras brotaram dos meus lábios.

"'Acha suficientes cinquenta guinéus por uma noite de trabalho?', ele perguntou.

"'Completamente.'

"'Digo uma noite de trabalho, mas seria mais acertado dizer uma hora de trabalho. Quero apenas sua opinião sobre uma prensa hidráulica que parou de funcionar. Se nos mostrar onde está o defeito, logo nós mesmos a consertaremos. O que acha desse serviço?'

"'O trabalho parece ser leve, e a remuneração é magnífica.'

"'Exatamente. Queremos que o senhor parta hoje à noite no último trem.'

"'Para onde?'

"'Para Eyford, em Berkshire. É um lugarzinho perto da fronteira de Oxfordshire, e a onze quilômetros de Reading. Há um trem que sai de Paddington para lá por volta das 23h15.'

"'Muito bem.'

"'Estarei à sua espera com uma carruagem.'

"'Fica longe, então?'

"'Sim, nosso lugarzinho é na zona rural, bem afastado. A uns onze quilômetros da Estação Eyford.'

"'Então dificilmente chegaremos lá antes da meia-noite. Imagino que não haja nenhum trem para regressar. Vou precisar pernoitar por lá.'

"'Sim, podemos facilmente improvisar um leito para o senhor.'

"'É muito incômodo. Eu não poderia ir num horário mais conveniente?'

"'Achamos melhor que o senhor vá à noite. É para compensar qualquer inconveniência que estamos pagando ao senhor, um jovem desconhecido, um valor que compraria a opinião dos melhores na sua profissão. No entanto, é claro, se quiser desistir do negócio, há tempo de sobra para fazer isso.'

"Pensei nos cinquenta guinéus e em como eles me seriam úteis. 'De modo algum', falei; 'ficarei muito feliz em me ajustar aos seus desejos. Gostaria, porém, de entender um pouco melhor o que querem que eu faça.'

"'Pois bem. É muito natural que o pedido de sigilo que exigimos tenha despertado sua curiosidade. Não quero que se empenhe com nada sem antes explicar toda a situação. Suponho que estejamos a salvo de bisbilhoteiros?'

"'Totalmente.'

"'Então, esta é a situação. O senhor deve saber que a greda é um produto valioso, e que só é encontrada em um ou dois lugares da Inglaterra.'

"'Ouvi falar disso.'

"'Algum tempo atrás, comprei uma pequena propriedade, muito pequena, a 16 quilômetros de Reading. Tive a sorte de descobrir que havia uma jazida de greda numa das minhas plantações. Ao examiná-la, todavia, descobri que essa jazida era comparativamente pequena, e formava um canal entre duas jazidas muito maiores à direita e à esquerda — ambas, porém, nos terrenos dos meus vizinhos. Aquela boa gente ignorava por completo que sua terra continha algo tão valioso quanto uma mina de ouro. Naturalmente, era do meu interesse comprar suas terras antes que eles descobrissem seu verdadeiro valor, mas infelizmente eu não tinha capital para tanto. Mas confidenciei o segredo a alguns amigos, e eles sugeriram que explorássemos silenciosa e secretamente nossa pequena jazida, e dessa forma levantássemos o dinheiro que nos permitiria comprar os terrenos vizinhos. Estamos fazendo isso há algum tempo, e para ajudar na nossa operação, montamos uma prensa hidráulica. Essa prensa, como já expliquei, parou de funcionar, e queremos sua opinião sobre o assunto. Guardamos nosso segredo muito zelosamente, no entanto, e se alguém ficasse sabendo que recebemos engenheiros hidráulicos em nossa casinha, isso logo motivaria uma investigação, e então, se os fatos viessem à tona, poderíamos dar adeus a qualquer probabilidade de comprar aqueles terrenos e realizar nossos planos. Por isso fiz o senhor prometer não contar a ninguém que está indo para Eyford hoje à noite. Espero que tudo esteja claro.'

"'Entendo o senhor', eu disse. 'A única coisa que não compreendi é que uso teria uma prensa hidráulica numa escavação de greda, a qual, pelo que sei, é retirada como o cascalho de uma vala.'

"'Ah!', ele disse despreocupadamente. 'Temos um processo próprio. Comprimimos a terra em tijolos, para poder removê-los sem revelar o que são. Mas isso é um mero detalhe. Eu me abri completamente agora, Sr. Hatherley, e mostrei quanto confio no senhor.' Ele se levantou enquanto falava. 'Vou esperá-lo, então, em Eyford às 23h15.'

"'Certamente estarei lá.'

"'E nem uma palavra para vivalma.' Ele me encarou com um último olhar longo e interrogativo, e então, tomando minha mão num aperto frio e úmido, saiu rapidamente da sala.

"Bem, quando pensei a respeito de tudo aquilo friamente, fiquei deveras assombrado, como os senhores podem imaginar, com esse empenho repentino que me fora confiado. Por um lado, é claro, eu estava feliz, pois a remuneração era no mínimo dez vezes o que eu teria pedido, se tivesse que dar um preço aos meus serviços, e era possível que aquele trabalho pudesse levar a novas contratações. Por outro, o rosto e a atitude do meu contratante me deixaram com uma impressão desagradável, e eu achava que sua explicação sobre a greda não era suficiente para justificar a necessidade da minha ida à meia-noite, nem sua extrema ansiedade por temer que eu pudesse contar a alguém sobre o serviço. Porém, joguei todos os medos ao vento, comi um lauto jantar, fui até Paddington e parti, depois de obedecer à letra a injunção de manter minha boca fechada.

"Em Reading, tive que mudar não só de vagão, mas de estação. Mas cheguei a tempo para o último trem para Eyford, e desembarquei na pequena e mal iluminada estação depois das 23h. Fui o único passageiro a descer ali, e não havia ninguém na plataforma além de um único e sonolento carregador de bagagens com uma lanterna. Ao passar pela cancela, porém, encontrei meu conhecido da manhã esperando nas sombras do outro lado. Sem uma palavra, ele pegou meu braço e me puxou para uma carruagem, cuja porta já estava aberta. Ele fechou as janelas de ambos os lados, bateu na lateral da cabine, e nós partimos, tão velozmente quanto um cavalo é capaz de galopar."

— Um cavalo? — interrompeu Holmes.

— Sim, só um.

— O senhor observou a cor?

— Sim, eu o vi à luz das lanternas laterais quando estava entrando na carruagem. Era baio.

— Parecia exausto ou descansado?

— Oh, descansado e recém-escovado.

— Obrigado. Lamento tê-lo interrompido. Por favor, continue com seu depoimento assaz interessante.

— Lá fomos nós, então, e viajamos por no mínimo uma hora. O coronel Lysander Stark dissera que seriam só onze quilômetros, mas acho, a julgar pela velocidade que parecíamos manter, e pelo tempo que levamos, que devem ter sido quase vinte. Ele ficou sentado ao meu lado em silêncio o tempo todo, e percebi mais de uma vez, ao olhá-lo de soslaio, que ele me fitava com grande intensidade. As estradas rurais não parecem ser muito boas naquela parte do mundo, pois sacolejávamos e dávamos saltos terríveis. Tentei olhar pelas janelas, para ver um pouco onde estávamos, mas elas eram de vidro fosco, e eu não conseguia enxergar nada além do ocasional clarão brilhante de uma luz que passava. De vez em quando, eu arriscava algum comentário para quebrar a monotonia da jornada, mas o coronel respondia somente com monossílabos, e a conversa logo morria. De qualquer forma, por fim, a estrada acidentada deu lugar à lisura ruidosa de um acesso de brita, e a carruagem parou. O coronel Lysander Stark saltou para fora e, quando o segui, puxou-me rapidamente para uma varanda que se abria à nossa frente. Saímos, na verdade, da carruagem diretamente para o átrio, de modo que não pude nem ver de relance a fachada da casa. Assim que passei pela porta, ela bateu pesadamente atrás de nós, e ouvi o fraco ruído das rodas da carruagem indo embora.

"Tudo estava escuro como breu dentro da casa, e o coronel procurava fósforos em vão e resmungava. Subitamente, uma porta se abriu na outra ponta do corredor, e uma longa faixa de luz dourada se estendeu na nossa direção. Ela se alargou, e uma mulher apareceu, com uma lâmpada na mão, que ela segurava acima da cabeça, esticando o pescoço e nos olhando. Eu podia ver que era bonita, e pelo brilho da luz refletido em seu vestido escuro, sabia que o tecido era fino. A mulher disse algumas palavras numa língua estrangeira, em tom de pergunta, e quando meu acompanhante respondeu num monossílabo grunhido, ela teve um sobressalto tão grande que a lâmpada quase caiu de sua mão. O coronel Stark se aproximou dela, sussurrou algo em seu ouvido, e então, empurrando-a de volta para o quarto de onde saíra, voltou para perto de mim com a lâmpada na mão.

"'Vou pedir que faça a gentileza de esperar nesta sala por alguns minutos', ele disse, abrindo outra porta. Era uma saleta tranquila, com mobília simples, uma mesa redonda no centro, onde vários livros em alemão estavam espalhados. O coronel Stark deixou a lâmpada sobre um harmônio, ao lado da porta. 'Não o deixarei esperando mais do que um instante', ele disse, e desapareceu na escuridão.

"Olhei para os livros sobre a mesa, e apesar da minha

ignorância do idioma alemão, podia ver que dois deles eram tratados de ciência, e os outros eram volumes de poesia. Então andei até a janela, esperando poder vislumbrar o campo, mas pesadas folhas de carvalho estavam fechadas sobre a vidraça. A casa era admiravelmente silenciosa. Havia um velho relógio fazendo ruído em algum lugar do corredor, mas fora isso, era um silêncio mortal. Uma vaga sensação de desconforto começou a tomar conta de mim. Quem eram aqueles alemães, e por que moravam naquele lugar tão estranho e fora de mão? E onde ficava o lugar? Eu estava a uns 16 quilômetros de Eyford, só sabia isso, mas se era ao norte, sul, leste ou oeste, não fazia ideia. Aliás, Reading, e possivelmente outras cidades grandes, ficavam nesse raio, portanto talvez o lugar não fosse tão isolado, no fim das contas. Mas ficava bastante claro, pelo silêncio absoluto, que estávamos na zona rural. Andei de um lado para o outro no quarto, cantarolando uma melodia baixinho para me manter animado, e senti que estava fazendo por merecer meu pagamento de cinquenta guinéus.

"Subitamente, sem nenhum ruído preliminar em meio ao silêncio absoluto, a porta da minha sala se abriu lentamente. A mulher estava de pé no vão, com a escuridão do corredor atrás de si e a luz amarela da minha lâmpada batendo em seu lindo e ansioso rosto. Entendi num instante que ela estava apavorada, e essa visão fez um calafrio percorrer meu coração. Ela ergueu um dedo trêmulo, avisando-me para permanecer em silêncio, e murmurou algumas palavras num inglês ruim, olhando para trás, como um cavalo assustado, para a escuridão às suas costas.

"'Eu iria embora', ela disse, esforçando-se, me pareceu, para falar com voz calma; 'eu iria embora. Não deveria ficar aqui. Não tem nada de bom para o senhor fazer.'

"'Mas, madame', eu disse, 'ainda não fiz o que vim fazer. Não posso ir embora antes de ver a máquina.'

"'Não vale a pena o senhor esperar', ela continuou. 'Pode passar pela porta; ninguém impede.' E então, vendo que eu sorria e balançava a cabeça, ela deixou de lado seu autocontrole e deu um passo para a frente, torcendo as mãos. 'Pelo amor do céu!' Ela murmurou. 'Saia daqui antes que seja tarde demais!'

"Mas eu sou um tanto teimoso por natureza, e me envolvo mais prontamente ainda numa situação quando há algum obstáculo no caminho. Pensei no meu pagamento de 50 guinéus, na viagem cansativa, e na noite desagradável que parecia me esperar. Então tudo isso seria em vão? Por que eu deveria fugir sem completar meu serviço, e sem o pagamento que me era devido? Aquela mulher podia ser, até onde eu sabia, alguma maníaca. Com atitude firme, portanto, embora sua atitude tivesse me abalado mais do que eu gostaria de confessar, continuei balançando a cabeça e declarando minha intenção de ficar onde estava. Ela ia renovar suas rogativas quando uma porta bateu acima de nós, e ouvimos o som de passos na escada. Ela ficou ouvindo por um instante, ergueu as mãos num gesto de desespero, e desapareceu tão abrupta e silenciosamente como tinha aparecido.

"Os recém-chegados eram o coronel Lysander Stark e um homem baixo e atarracado, com uma barba aveludada saindo das dobras de seu queixo duplo, que me foi apresentado como Sr. Ferguson.

"'Este é meu secretário e gerente', disse o coronel. 'A propósito, pensei ter deixado esta porta fechada agora há pouco. Temo que o senhor tenha sentido frio.'

"'Pelo contrário', eu disse, 'eu mesmo abri a porta porque achei a sala abafada demais.'

"Ele me endereçou um de seus olhares desconfiados. 'Talvez seja melhor prosseguirmos com o trabalho, então', ele disse. 'O Sr. Ferguson e eu vamos levá-lo para ver a máquina.'

"'É melhor eu pegar o meu chapéu, então.'

"'Oh, não, fica dentro de casa.'

"'Como? Os senhores cavam greda dentro de casa?'

"'Não, não. Nós apenas a comprimimos aqui. Mas não importa. Só queremos que o senhor examine a máquina e nos diga qual o defeito.'

"Subimos a escada juntos, o coronel na frente, com a lâmpada, o gerente gordo e eu atrás dele. A velha casa era um labirinto, com corredores, passagens, estreitas escadas em caracol e portinholas baixas, cujas soleiras haviam sido gastas pelas gerações que as atravessaram. Não havia tapetes e nenhum sinal de mobília acima do térreo, o reboco estava descascando das paredes, e a umidade penetrava em manchas verdes e doentias. Tentei assumir um ar tão despreocupado quanto possível, mas não esquecera os avisos da jovem, embora os tivesse negligenciado, e mantinha os olhos pregados nos meus dois acompanhantes. Ferguson parecia um homem moroso e quieto, mas pude perceber, pelo pouco que dissera, que ao menos era meu compatriota.

"O coronel Lysander Stark parou, finalmente, diante de uma porta baixa, que destrancou. Ela dava para um quartinho quadrado, onde nós três mal cabíamos juntos. Ferguson ficou de fora, e o coronel me levou para dentro.

"'Estamos agora', ele disse, 'dentro da própria prensa hidráulica, e seria particularmente desagradável para nós se alguém a ligasse. O teto dessa pequena câmara é, na verdade, o êmbolo do pistão, que desce com a força de muitas toneladas sobre esse piso de metal. Há pequenas colunas laterais de água do lado de fora que recebem a força, e a transmitem e a multiplicam à maneira com a qual o senhor já está familiarizado. A máquina funciona em boa velocidade, mas parece estar algo emperrada, e perdeu um pouco de sua força. O senhor poderia ter a bondade de examiná-la e nos mostrar como podemos consertá-la.'

"Peguei a lâmpada da mão dele e examinei a máquina muito minuciosamente. Era, de fato, uma prensa gigantesca, capaz de exercer enorme pressão. Quando passei para o lado de fora, porém, e puxei as alavancas que a controlavam, percebi imediatamente, por um chiado, que havia um pequeno vazamento que permitia a regurgitação de água por um dos cilindros laterais. Um exame mostrou que uma das gaxetas de borracha ao redor da ponta de um êmbolo encolhera, e não preenchia completamente o cilindro dentro do qual corria. Essa era claramente a causa da perda de energia, e eu a apontei para os dois, que ouviram meus comentários com muita atenção e fizeram várias perguntas de ordem prática sobre como poderiam consertar o defeito. Depois de esclarecer tudo, voltei para a câmara principal da máquina e dei uma boa olhada para satisfazer minha própria curiosidade. Era óbvio ao primeiro olhar que a história da greda era a mais pura ficção, pois seria absurdo supor que uma máquina tão poderosa pudesse ter sido projetada para um propósito tão inadequado. As paredes eram de madeira, mas o piso consistia de um grande cocho de metal, e quando o examinei, vi um depósito metálico incrustado nele. Eu me agachara e estava a raspar esse depósito para ver exatamente o que era, quando ouvi uma exclamação resmungada em alemão e vi o rosto cadavérico do coronel me olhando.

"'O que está fazendo aí?', ele perguntou.

"Fiquei furioso por ter sido enganado com uma história tão elaborada como a que ele me contara. 'Estava admirando sua greda', eu disse; 'acho que poderia lhe aconselhar melhor sobre sua máquina se eu soubesse qual a exata finalidade para a qual está sendo usada.'

"Assim que proferi essas palavras, me arrependi da rispidez da minha fala. Seu rosto endureceu, e uma luz maligna surgiu em seus olhos cinzentos.

"'Muito bem', ele disse, 'o senhor saberá tudo sobre a máquina.' Ele deu um passo para trás, bateu a portinhola e virou a chave na fechadura. Avancei e puxei a maçaneta, mas estava bem trancada, e não cedeu nem um pouco aos meus pontapés e empurrões. 'Ei!', gritei. 'Ei! Coronel! Deixe-me sair!'

"E então, de súbito, no silêncio, ouvi um som que fez meu coração subir até a boca. Era o barulho das alavancas e o chiado do cilindro defeituoso. Ele havia acionado o mecanismo. A lâmpada ainda estava no chão, onde eu a colocara para examinar o cocho. À sua luz, vi que o forro preto estava descendo na minha direção, devagar, estremecendo, mas, como ninguém melhor do que eu sabia, com uma força que dentro de um minuto me transformaria numa massa disforme. Joguei-me, gritando, contra a porta, e forcei a fechadura com as unhas. Implorei que o coronel me libertasse, mas o ruído sem remorso das alavancas submergiu meus gritos. O forro estava só a cinquenta ou sessenta centímetros da minha cabeça, e erguendo a mão, eu podia sentir sua superfície dura e áspera. Então me ocorreu que a dor da minha morte dependeria muito da posição em que eu a sofresse. Se eu me deitasse de bruços, o peso desceria sobre a minha espinha, e tremi ao pensar naquele terrível estalo. Seria mais fácil da outra forma, talvez; porém, teria eu coragem de me deitar e ficar olhando aquela sombra negra mortal descendo sobre mim? Eu já não conseguia ficar ereto quando vi algo que trouxe um sopro de esperança de volta ao meu coração.

"Como eu disse, o piso e o forro eram de ferro, e as paredes, de madeira. Ao olhar rapidamente ao redor pela última vez, vi uma linha fina de luz amarela entre duas das tábuas, que foi se alargando à medida que um pequeno painel era puxado para trás. Por um instante, mal pude acreditar que havia, realmente, uma porta que me permitiria fugir da morte. No instante seguinte, me atirei através dela, e caí, ofegante, do outro lado. O painel se fechara novamente atrás de mim, mas o ruído da lâmpada se partindo, e alguns instantes depois, o estrondo das duas pranchas de metal, me revelaram por quão pouco eu escapara.

"Fui chamado à realidade por um frenético puxão no meu pulso, e me vi deitado no chão de pedra de um corredor estreito, enquanto uma mulher encurvada sobre mim me puxava com a mão esquerda, segurando uma vela na direita. Era a mesma boa amiga cujo aviso eu tão tolamente negligenciara.

"'Venha! Venha!', ela exclamou, sem fôlego. 'Eles vão chegar a qualquer momento. Verão que o senhor não está lá. Oh, não desperdice o tempo precioso, venha!'

"Dessa vez, pelo menos, não desprezei seu conselho. Cambaleei de pé e corri com ela pelo corredor e descendo uma escada em caracol. Ela levava a outra passagem larga, e assim que a alcançamos, ouvimos o som de pés correndo e os gritos de duas vozes, uma respondendo à outra, do piso onde estávamos e do inferior. Minha guia parou e olhou ao seu redor, como alguém que não sabe mais o que fazer. Então abriu uma porta que levava a um dormitório, de cuja janela entrava a luz brilhante da lua.

"'É sua única chance', ela disse. 'É alto, mas talvez consiga pular.'

"Enquanto ela falava, uma luz ficou visível na outra ponta da passagem, e vi a silhueta magra do coronel Lysander Stark correndo com uma lanterna numa mão e uma arma como uma machadinha de açougueiro na outra. Atravessei o quarto correndo, abri a janela e olhei para fora. Quão silencioso estava o jardim, como parecia agradável e seguro ao luar, e não devia estar mais do que oito metros abaixo. Subi no parapeito, mas hesitei antes de pular, querendo ouvir o encontro da minha salvadora com o bandido que me perseguia. Se ela fosse maltratada, então, arriscando tudo, eu estava determinado a voltar para socorrê-la. A ideia mal me passara pela mente quando ele surgiu na porta, empurrando-a para me alcançar; mas ela lançou os braços ao seu redor e tentou contê-lo.

"'Fritz! Fritz!', ela gritou em inglês. 'Lembre-se da sua promessa depois da última vez. Você disse que não faria de novo. Ele não vai contar! Oh, ele não vai contar!'

"'Você está louca, Elise!', ele gritou, lutando para se desvencilhar. 'Vai nos arruinar. Ele viu demais. Deixe-me passar!' Ele a jogou para um lado e, correndo para a janela, me atacou com sua pesada arma. Eu estava me segurando só com as mãos no parapeito quando recebi seu golpe. Tive consciência de uma dor amortecida, não pude mais me segurar e caí no jardim.

"A queda me abalou, mas não me feriu; por isso levantei e corri entre os arbustos tão rápido quanto consegui, pois achava que ainda estava longe de estar a salvo. De repente, porém, enquanto corria, uma tontura mortal e enjoo se apoderaram de mim. Olhei para a minha mão, que latejava dolorosamente, e então, pela primeira vez, vi que meu polegar havia sido decepado, e que o sangue escorria do ferimento. Consegui amarrar meu lenço ao redor dele, mas então ouvi um zumbido súbito e, ato contínuo, caí desmaiado em meio às roseiras.

"Quanto tempo permaneci inconsciente, não sei dizer. Deve ter sido muito tempo, porque a lua se pusera, e uma aurora brilhante despontava quando despertei. Minhas roupas estavam encharcadas de orvalho, e a manga do meu casaco, ensopada com o sangue do meu polegar ferido. A dor lancinante trouxe instantaneamente à minha memória todos os detalhes da minha aventura noturna, e saltei de pé com a sensação de que ainda não poderia estar a salvo dos meus perseguidores. Mas para meu assombro, quando olhei ao meu redor, não vi nem a casa, nem o jardim. Eu estivera deitado num canto da sebe perto da estrada, e pouco abaixo de mim havia um prédio comprido, que provou ser, quando me aproximei, a mesma estação onde eu chegara na noite anterior. Se não fosse pelo horrível ferimento na minha mão, tudo o que acontecera durante aquelas horas medonhas poderia ter sido um pesadelo.

"Meio atordoado, entrei na estação e perguntei sobre o

trem matutino. Haveria um para Reading em menos de uma hora. Descobri que o mesmo carregador de bagagens que vi na minha chegada estava em serviço. Perguntei a ele se já ouvira falar do coronel Lysander Stark. O nome lhe era desconhecido. Ele observara uma carruagem à minha espera na noite anterior? Não, não observara. Havia alguma chefatura de polícia por perto? A mais próxima ficava a cinco quilômetros de distância.

"Era longe demais para mim, fraco e atordoado como estava. Resolvi esperar até voltar à cidade antes de contar minha história à polícia. Passava um pouco das seis quando cheguei, por isso fui primeiro cuidar do meu ferimento, e o doutor fez a gentileza de me trazer para cá. Deixo o caso em suas mãos, e farei exatamente o que o senhor recomendar."

Ambos ficamos em silêncio por algum tempo depois de ouvir essa extraordinária narrativa. Então Sherlock Holmes puxou da estante um dos pesados diários em que guardava seus recortes de jornal.

— Aqui está um anúncio que vai lhe interessar — disse ele. — Apareceu em todos os jornais há cerca de um ano. Ouça isto: "Desaparecido, no dia 9 do corrente, o Sr. Jeremiah Hayling, 26 anos, engenheiro hidráulico. Saiu de seus aposentos às 22h e não foi mais visto desde então. Trajava..." etc. etc. Ha! Essa deve ter sido a última vez que o coronel precisou consertar sua máquina, imagino.

— Pelos céus! — exclamou meu paciente. — Então isso explica o que a garota disse.

— Sem dúvida. Está bastante claro que o coronel é um homem frio e desesperado, absolutamente determinado a não deixar que nada atrapalhe seu joguinho, como aqueles piratas consumados que não deixam sobreviventes nos navios que capturam. Bem, cada momento é precioso, agora, portanto, se o senhor estiver disposto, iremos para a Scotland Yard imediatamente, como medida preliminar, antes de partirmos para Eyford.

Mais ou menos três horas depois, estávamos todos juntos no trem, indo de Reading para a pequena aldeia em Berkshire. Éramos Sherlock Holmes, o engenheiro hidráulico, o inspetor Bradstreet, da Scotland Yard, um policial à paisana e eu. Bradstreet abrira um mapa tático do condado sobre o assento e estava ocupado com seu compasso, traçando um círculo com Eyford no centro.

— Aí está — ele disse. — Este círculo tem um raio de 16 quilômetros ao redor da aldeia. O lugar que procuramos deve estar perto dessa linha. Acho que o senhor disse 16 quilômetros.

— Foi uma hora de viagem em bom ritmo.

— E o senhor acha que foi levado de volta enquanto esteve desmaiado?

— Devem ter feito isso. Tenho lembranças confusas, também, de ter sido carregado e levado a algum lugar.

— O que não entendo — disse eu — é por que pouparam o senhor quando o encontraram desmaiado no jardim. Talvez o vilão tenha se enternecido com as rogativas da mulher.

— Acho isso improvável. Nunca vi um rosto mais inexorável na minha vida.

— Oh, logo esclareceremos tudo isso — disse Bradstreet. — Bem, já tracei meu círculo, e só gostaria de saber em que ponto dele se encontram as pessoas que procuramos.

— Acho que consigo apontá-lo com o dedo — disse Holmes baixinho.

— Realmente! — exclamou o inspetor. — Já formou sua opinião! Vamos, então, veremos quem concorda com o senhor. Eu digo que fica ao sul, porque a região é mais deserta ali.

— E eu digo leste — opinou o meu paciente.

— Eu opto pelo oeste — comentou o policial à paisana. — Há algumas aldeiazinhas tranquilas ali.

— E eu, pelo norte — falei —, pois não há colinas ali, e nosso amigo diz que não notou nenhuma subida na viagem.

— Vamos — disse o inspetor, rindo —; são opiniões bem variadas. Cobrimos toda a bússola. Para quem vai seu voto?

— Vocês estão todos enganados.

— Não pode ser.

— Pode, sim. Este é o meu ponto. — Ele pôs o dedo no centro do círculo. — É aqui que os encontraremos.

— E a viagem de quase vinte quilômetros? — gaguejou Hatherley.

— Dez de ida e dez de volta. Nada mais simples. O senhor mesmo disse que viu o cavalo descansado e recém-escovado, ao entrar na carruagem. Como poderia estar assim, se tivesse percorrido vinte quilômetros de estradas ruins?

— De fato, é uma artimanha bastante plausível — observou Bradstreet, pensativo. — Naturalmente, não resta dúvida quanto à natureza desse bando.

— Nenhuma — disse Holmes. — São falsários em grande escala, e operavam a máquina para moldar a amálgama que usavam no lugar da prata.

— Já sabíamos há algum tempo que um bando astuto estava agindo — disse o inspetor. — Estão disseminando moedas de meia coroa aos milhares. Conseguimos rastreá-los até Reading, mas não pudemos ir além, pois eles apagam seus rastros de tal maneira que está claro que são muito experientes. Mas agora, graças a este feliz acaso, acho que iremos pegá-los.

Mas o inspetor estava enganado, porque aqueles criminosos não estavam destinados a cair nas mãos da justiça. Quando chegamos à Estação Eyford, vimos uma gigantesca coluna de fumaça que se erguia de trás de um pequeno bosque perto dali, e se estendia, como uma gigantesca pena de avestruz, sobre a paisagem.

— Um incêndio? — perguntou Bradstreet, enquanto o trem partia novamente.

— Sim, senhor! — disse o chefe da estação.

— Quando começou?

— Ouvi dizer que foi durante a noite, senhor, mas piorou, e o lugar todo está em chamas.

— De quem é a casa?

— Do Dr. Becher.

— Diga — interveio o engenheiro —, o Dr. Becher é um alemão muito magro, de nariz comprido e fino?

O chefe da estação riu alto.

— Não, senhor, o Dr. Becher é inglês, e preenche um colete como ninguém. Mas ele hospeda um cavalheiro, um paciente, pelo que entendi, que é estrangeiro, e tem a aparência de alguém a quem comer uma bela bisteca não faria mal.

O chefe da estação mal terminara seu discurso, e estávamos todos correndo na direção do fogo. A estrada subia uma colina baixa, e havia um largo edifício caiado de branco diante de nós, cuspindo fogo por todos os orifícios e janelas, enquanto no jardim em frente, três carros de bombeiros lutavam em vão para controlar as chamas.

— É aqui! — exclamou Hatherley, intensamente exaltado. — Aí está o acesso de brita, e o roseiral onde desmaiei. Foi daquela segunda janela que pulei.

— Bem, pelo menos — disse Holmes — o senhor pôde se vingar deles. Não resta dúvida de que foi sua lâmpada a óleo que, ao ser esmagada pela prensa, pôs fogo nas paredes de madeira, embora certamente eles estivessem empolgados demais perseguindo o senhor para notar, naquele momento. Agora, mantenha seus olhos abertos, procurando nesta multidão seus amigos da noite passada, embora eu tema, na verdade, que eles já estejam a centenas de quilômetros daqui, a essa altura.

E os temores de Holmes se confirmaram, pois daquele dia até hoje nunca mais se soube nada nem da bela mulher, nem do sinistro alemão, nem do moroso inglês. Naquela manhã, bem cedo, um camponês encontrou uma carroça contendo várias pessoas e algumas caixas muito volumosas seguindo rapidamente na direção de Reading, mas ali, todos os rastros dos fugitivos desapareciam, e nem a genialidade de Holmes foi capaz de descobrir a menor pista sobre o seu paradeiro.

Os bombeiros ficaram muito perturbados com os estranhos arranjos que encontraram dentro da casa, e ainda mais ao descobrir um polegar humano recém-amputado no parapeito de uma janela do segundo andar. Quando já escurecia, de qualquer forma, seus esforços finalmente lograram êxito, e eles debelaram as chamas, mas não antes que o teto afundasse, e o lugar todo ficasse tão em ruínas que, à parte alguns cilindros e tubos de ferro amassados, nem sinal restou do maquinário que custara tão caro ao nosso infeliz conhecido. Grandes quantidades de níquel e estanho foram descobertas numa edícula, mas nenhuma moeda foi encontrada, o que poderia explicar a presença daquelas caixas volumosas às quais já me referi.

O modo como nosso engenheiro hidráulico fora transportado do jardim para o lugar onde recobrou os sentidos poderia ter continuado para sempre um mistério, se não fosse pelo musgo fofo, que nos contava uma história bastante simples. Evidentemente, ele fora carregado por duas pessoas, uma das quais tinha pés curiosamente pequenos, e a outra, pés estranhamente grandes. Em resumo, era muito provável que o taciturno inglês, por ser menos corajoso ou menos homicida que seu colega, tivesse assistido a mulher em carregar o homem desmaiado para longe do perigo.

— Bem — disse nosso engenheiro, em tom lamentoso, quando sentávamos no trem para voltar novamente a Londres —, que belo negócio eu fiz! Perdi meu polegar e um pagamento de cinquenta guinéus, e o que ganhei?

— Experiência — disse Holmes rindo. — Indiretamente, isso pode ter valor, sabe; basta que o senhor a transforme em palavras para ganhar a reputação de ser uma excelente companhia pelo resto de sua vida.

# *dez*
# A AVENTURA DO NOBRE SOLTEIRO

O casamento do lorde St Simon e seu curioso fim há muito deixaram de ser um assunto de interesse nos exaltados círculos em que o desventurado noivo transita. Novos escândalos o superaram, e os detalhes destes, mais picantes, atraíram os mexericos para longe desse drama que já completou quatro anos. Como tenho motivos para crer, porém, que jamais foram revelados todos os fatos ao público em geral, e como meu amigo Sherlock Holmes teve papel considerável no esclarecimento da questão, sinto que suas memórias não estariam completas sem algum pequeno esboço desse notável episódio.

Foi algumas semanas antes do meu casamento, na época em que eu ainda dividia com Holmes os aposentos na Baker Street, que ele voltou de um passeio vespertino e encontrou uma carta à sua espera sobre a mesa. Eu ficara dentro de casa o dia todo, porque o tempo se tornara subitamente chuvoso, com fortes ventos de outono, e o projétil *jezail* que eu trouxera num dos membros como relíquia de minha campanha afegã latejava com uma persistência surda. Com o corpo numa espreguiçadeira e as pernas na outra, eu me cercara de uma nuvem de jornais, até que finalmente, saturado com as notícias do dia, joguei todos longe e fiquei prostrado, olhando para o enorme brasão e monograma no envelope sobre a mesa e me perguntando preguiçosamente quem poderia ser o nobre correspondente do meu amigo.

— Aí está uma epístola deveras elegante — comentei, quando ele entrou. — De manhã, suas cartas, se bem me lembro, eram de um peixeiro e de um alfandegário.

— Sim, minha correspondência certamente tem o charme da variedade — ele respondeu, sorrindo —, e as missivas mais humildes são, em geral, as mais interessantes. Esta parece uma daquelas indesejáveis convocações sociais que sempre pedem que alguém se entedie ou minta.

Ele rompeu o lacre e correu os olhos pelo conteúdo.

— Ora, pode provar ser algo interessante, no fim das contas.

— Não é social, então?

— Não, distintamente profissional.

— E de um cliente nobre?

— Um dos mais importantes da Inglaterra.

— Caro colega, meus parabéns.

— Garanto, Watson, sem afetação, que a posição social

do meu cliente é questão de menos importância, para mim, do que o interesse do seu caso. É possível, no entanto, que isso também não falte nesta nova investigação. Você anda lendo os jornais assiduamente por esses dias, não?

— É o que parece — eu disse em tom queixoso, apontando para um monte deles no canto. — Não tenho outra coisa a fazer.

— Ainda bem, pois talvez você possa me informar. Não leio nada além do noticiário policial e dos anúncios de desaparecimento. Estes últimos são sempre instrutivos. Mas se você tem acompanhado os acontecimentos recentes com tanta atenção, deve ter lido sobre o lorde St Simon e seu casamento?

— Oh, sim, com o mais profundo interesse.

— Muito bem. A carta que tenho em mãos é do lorde St Simon. Vou lê-la para você, e em troca, deve revirar esses jornais e me dar tudo o que falam sobre o assunto. Isto é o que ele diz:

Meu Caro Sr. Sherlock Holmes

O lorde Backwater me disse que eu poderia confiar implicitamente no seu discernimento e discrição. Decidi-me, portanto, a lhe visitar e consultá-lo sobre o doloroso fato acontecido em conexão com meu casamento. O Sr. Lestrade, da Scotland Yard, já está investigando o caso, mas me garante que não se opõe à sua cooperação, e acha até que ela pode ter alguma utilidade. Irei vê-lo às 16h, e caso o senhor tenha algum outro compromisso nesse horário, espero que possa adiá-lo, porque este assunto é de vital importância.

Fielmente ao seu dispor,

Robert St Simon

— O sobrescrito é da Mansão Grosvenor, foi escrita com bico de pena, e o nobre lorde teve a infelicidade de manchar de nanquim o lado de fora do mindinho direito — comentou Holmes, dobrando a epístola.

— Ele disse 16h. São 15h agora. Chegará daqui a uma hora.

— Então tenho tempo apenas para, com sua ajuda, pôr-me a par do assunto. Revire esses jornais e organize os textos em ordem cronológica, enquanto verifico quem é nosso cliente. — Ele pegou um volume de capa vermelha de uma fileira de obras de referência ao lado da lareira. — Aqui está — ele disse, sentando-se e abrindo o livro sobre os joelhos. — "Lorde Robert Walsingham de Vere St Simon, segundo filho do duque de Balmoral." Hum! "Brasão: Azul, três estrepes sobre uma faixa negra. Nascido em 1846." Ele tem 41 anos, um tanto maduro para se casar. Foi subsecretário das colônias numa administração recente. O duque, seu pai, é ex-secretário de relações exteriores. Herdaram o sangue da dinastia Plantageneta por descendência direta, e da Tudor pelo lado materno. Ha! Bem, não há nada de muito instrutivo em tudo isso. Acho que preciso recorrer a você, Watson, para algo mais concreto.

— Tenho pouca dificuldade para encontrar o que quero — eu disse —, porque os fatos são bem recentes, e o assunto me impressionou por ser notável. Temi comentá-los com você, porém, pois sabia que você estava numa investigação e que não gosta da intromissão de outros assuntos.

— Oh, você se refere ao probleminha do vagão de móveis de Grosvenor Square. Aquilo já está esclarecido, agora; embora na verdade já fosse óbvio desde o início. Por favor, dê-me os resultados da seleção de jornais.

— Aqui está a primeira menção que consegui encontrar. Foi na seção pessoal do *Morning Post*, e está datada, como vê, de algumas semanas atrás: "Foi marcado o matrimônio", diz, "que acontecerá muito em breve, se os boatos estiverem certos, entre o lorde Robert St Simon, segundo filho do duque de Balmoral, e a Srta. Hatty Doran, filha única do ilustríssimo Sr. Aloysius Doran, de San Francisco, Califórnia, EUA." Só isso.

— Sucinto e direto — comentou Holmes, esticando as pernas longas e finas na direção do fogo.

— Foi publicado um parágrafo, ampliando esse, no noticiário social da mesma semana. Ah, aqui está: "Logo haverá um apelo para medidas protecionistas no mercado de casamentos, pois o atual princípio de livre-comércio parece desfavorecer pesadamente nosso produto nacional. Uma a uma, as nobres casas da Grã-Bretanha estão passando para o comando de nossas belas primas do outro lado do Atlântico. Uma importante adição foi feita, durante a última semana, à lista de troféus que estão sendo carregados por essas irresistíveis invasoras. O lorde St Simon, que por mais de vinte anos se mostrou imune às setas do pequeno deus do amor, agora anunciou em caráter definitivo seu iminente matrimônio com a Srta. Hatty Doran, a fascinante filha de um milionário da Califórnia. A Srta. Doran, cuja graciosa silhueta e rosto marcante atraíram muita atenção nas festividades da Westbury House, é filha única, e diz-se que atualmente seu dote equivale a uma cifra consideravelmente alta de seis casas, com expectativas para o futuro. Como é um segredo de polichinelo que o duque de Balmoral está sendo obrigado a vender seus quadros, nos últimos anos, e como o lorde St Simon não tem nenhuma propriedade além da pequena mansão de Birchmoor, é óbvio que a herdeira californiana não será a única beneficiada por essa aliança, que lhe permitirá fazer a fácil e trivial transição de dama republicana a nobre inglesa."

— Mais alguma coisa? — perguntou Holmes, bocejando.

— Oh, sim, muita. Depois saiu outra nota no *Morning Post* dizendo que a cerimônia seria totalmente discreta, que aconteceria na Catedral de São Jorge, em Hanover Square, que só meia dúzia de amigos íntimos seriam convidados, e que a festa seria na casa mobiliada em Lancaster Gate, que foi adquirida pelo Sr. Aloysius Doran. Dois dias depois, isto é, na última quarta-feira, apareceu um breve aviso de que o casamento acontecera, e que a lua de mel seria na residência do lorde Backwater, perto de Petersfield. Esses são todos os avisos publicados antes do desaparecimento da noiva.

— Antes do quê? — perguntou Holmes, com um sobressalto.
— Do desaparecimento da madame.
— E quando ela desapareceu?
— No desjejum matrimonial.
— Não diga. Isso está mais interessante do que prometia ser; bastante dramático, de fato.
— Sim; eu achei um pouco fora do comum.
— Elas frequentemente desaparecem antes da cerimônia, e ocasionalmente durante a lua de mel; mas não me recordo de nada tão abrupto assim. Por favor, conte-me os detalhes.
— Aviso que são bastante incompletos.
— Talvez possamos melhorar isso.
— O que se sabe até agora está num único artigo de um jornal matutino de ontem, que lerei para você. O título é "Fato Singular num Matrimônio Elegante":

"A família do lorde Robert St Simon foi sujeita à maior das consternações pelos estranhos e dolorosos episódios que ocorreram em conexão com o seu matrimônio. A cerimônia, conforme brevemente anunciado nos jornais de ontem, acontecera na manhã anterior; mas somente agora foi possível confirmar os estranhos boatos que circulavam tão persistentemente. Apesar das tentativas dos amigos para abafar o assunto, tanta atenção do público já foi atraída para ele que nada de bom resultará de afetar desconhecimento do que se tornou assunto comum nas conversas.

"A cerimônia, que foi realizada na Catedral de São Jorge, na Hanover Square, foi discreta, pois só estavam presentes o pai da noiva, o Sr. Aloysius Doran, a duquesa de Balmoral, lorde Backwater, lorde Eustace e lady Clara St Simon (irmão e irmã mais novos do noivo), e lady Alicia Whittington. Todo o grupo seguiu depois para a casa do Sr. Aloysius Doran, em Lancaster Gate, onde o desjejum fora preparado. Aparentemente, uma mulher cujo nome não foi averiguado causou alguns problemas, tentando forçar a entrada na casa depois da festa nupcial, alegando ter algum direito sobre o lorde St Simon. Foi somente depois de uma longa e dolorosa cena que ela foi expulsa pelo mordomo e o camareiro. A noiva, que felizmente havia entrado na casa antes dessa desagradável interrupção, sentou-se com os outros para o desjejum, mas queixou-se de uma indisposição súbita e recolheu-se ao seu quarto. Quando sua ausência prolongada causou alguns comentários, seu pai foi atrás dela, mas ficou sabendo por intermédio de sua criada que ela só ficara em seu quarto por um instante, pegara um casaco e uma touca e descera apressadamente. Um dos camareiros declarou que vira uma dama saindo da casa vestida assim, mas se recusara a acreditar que fosse sua patroa, pois achava que ela estava com os outros. Ao verificar que sua filha havia desaparecido, o Sr. Aloysius Doran, junto com o noivo, imediatamente estabeleceram comunicação com a polícia, e investigações muito enérgicas foram realizadas, que provavelmente resultarão num rápido esclarecimento desse peculiar caso. Até a noite passada, no entanto, nada se descobrira quanto ao paradeiro da dama desaparecida. Boatos falam de um possível crime, e diz-se que a polícia pediu a prisão da mulher que causou o primeiro tumulto, por acreditar que, por ciúme ou outro motivo, ela possa estar envolvida no estranho desaparecimento da noiva."

— Isso é tudo?

— Há só um texto curto em outro jornal matutino, mas ele é bem sugestivo.

— E diz...

— Que a Srta. Flora Millar, a moça que causou o tumulto, de fato foi presa. Parece que ela era ex-*danseuse*\* no Allegro, e que conhecia o noivo havia alguns anos. Não há mais detalhes, e você tem o caso todo nas mãos, agora, até onde ele foi divulgado na imprensa.

— E parece ser um caso deveras interessante. Eu não o perderia por nada no mundo. Mas alguém toca a campainha, Watson, e como o relógio marca alguns minutos depois das 16h, não tenho dúvidas de que seja o nosso nobre cliente. Nem sonhe em ir embora, Watson, porque acho muito melhor ter uma testemunha, nem que seja só para testar a minha memória.

— O lorde Robert St Simon — anunciou nosso pajem, abrindo a porta. Um cavalheiro entrou, com um rosto agradável e culto, de nariz adunco e pálido, com quiçá um traço de petulância na

---

\* "Dançarina", em francês no original. (N. T.)

boca, e o olhar firme e atento de um homem cuja agradável sina sempre foi comandar e ser obedecido. Seus movimentos eram rápidos; no entanto, sua aparência geral transmitia uma impressão indébita de idade, pois ele andava levemente encurvado e com os joelhos um pouco dobrados. Seu cabelo, também, quando ele tirou seu chapéu de aba bem encurvada, mostrou-se grisalho nas têmporas e ralo no alto da cabeça. Quanto ao seu traje, era meticuloso a ponto de beirar a afetação, com um colarinho alto, um casaco longo e preto, colete branco, luvas amarelas, sapatos de verniz e polainas de cor clara. Ele avançou lentamente pela sala, virando a cabeça da esquerda para a direita, e balançando na mão direita o cordão preso aos seus óculos dourados.

— Boa tarde, lorde St Simon — disse Holmes, levantando-se e fazendo uma reverência. — Por favor, sente-se na poltrona de vime. Este é meu amigo e colega, o Dr. Watson. Aproxime-se um pouco do fogo, e conversaremos sobre esse assunto.

— Um assunto assaz doloroso para mim, como pode facilmente imaginar, Sr. Holmes. Fui profundamente apunhalado. Sei que o senhor já lidou com vários casos delicados desse tipo, embora eu presuma que devessem ser de classes sociais inferiores.

— Não, estou decaindo.

— Perdão?

— Meu último cliente desse tipo foi um rei.

— Oh, é mesmo? Eu não fazia ideia. Que rei?

— O rei da Escandinávia.

— O quê?! Ele perdeu a esposa?

— Pode entender — disse Holmes com voz suave — que cerco os negócios de meus outros clientes com o mesmo sigilo que prometo cercar o seu.

— É claro! Muito bem! Muito bem! Minhas sinceras desculpas. Quanto ao meu caso, estou pronto a lhe dar qualquer informação que possa ajudá-lo a formar uma opinião.

— Obrigado. Já me inteirei de tudo o que está na imprensa pública, nada mais. Presumo que esteja tudo correto, este artigo, por exemplo, que fala do desaparecimento da noiva.

O lorde St Simon correu os olhos pelo texto.

— Sim, está correto no que descreve.

— Mas precisa de muita suplementação antes que se possa oferecer uma opinião. Acho que poderei chegar aos fatos mais diretamente interrogando o senhor.

— Por favor, prossiga.

— Quando conheceu a Srta. Hatty Doran?

— Em San Francisco, há um ano.

— Estava viajando pelos EUA?

— Sim.

— Ficou noivo nessa época?

— Não.

— Mas já eram amigos?

— Sua companhia me divertia, e ela percebia que eu me divertia.

— O pai dela é muito rico?

— Dizem que é o homem mais rico da costa do Pacífico.

— E como ele fez fortuna?

— Com mineração. Não tinha nada há alguns anos. Então achou ouro, investiu, e enriqueceu rapidamente.

— Bem, qual a sua impressão quanto ao caráter dessa jovem, da sua esposa?

O nobre balançou seus óculos um pouco mais rápido e olhou para o fogo.

— Veja bem, Sr. Holmes — disse —, minha esposa completou 20 anos antes que seu pai enriquecesse. Até essa idade, ela andava livremente em meio aos mineiros e por florestas ou montanhas, portanto sua educação veio mais da natureza do que de preceptores. Ela é o que chamamos na Inglaterra de uma moleca, com um temperamento forte, selvagem e livre, indomado por qualquer tipo de tradição. É impetuosa, vulcânica, eu ia dizer. Toma decisões rapidamente e é destemida ao executar suas resoluções. Por outro lado, eu não lhe daria o sobrenome que tenho a honra de usar — ele deu uma tossidinha formal — se não achasse que, no fundo, ela era uma nobre mulher. Acredito que seja capaz de sacrifícios heroicos, e que qualquer coisa desonrosa a repugnaria.

— Tem uma fotografia dela?

— Trouxe isto comigo. — Ele abriu um medalhão e nos mostrou o rosto de uma mulher muito adorável. Não era uma fotografia, e sim uma miniatura em marfim, e o artista reproduzira o efeito completo do cabelo negro e sedoso, dos grandes olhos escuros e da formosa boca. Holmes o olhou fixamente por muito tempo. Em seguida, fechou o medalhão e o devolveu ao lorde St Simon.

— A jovem veio para Londres, então, e o senhor reatou o relacionamento com ela?

— Sim, seu pai a trouxe consigo nesta última temporada em Londres. Eu a encontrei várias vezes, ficamos noivos, e agora me casei com ela.

— Ela traz, pelo que sei, um dote considerável.

— Um dote razoável. Não mais do que é normal na minha família.

— E esse dote, naturalmente, permanece com o senhor, já que o casamento é um *fait accompli*?*

— Na verdade, não me informei sobre esse assunto.

— Naturalmente que não. O senhor viu a Srta. Doran na véspera do casamento?

— Sim.

— Ela estava bem-humorada?

— Nunca a vi melhor. Falava o tempo todo do que deveríamos fazer em nossa vida futura.

— Deveras! Isso é muito interessante. E na manhã do casamento?

— Ela estava tão alegre quanto possível, ao menos até depois da cerimônia.

— E o senhor observou alguma mudança nela então?

---

* "Fato consumado", em francês no original. (N. T.)

— Bem, para dizer a verdade, foi então que notei os primeiros sinais que eu já vira de que seu temperamento estava um tanto exaltado demais. O incidente, no entanto, foi trivial demais para ser mencionado, e não pode ter exercido influência nenhuma sobre o caso.

— Por favor, conte-nos assim mesmo.

— Oh, é uma criancice. Ela deixou cair o buquê quando nos dirigíamos para a sacristia. Ela estava passando em frente à primeira fileira de bancos, e o ornamento caiu no meio dos bancos. Houve um atraso momentâneo, mas o cavalheiro que estava no banco o entregou, e o buquê não se estragou na queda. Mesmo assim, quando falei do assunto com ela, respondeu-me de forma ríspida; e na carruagem, a caminho de casa, parecia absurdamente agitada com algo tão trivial.

— É mesmo? O senhor disse que havia um cavalheiro no banco. Algumas pessoas comuns estavam presentes, então?

— Oh, sim. É impossível expulsá-las quando a igreja está aberta.

— O cavalheiro não era algum amigo de sua esposa?

— Não, não; eu o chamo de cavalheiro por educação, mas era uma pessoa de aparência bastante comum. Mal notei sua fisionomia. Mas, sinceramente, acho que estamos nos afastando demais do assunto.

— Lady St Simon, então, voltou da cerimônia num estado de espírito menos alegre do que na ida. O que ela fez ao chegar na casa do pai?

— Eu a vi conversando com sua criada.

— E quem é essa criada?

— Alice é o nome dela. É americana, veio da Califórnia junto com minha esposa.

— Uma criada confidencial?

— Um pouco em demasia. Pareceu-me que sua patroa lhe permitia tomar grandes liberdades. No entanto, naturalmente, na América eles encaram essas coisas de outra maneira.

— Quanto tempo ela conversou com essa Alice?

— Oh, alguns minutos. Eu estava pensando em outras coisas.

— Não ouviu o que elas conversaram?

— Lady St Simon falou alguma coisa sobre "tomar a mina". Ela costumava usar esse tipo de jargão. Não faço ideia do que queria dizer.

— O jargão americano é muito expressivo, às vezes. E o que sua esposa fez, depois de conversar com a criada?

— Foi para o salão do desjejum de núpcias.

— Com o senhor?

— Não, sozinha. Ela era muito independente em coisinhas assim. Então, depois de ficarmos mais ou menos dez minutos, ela se levantou apressadamente, balbuciou alguma desculpa e saiu do salão. Nunca mais voltou.

— Mas essa criada, Alice, pelo que entendi, depôs dizendo que a patroa foi até seu quarto, vestiu um casaco longo por cima do vestido de noiva, uma touca, e saiu.

— Exatamente. E foi vista depois entrando no Hyde Park em

companhia de Flora Millar, uma mulher que agora está presa, e que já causara tumulto na casa do Sr. Doran naquela manhã.

— Ah, sim. Gostaria de saber alguns detalhes sobre essa jovem e sua relação com o senhor.

O lorde St Simon deu de ombros e ergueu as sobrancelhas.

— Tínhamos uma relação amigável havia alguns anos, *muito* amigável, posso dizer. Ela costumava se apresentar no Allegro. Não a tratei sem generosidade, e ela não tem nenhuma causa de reclamação justa contra mim, mas sabe como são as mulheres, Sr. Holmes. Flora era uma coisinha adorável, mas esquentada demais e devotamente apegada a mim. Escreveu-me cartas medonhas quando soube que eu iria me casar, e, para dizer a verdade, o casamento foi celebrado com tamanha discrição porque eu temia que poderia haver um escândalo na igreja. Ela apareceu na porta da casa do Sr. Doran logo depois que voltamos, e conseguiu forçar a entrada, usando expressões muito abusivas contra a minha esposa e até ameaçando-a, mas eu previra a possibilidade de algum acontecimento assim, e tinha dois policiais à paisana presentes, que logo a expulsaram. Ela se aquietou quando viu que não adiantaria nada fazer um escândalo.

— Sua esposa ouviu tudo isso?

— Não, graças a Deus não.

— E ela foi vista andando com essa mesma mulher depois?

— Sim. É isso que o Sr. Lestrade, da Scotland Yard, vê como o mais grave. Supõe-se que Flora tenha atraído minha esposa para fora e preparado alguma terrível armadilha para ela.

— Bem, é uma suposição possível.

— O senhor também acha?

— Eu não disse que é provável. Mas o senhor mesmo não acha isso plausível?

— Acho que Flora não faria mal a uma mosca.

— Mesmo assim, o ciúme é um estranho transformador de caráter. Por favor, qual a sua teoria quanto ao que aconteceu?

— Bem, na verdade, vim procurar uma teoria, não fornecer uma. Eu lhe apresentei todos os fatos. Todavia, já que me pergunta, posso dizer que me ocorreu ser possível que a empolgação desse acontecimento, a consciência de ter dado um passo tão imenso na sociedade, tenha produzido o efeito de causar alguma pequena perturbação nervosa na minha esposa.

— Em resumo, que ela tenha ficado subitamente transtornada?

— Bem, na verdade, quando considero que ela deu as costas, não direi para mim, mas para tantas coisas a que tantas aspiraram sem sucesso, não consigo explicar de nenhuma outra forma.

— Bem, certamente essa também é uma hipótese concebível — disse Holmes, sorrindo. — E agora, lorde St Simon, acho que já tenho quase todos os meus dados. Posso perguntar se, do seu lugar à mesa do desjejum, o senhor podia olhar pela janela?

— Podíamos ver o outro lado da estrada e o parque.

— Perfeito. Então acho que não preciso mantê-lo aqui por mais tempo. Entrarei em contato.

— Se tiver a felicidade de resolver esse problema — disse o nosso cliente, levantando-se.

— Já o resolvi.

— Hein? Como disse?

— Eu disse que já o resolvi.

— Onde está minha esposa, então?

— Esse é um detalhe que fornecerei em breve.

O lorde St Simon balançou a cabeça.

— Temo que isso irá requerer cabeças mais sábias do que a sua ou a minha — declarou, e, curvando-se de maneira formal e antiquada, partiu.

— É muita bondade do lorde St Simon honrar minha cabeça, comparando-a com a sua — disse Sherlock Holmes, rindo. — Acho que vou tomar um uísque com soda e fumar um charuto, depois de todo esse interrogatório. Eu havia formado minhas conclusões sobre o caso antes que o nosso cliente entrasse na sala.

— Meu caro Holmes!

— Tenho anotações sobre vários casos parecidos, embora nenhum, como já comentei, tão rápido quanto este. Todo o meu interrogatório serviu para transformar minha conjectura numa certeza. Provas circunstanciais, ocasionalmente, são muito convincentes, como quando encontramos uma truta no leite, para citar o exemplo de Thoreau.[*]

— Mas eu ouvi tudo o que você ouviu.

---

[*] O escritor americano Henry David Thoreau (1817-1862) referia-se à prática de alguns leiteiros de Massachusetts que, a caminho do mercado, diluíam o leite que entregavam com água tirada de um canal com um balde. (N. T.)

— Sem, no entanto, ter o conhecimento de casos anteriores que me é tão útil. Houve uma instância paralela em Aberdeen há alguns anos, e algo praticamente na mesma linha em Munique, no ano seguinte à guerra franco-prussiana. É um daqueles casos... mas, olá, aí está Lestrade! Boa tarde, Lestrade! Você encontrará um copo à disposição sobre o balcão, e temos charutos na caixa.

O detetive oficial trajava um paletó trespassado e um lenço no pescoço, o que lhe dava uma aparência decididamente náutica, e carregava uma bolsa de tela preta. Com uma breve saudação, sentou-se e acendeu o charuto que lhe foi oferecido.

— O que aconteceu, então? — perguntou Holmes com um brilho no olhar. — Você parece insatisfeito.

— E estou insatisfeito. É esse caso infernal do casamento de St Simon. Não consigo tirar conclusão nenhuma.

— É mesmo?! Você me surpreende.

— Quem já ouviu falar de algum caso tão confuso? Todas as pistas parecem escorrer por entre meus dedos. Trabalhei o dia inteiro nisso.

— E parece ter se molhado bastante — disse Holmes, pondo a mão sobre a manga do paletó de Lestrade.

— Sim, estive dragando o rio Serpentine.

— Em nome de Deus, para quê?

— Procurando o corpo de lady St Simon.

Sherlock Holmes se jogou para trás na poltrona e deu uma sonora gargalhada.

— Já dragou o chafariz da Trafalgar Square?

— Por quê? O que quer dizer com isso?

— Porque a probabilidade de você encontrar essa dama ali é a mesma.

Lestrade lançou um olhar irritado para o meu colega.

— Imagino que você saiba tudo a respeito — rosnou.

— Bem, acabo de ouvir os fatos, mas já tirei minhas conclusões.

— Oh, é mesmo! E acha que o Serpentine não tem nenhum papel nessa questão?

— Acho muito improvável.

— Então talvez você possa me fazer a gentileza de explicar como encontramos isto no rio? — Ele abriu a bolsa enquanto falava, e dela saíram um vestido de noiva de seda raiada, um par de sapatos brancos de cetim, um diadema e um véu de noiva, tudo desbotado e encharcado. — Aí está — ele disse, pondo uma aliança nova no alto da pilha. — Aí está uma noz para o senhor quebrar, Mestre Holmes.

— Oh, deveras! — disse meu amigo, soprando anéis de fumaça azulada no ar. — Você tirou tudo isso do Serpentine?

— Não. Foram encontradas flutuando perto da margem por um zelador do parque. Foram identificadas como as roupas dela, e me parece que, se as roupas estavam lá, o corpo não deve estar longe.

— Pelo mesmo brilhante raciocínio, o corpo de qualquer homem deve ser encontrado nas proximidades do seu guarda-roupa. E, por favor, o que esperava conseguir com isso?

— Alguma prova envolvendo Flora Millar no desaparecimento.

— Temo que isso será difícil.

— Teme, é? — exclamou Lestrade, com um certo rancor. — E eu temo, Holmes, que você não seja muito prático com suas deduções e inferências. Você cometeu dois erros nos últimos dois minutos. Este vestido envolve, sim, a Srta. Flora Millar.

— E como?

— O vestido tem um bolso. No bolso há uma carteira. Na carteira há um bilhete. E aqui está o bilhete. — Ele o jogou sobre a mesa à sua frente. — Ouça isto: "Você me verá quando tudo estiver pronto. Venha logo. F. H. M.". Bem, minha teoria, desde o início, foi que lady St Simon foi atraída para fora por Flora Millar, e que ela, com cúmplices, sem dúvida, é a responsável pelo desaparecimento. Aqui, assinado com suas iniciais, está o bilhete que sem dúvida foi discretamente posto na mão de lady St Simon, e que a atraiu para perto de Flora.

— Muito bem, Lestrade — disse Holmes, rindo. — Você é ótimo mesmo. Deixe-me ver. — Ele pegou o bilhete de maneira preguiçosa, mas sua atenção instantaneamente se fixou no papel, e ele soltou um gritinho de satisfação. — Isto realmente é importante — ele disse.

— Ha! Você acha?

— Extremamente. Meus mais sinceros parabéns.

Lestrade se levantou, em triunfo, e se curvou para olhar.

— Ora — ele gritou —, está olhando o lado errado!

— Pelo contrário, este é o lado certo.

— O lado certo? Você está louco! Aqui está o bilhete, escrito a lápis.

— E aqui está o que parece ser o fragmento de uma conta de hotel, que me interessa profundamente.

— Não há nada nela. Eu já olhei — disse Lestrade. — "4 de outubro, quartos, 8 xelins, desjejum, 2 xelins e 6 *pence*, coquetel, 1 xelim, almoço, 2 xelins e 6 *pence*, taça de *sherry*, 8 *pence*." Não vejo nada de mais.

— Muito provavelmente não. Mesmo assim, é muito importante. Quanto ao bilhete, também é importante, ou pelo menos as iniciais o são, portanto meus parabéns novamente.

— Já perdi tempo suficiente — disse Lestrade, se levantando. — Acredito em trabalho árduo, não em ficar sentado diante da lareira, tecendo belas teorias. Boa tarde, Sr. Holmes, e veremos quem chega à solução do problema primeiro. — Ele juntou as roupas, jogou-as na bolsa e se dirigiu para a porta.

— Só uma pista para você, Lestrade — disse Holmes, com fala arrastada, antes que seu rival desaparecesse —; vou lhe dar a verdadeira solução do problema. Lady St Simon é um mito. Não existe, nem nunca existiu tal pessoa.

Lestrade olhou tristemente para o meu colega. Depois se virou para mim, bateu três vezes na testa, balançou a cabeça solenemente e se foi.

Ele mal fechara a porta atrás de si quando Holmes se levantou e vestiu seu sobretudo.

— Há alguma verdade no que o camarada diz sobre trabalho de campo — ele comentou —, portanto acho, Watson, que precisarei deixar você com seus jornais por algum tempo.

Eram mais de 17h quando Sherlock Holmes me deixou, mas não tive tempo de ficar sozinho, porque dentro de uma hora chegou um entregador de restaurante com uma grande e fina caixa. Ele a abriu, com a ajuda de um jovem que o acompanhava, e logo, para meu grande assombro, um jantar frio bastante lauto começou a ser disposto sobre nossa humilde mesa de mogno. Havia alguns pares de galinholas frias, um faisão, uma torta de *pâté de foie gras* e um grupo de garrafas antigas, cheias de teias de aranha. Depois de dispor todos esses luxos, meus dois visitantes desapareceram, como os gênios das *Mil e Uma Noites*, sem nada explicar, exceto que tudo havia sido pago e encomendado para aquele endereço.

Pouco antes das 21h, Sherlock Holmes entrou a passos rápidos na sala. Seu semblante era sombrio, mas havia um brilho em seus olhos que me fazia pensar que ele não se decepcionara com suas conclusões.

— Trouxeram o jantar, então — ele disse, esfregando as mãos.

— Você parece estar esperando visitas. Há cinco talheres aqui.

— Sim, imagino que teremos companhia — ele disse. — Fico surpreso de o lorde St Simon ainda não ter chegado. Ha! Acho que ouço seus passos na escada.

Era, de fato, nosso visitante da tarde que chegava, irrompendo na sala, balançando seus óculos mais vigorosamente do que nunca, e com uma expressão muito perturbada no semblante aristocrático.

— Meu mensageiro o alcançou, então? — perguntou Holmes.

— Sim, e confesso que sua mensagem me estarreceu desmedidamente. O senhor tem certeza do que diz?

— Absoluta.

O lorde St Simon afundou numa poltrona e passou a mão na testa.

— O que o duque irá dizer — murmurou —, quando souber que um membro da família foi submetido a tal humilhação?

— Foi puramente um acidente. Não posso aceitar que houve qualquer humilhação.

— Ah, o senhor vê essas coisas de outro ponto de vista.

— Não consigo ver nenhum culpado. Não sei como a madame poderia ter feito diferente, embora seu abrupto método de ação tenha sido sem dúvida lamentável. Por não ter mãe, ela não tinha ninguém com quem se aconselhar nessa crise.

— Foi uma afronta, uma afronta pública — disse o lorde St Simon, tamborilando com os dedos na mesa.

— O senhor precisa ser condescendente com essa pobre jovem, colocada numa posição tão inaudita.

— Não serei nada condescendente. Estou furioso, e fui tratado de maneira vergonhosa.

— Acho que ouvi a campainha — disse Holmes. — Sim, ouço passos na escada. Se não consigo persuadi-lo a ser tolerante com essa questão, lorde St Simon, eu trouxe aqui uma postulante que pode ter mais sucesso. — Ele abriu a porta e introduziu uma dama e um cavalheiro. — Lorde St Simon — ele disse —, permita-me lhe apresentar o Sr. e a Sra. Francis Hay Moulton. Creio que a madame o senhor já conheça.

Ao avistar esses recém-chegados, nosso cliente saltou da poltrona e ficou bem ereto, com o olhar baixo e a mão metida no peito do casaco, o retrato da dignidade ofendida. A dama dera um passo rápido para a frente e estendera a mão para ele, que ainda se recusava a erguer os olhos. Mas talvez fosse demais para a resolução de lorde St Simon, porque era difícil resistir àquele rosto suplicante.

— Você está zangado, Robert — ela disse. — Bem, acho que tem todos os motivos para estar.

— Por favor, não se desculpe comigo — disse amargamente o lorde St Simon.

— Oh, sim, sei que tratei você muito mal e que deveria ter falado com você antes de ir embora; mas fiquei meio abalada, e desde que vi Frank aqui de novo, não sabia mais o que estava fazendo ou dizendo. Nem sei como não caí desmaiada no altar.

— Talvez, Sra. Moulton, prefira que meu amigo e eu saiamos da sala enquanto explica essa questão?

— Se eu puder dar minha opinião — declarou o cavalheiro desconhecido —, já tivemos sigilo demais sobre esse negócio. De minha parte, gostaria que toda a Europa e a América ouvissem a verdade. — Era um homem pequeno, magro, queimado de sol, barbeado, com um rosto forte e atitude alerta.

— Então contarei nossa história imediatamente — disse a dama. — Frank e eu nos conhecemos em 1884, no campo de McQuire, perto das Montanhas Rochosas, onde papai estava explorando umas minas. Ficamos noivos, Frank e eu; mas então, um dia, papai encontrou um rico veio e fez fortuna, enquanto as minas do pobre Frank se esgotaram e não deram em nada. Quanto mais rico papai ficava, mais pobre ficava Frank, e no fim papai não quis mais saber do nosso noivado e me levou embora para San Francisco. Mas Frank não quis largar a presa; seguiu-me para lá, e se encontrava comigo sem que papai soubesse. Isso só deixaria meu pai furioso, então fizemos tudo por nossa conta. Frank disse que iria fazer fortuna também, e não voltaria para me buscar enquanto não tivesse tanto dinheiro quanto papai. Assim, prometi esperar por ele até o fim dos tempos, e não me casar com mais ninguém enquanto ele vivesse. "Por que não nos casamos agora, então", ele disse, "assim ficarei mais tranquilo com você; e só contarei que sou seu marido quando voltar?" Bem, conversamos sobre isso, e ele havia providenciado tudo tão direitinho, com um sacerdote esperando, que nos casamos ali mesmo; e então Frank partiu para procurar sua fortuna, e eu voltei para o meu pai.

"A próxima notícia que tive de Frank foi que ele estava em Montana, e depois foi fazer prospecção no Arizona, e em seguida soube dele no Novo México. Logo depois, um longo artigo no jornal contou que um acampamento de mineiros havia sido atacado por índios apaches, e lá estava o nome do meu Frank entre os mortos. Eu desmaiei e fiquei doente por meses depois disso. Papai achou que eu estava definhando e me levou à metade dos médicos de San Francisco. Não recebi mais nenhuma notícia por mais de um ano, por isso nunca duvidei de que Frank realmente estivesse morto. Então, o lorde St Simon chegou em San Francisco, e nós viemos para Londres, e um casamento foi arranjado, e papai ficou muito feliz, mas eu sentia o tempo todo que nenhum homem no mundo poderia tomar o lugar no meu coração que fora ocupado pelo meu pobre Frank.

"Ainda assim, se eu tivesse me casado com o lorde St Simon, naturalmente cumpriria meus deveres com ele. Não podemos mandar no amor, mas mandamos nas nossas ações. Subi no altar com ele com a intenção de ser a melhor esposa que eu conseguisse ser. Mas os senhores podem imaginar o que senti quando, ao me aproximar do altar, olhei para trás e vi Frank de pé e me olhando na primeira fileira. De início, pensei que fosse o fantasma dele; mas quando olhei de novo, lá estava ele, ainda, com uma espécie de questão no olhar, como que me perguntando se eu estava feliz ou triste em vê-lo. Não sei como não desmaiei. Sei que tudo estava girando, e as palavras do sacerdote pareciam um zumbido de abelha no meu ouvido. Eu não sabia o que fazer. Devia interromper a cerimônia e fazer um escândalo na igreja? Olhei para Frank de novo, e ele parecia saber o que eu estava pensando, pois apoiou um dedo nos lábios, me mandando ficar em silêncio.

Então o vi escrevendo num pedaço de papel, e eu sabia que estava me escrevendo um bilhete. Ao passar pela sua fileira, na saída, deixei cair o meu buquê perto dele, e ele enfiou o bilhete na minha mão ao me devolver as flores. Era só uma linha pedindo para ir embora com ele quando me desse um sinal. Naturalmente, não duvidei nem por um momento que meu primeiro dever, agora, era para com ele, e decidi fazer tudo o que ele me pedisse.

"Quando voltei, contei à minha criada, que o conhecera na Califórnia e sempre foi amiga dele. Mandei que ela não dissesse nada, mas pusesse algumas coisas numa mala e preparasse meu casaco. Eu sei que deveria ter falado com o lorde St Simon, mas era muito difícil, diante de sua mãe e de todas aquelas excelentes pessoas. Decidi fugir e explicar depois. Eu não estava sentada à mesa nem havia dez minutos quando vi Frank pela janela, do outro lado da estrada. Ele acenava para mim, e começou a andar para o parque. Saí de fininho, peguei minhas coisas e o segui. Uma mulher veio me contar alguma coisa sobre o lorde St Simon, pareceu-me, pelo pouco que ouvi, que ele também tinha seu próprio segredinho anterior ao casamento, mas consegui me afastar dela, e logo alcancei Frank. Pegamos uma carruagem juntos e fomos para uns aposentos que ele alugara na Gordon Square, e esse foi meu verdadeiro casamento, depois de tantos anos de espera. Frank havia sido prisioneiro entre os apaches, fugiu, chegou em San Francisco, descobriu que eu o considerava morto e partira para a Inglaterra, me seguiu até aqui, e finalmente me procurou justamente na manhã do meu segundo casamento."

— Li num jornal — explicou o americano. — Informava o seu nome e qual a igreja, mas não o endereço da madame.

— Então conversamos sobre o que fazer, e Frank era a favor de abrir o jogo, mas eu estava tão envergonhada com tudo que senti que gostaria de desaparecer e nunca mais ver nenhum deles, apenas escrever um bilhete para meu pai, talvez, para mostrar que eu estava viva. Era terrível, para mim, pensar em todos aqueles lordes e ladies sentados à mesa do desjejum, esperando que eu voltasse. Assim, Frank pegou meu vestido e meus adereços de noiva, fez um pacotinho, para que eu não fosse localizada, e os jogou em algum lugar onde ninguém os encontraria. Era provável que partíssemos para Paris amanhã, mas este bom homem, o Sr. Holmes, nos procurou hoje à noite, embora eu nem imagine como nos encontrou, e explicou, muito clara e gentilmente, que eu estava errada e que Frank estava certo, e que agiríamos errado fazendo tudo com tanto segredo. Então ele se ofereceu para nos permitir falar com o lorde St Simon a sós, e viemos para os seus aposentos imediatamente. Agora, Robert, você ouviu tudo, e lamento muito por ter magoado você, e espero que não pense tão mal de mim.

O lorde St Simon não relaxara em nada sua postura rígida, mas ouvira com o cenho franzido e os lábios apertados essa longa narrativa.

— Perdoe-me — ele disse —, mas não é meu costume discutir meus assuntos pessoais mais íntimos de maneira tão pública.

— Então não vai me perdoar? Não vai apertar minha mão antes que eu parta?

— Oh, certamente, se isso lhe apraz. — Ele estendeu a mão e apertou friamente a que ela lhe ofereceu.

— Eu esperava — sugeriu Holmes — que o senhor nos acompanhasse num jantar amigável.

— Acho que isso já é pedir demais — respondeu o nobre. — Uma coisa é ser forçado a aceitar esses recentes desdobramentos, mas não podem esperar que eu os festeje. Acho que, com sua permissão, desejarei agora a todos uma ótima noite. — Ele nos incluiu a todos numa ampla reverência e marchou para fora da sala.

— Então espero que pelo menos o senhor e a senhora hão de me honrar com sua companhia — disse Sherlock Holmes. — É sempre uma felicidade encontrar um americano, Sr. Moulton, já que sou um daqueles que acreditam que a loucura de um monarca e as trapalhadas de um ministro no passado distante não evitarão que nossos filhos, um dia, sejam cidadãos da mesma nação global, sob uma bandeira que será uma mistura dos pendões britânico e americano.

— O caso foi interessante — comentou Holmes, quando nossas visitas foram embora —, porque serviu para demonstrar muito claramente como pode ser simples a explicação de um caso que à primeira vista parecia quase inexplicável. Nada poderia ser mais natural do que a sequência de acontecimentos narrados por essa dama, e nada mais estranho do que os resultados, quando observados, por exemplo, pelo Sr. Lestrade, da Scotland Yard.

— Então você não ficou em dúvida em nenhum momento?

— Desde o início, dois fatos eram muito óbvios para mim; um, que a madame estava na cerimônia de casamento por livre e espontânea vontade; e outro, que ela se arrependera alguns minutos depois de voltar para casa. Obviamente, algo acontecera durante a manhã, então, para fazê-la mudar de ideia. O que poderia ser esse algo? Ela não poderia ter falado com ninguém enquanto saía, pois estava na companhia do noivo. Ela vira alguém, então? Se sim, deveria ser alguém da América, pois ela passara tão pouco tempo neste país que dificilmente poderia ter permitido que alguém adquirisse uma influência tão profunda sobre ela, que a mera visão dessa pessoa a induzisse a mudar seus planos de forma tão completa. Veja como já chegamos, por um processo de exclusão, à ideia de que ela deveria ter visto um americano. E quem poderia ser esse americano, e por que conseguia exercer toda essa influência sobre ela? Poderia ser um amante; poderia ser um marido. Sua juventude fora, eu sabia, vivida em ambientes rústicos e sob condições estranhas. Eu chegara até esse ponto antes de ouvir a narrativa do lorde St Simon. Quando ele nos falou de um homem nos bancos da igreja, da mudança na atitude da noiva, de uma artimanha tão transparente para obter um bilhete quanto derrubar um buquê, de seu recurso à criada confidente, e de sua muito significativa alusão a tomar a mina, que, no jargão dos mineiros, significa tomar posse daquilo que já pertence a outra pessoa, a situação toda ficou absolutamente clara. Ela fugira com um homem, e o homem era um amante ou um antigo marido, as probabilidades indicando este último.

— E como é que você os encontrou?

— Poderia ter sido difícil, mas o amigo Lestrade tinha nas mãos informações cujo valor ele mesmo desconhecia. As iniciais eram, claro, da maior importância, mas mais valioso ainda era saber que, uma semana atrás, ele pagara sua conta num dos mais seletos hotéis londrinos.

— Como deduziu que era seleto?

— Pelos preços seletos. Oito xelins por um leito e oito *pence* por uma taça de *sherry* apontavam para um dos hotéis mais caros. Não há muitos em Londres que cobrem esses preços. No segundo hotel que visitei na Northumberland Avenue, descobri, inspecionando o livro de registro, que Francis H. Moulton, um cavalheiro americano, partira no dia anterior, e consultando suas despesas, topei com os mesmos itens que eu vira na outra via da conta. Sua correspondência deveria ser encaminhada para a Gordon Square, 226; portanto, para lá eu fui, e tendo a felicidade de encontrar o amoroso casal em casa, empenhei-me em lhes dar alguns conselhos paternais e dizer-lhes que seria melhor, sob todos os aspectos, se eles tornassem sua posição um pouco mais clara para o público em geral e para o lorde St Simon em particular. Convidei-os para encontrá-lo aqui e, como vê, fiz o lorde cumprir o compromisso.

— Mas sem resultados muito bons — comentei. — Sua conduta certamente não foi muito generosa.

— Ah, Watson — disse Holmes, sorrindo — talvez você também não fosse muito generoso se, depois de todo o trabalho de cortejar e se casar, se visse subitamente privado da esposa e da fortuna. Acho que podemos julgar o lorde St Simon muito misericordiosamente e agradecer à nossa sorte por ser improvável que um dia nos encontraremos na mesma situação. Aproxime sua poltrona e passe meu violino, pois o único problema que ainda precisamos resolver é o de como ocupar estas esquálidas noites outonais.

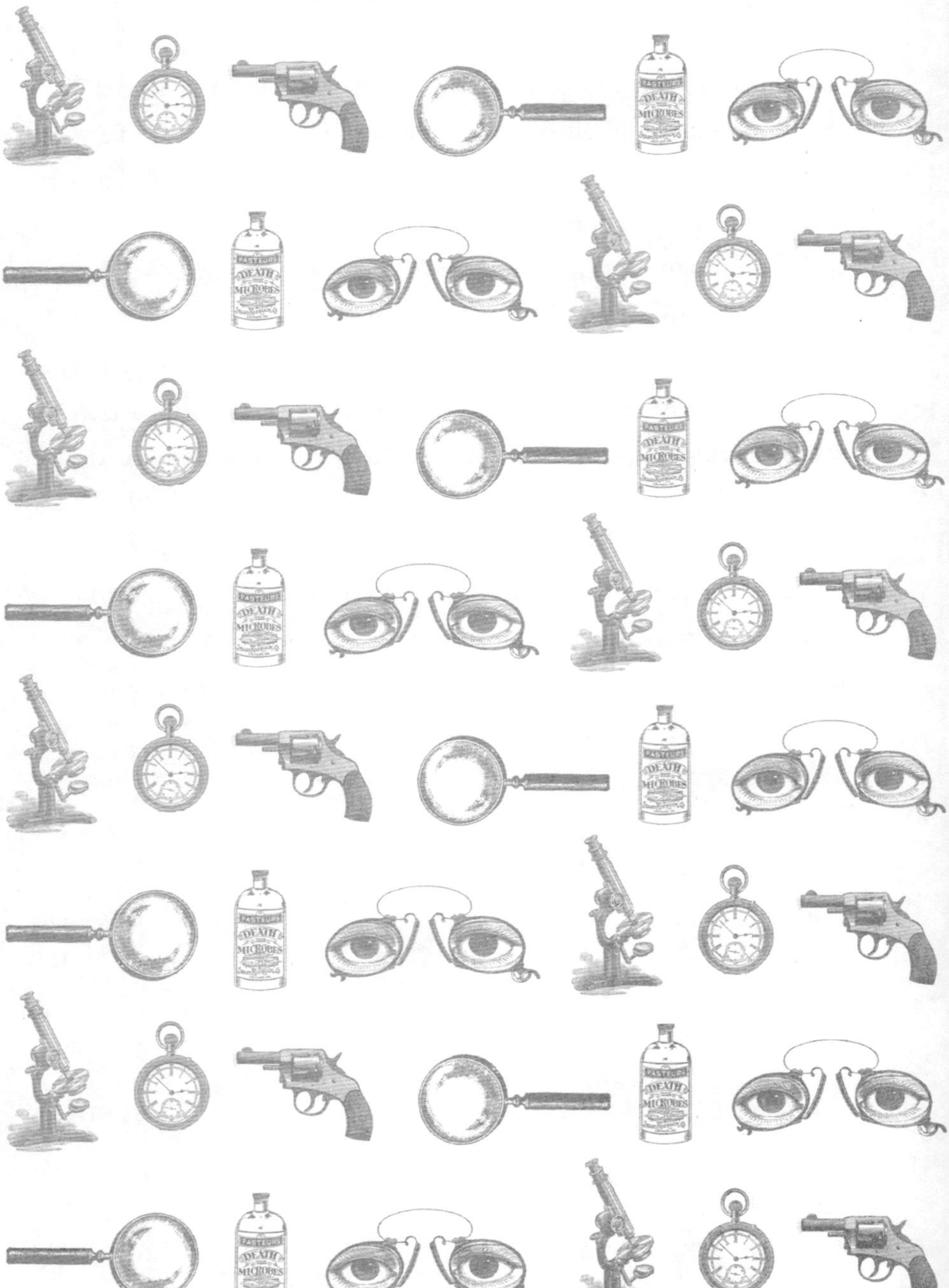
PASTEURS
DEATH
MICROBES

## onze
# A AVENTURA DO DIADEMA DE BERILOS

— Holmes — eu disse uma manhã, enquanto olhava a rua da nossa janela panorâmica —, um louco está vindo. Parece algo triste que seus parentes permitam que ele saia sozinho.

Meu amigo se levantou preguiçosamente de sua poltrona e ficou olhando, com as mãos nos bolsos de seu roupão, por cima do meu ombro. Era uma manhã ensolarada e fresca de fevereiro, e a neve do dia anterior ainda estava alta no chão, cintilando brilhantemente ao sol de inverno. No meio da Baker Street, ela fora comprimida numa faixa marrom e triturada pelo trânsito, mas a que ficara dos dois lados, e amontoada na beira das calçadas, ainda era tão branca como quando caíra. A calçada cinza havia sido limpa e raspada, mas continuava perigosamente escorregadia, por isso havia menos transeuntes do que de costume. De fato, da direção da Estação Metropolitan, não vinha ninguém além do cavalheiro solitário cuja conduta excêntrica chamara a minha atenção.

Era um homem de uns 50 anos, alto, robusto e imponente, com um rosto enorme e de traços fortes e um ar de comando. Vestia-se num estilo sombrio, porém rico, com um casaco longo preto, chapéu reluzente, polainas novas marrons e uma calça cinza-perolado bem cortada. No entanto, suas ações produziam um contraste absurdo com a dignidade do seu traje e de suas feições, pois ele corria muito, com pequenos arranques ocasionais, como faz alguém cansado, quando não está acostumado a exercitar as pernas. Enquanto corria, agitava as mãos para cima e para baixo, balançava a cabeça, e desfigurava seu rosto nas contorções mais extraordinárias.

— O que, afinal, pode haver de errado com ele? — perguntei. — Está olhando o número das casas.

— Acredito que esteja vindo para cá — disse Holmes, esfregando as mãos.

— Para cá?

— Sim, acho que vem consultar-me profissionalmente. Pareço reconhecer os sintomas. Ha! Não falei? — enquanto ele falava, o homem, bufando e soprando, correu para a nossa porta e puxou a campainha até que a casa toda ressoasse com o tilintar.

Alguns momentos depois, ele estava em nossa sala, ainda bufando, ainda gesticulando, mas com um olhar tão fixo de sofrimento e desespero que nossos sorrisos transformaram-se em horror e pena num instante. Por algum tempo, ele não conseguiu falar, apenas balançava o corpo e arrancava os cabelos, como alguém levado aos extremos limites da sua sanidade. Então, saltando de pé abruptamente, bateu a cabeça na parede com tamanha força que ambos corremos e o puxamos para o meio da sala. Sherlock Holmes o empurrou para a espreguiçadeira e, sentando-se ao seu lado, afagou sua mão e conversou com ele nos tons relaxados e calmantes que sabia empregar tão bem.

— O senhor veio me contar sua história, não veio? — ele disse. — Está fatigado por sua pressa. Por favor, espere até se recuperar, e então ficarei feliz em analisar qualquer probleminha que queira me apresentar.

O homem ficou sentado por um minuto ou mais, ofegante, lutando contra a emoção. Então passou o lenço na testa, apertou os lábios e se virou para nós.

— Certamente acham que sou louco. — disse.

— Vejo que está enfrentando algum grave problema — respondeu Holmes.

— Deus sabe que sim! Um problema suficiente para destituir minha sanidade, de tão repentino e terrível que é. A desgraça pública eu poderia ter encarado, embora seja um homem de caráter ilibado. Aflições particulares também são a sina de todo homem; mas as duas coisas acontecendo juntas, e de forma tão assustadora, foram suficientes para me abalar até a alma. Além disso, não sou só eu. Os nobres mais graduados do país podem sofrer, a menos que alguma saída para esse caso horrível seja encontrada.

— Por favor, recomponha-se, senhor — disse Holmes —, e faça um relato claro de quem é o senhor e o que lhe aconteceu.

— Meu nome — respondeu nosso visitante — provavelmente não soará novo aos seus ouvidos. Sou Alexander Holder, da instituição financeira Holder & Stevenson, na Threadneedle Street.

O nome, de fato, era-nos bastante conhecido, por pertencer ao sócio da segunda maior instituição bancária da cidade de Londres. O que poderia ter acontecido, então, para levar um dos principais cidadãos de Londres a esse estado deplorável? Esperamos, cheios de curiosidade, até que, com mais um esforço, ele se preparou para contar sua história.

— Sinto que o tempo é valioso — ele disse —; por isso corri para cá quando o inspetor de polícia sugeriu que eu deveria assegurar a cooperação do senhor. Vim para Baker Street de metrô e corri a pé da estação para cá, pois as carruagens rodam devagar nesta neve toda. Por isso eu estava tão sem fôlego, pois não costumo me exercitar. Sinto-me melhor agora, e apresentarei os fatos tão sucinta e claramente quanto puder.

"Naturalmente, os senhores sabem muito bem que, num banco bem-sucedido, muita coisa depende tanto de nossa capacidade de encontrar investimentos bem remunerados para nossos fundos quanto de expandir nossas conexões e o número de nossos correntistas. Um dos meios mais lucrativos de investir o dinheiro é sob a forma de empréstimos, nos quais a segurança é impecável. Trabalhamos muito nessa frente nos últimos anos, e adiantamos vultosas quantias para muitas famílias nobres, aceitando como garantia seus quadros, livros ou prataria.

"Na manhã de ontem, eu estava sentado na minha sala no banco quando um cartão me foi trazido por um funcionário. Tive um sobressalto ao ler o nome, pois era nada menos que, bem, talvez até para os senhores seja melhor que eu diga apenas que era um nome conhecido em todo o mundo, um dos nomes mais elevados, mais nobres e exaltados da Inglaterra. A honra da visita avassalou-me e eu tentei, quando ele entrou, dizer isso, mas ele foi direto ao assunto com o ar de alguém que quer desempenhar rapidamente uma tarefa desagradável.

"'Sr. Holder', ele disse, 'fui informado de que os senhores têm o hábito de emprestar dinheiro.'

"'O banco faz isso quando as garantias são boas', respondi.

"'É absolutamente essencial', ele disse, 'que eu receba 50 mil libras imediatamente. Eu poderia, é claro, tomar emprestadas dez vezes esse valor trivial de meus amigos, mas prefiro tratar o assunto como um negócio e cuidar dele pessoalmente. Em minha posição, o senhor deve entender facilmente que não é sensato dever obrigações a ninguém.'

"'Posso perguntar por quanto tempo deseja tomar emprestada essa quantia?', perguntei.

"'Na próxima segunda-feira devo receber um pagamento de vulto, e certamente poderei, então, restituir o valor, com os juros que o senhor considerar adequados. Mas é essencial para mim que o dinheiro seja liberado imediatamente.'

"'Eu ficaria feliz em emprestá-lo sem mais delongas do meu próprio bolso', falei, 'mas o ônus é maior do que posso suportar. Se, por outro lado, eu o fizer em nome do banco, então, por uma questão de justiça com meu sócio, devo insistir para que, mesmo sendo para o senhor, todas as precauções de praxe sejam tomadas.'

"'Prefiro mesmo que seja assim', ele disse, pegando um estojo quadrado de couro preto que deixara ao lado da cadeira. 'Sem dúvida já deve ter ouvido falar do Diadema de Berilos?'

"'Um dos mais preciosos tesouros públicos do império', eu disse.

"'Exatamente.' Ele abriu o estojo, e ali, engastada em veludo macio cor de carne, estava a magnífica obra de ourivesaria que mencionara. 'Tem 39 enormes berilos', ele disse, 'e o preço da base de ouro é incalculável. A estimativa mais conservadora avaliaria o diadema pelo dobro da soma que pedi. Estou disposto a deixá-lo com o senhor como minha garantia.'

"Tomei o precioso estojo nas mãos, algo perplexo, e meus olhos iam e vinham dele para o meu ilustre cliente.

"'Duvida do valor?', ele perguntou.

"'De modo algum. Duvido apenas...'

"'Que seja apropriado eu deixá-lo aqui. Pode ficar descansado quanto a isso. Eu não sonharia em fazê-lo se não tivesse a mais absoluta certeza de que serei capaz de reavê-lo em quatro dias. É uma mera formalidade. A garantia é suficiente?'

"'Amplamente.'

"'Entenda, Sr. Holder, que estou dando uma grande prova da confiança que tenho no senhor, baseada em tudo o que ouvi a seu respeito. Confio não só na sua discrição em evitar qualquer mexerico sobre o assunto, mas, acima de tudo, na sua capacidade de preservar este diadema, tomando todas as precauções possíveis, pois nem preciso dizer que seria um grande escândalo público se ele sofresse qualquer dano. Danificá-lo seria quase tão grave quanto perdê-lo completamente, pois não há outros berilos no mundo iguais a esses, e seria impossível repô-los. Deixo-o com o senhor, no entanto, com toda a confiança, e virei buscá-lo pessoalmente na manhã de segunda-feira.'

"Percebendo que meu cliente estava ansioso para ir embora, não falei mais nada e, chamando um atendente, mandei que lhe entregasse cinquenta cédulas de mil libras. Quando fiquei a sós novamente, todavia, com o precioso estojo sobre a mesa diante de mim, não pude deixar de pensar com alguma apreensão na imensa responsabilidade que aquilo representava para mim. Não restava dúvida de que, por se tratar de um tesouro nacional, um escândalo horrível resultaria de qualquer infortúnio que lhe acontecesse. Eu já me arrependia de ter aceitado a sua guarda. Porém, era tarde demais para alterar os fatos, por isso tranquei a joia no meu cofre particular e voltei ao trabalho.

"Quando anoiteceu, senti que seria imprudente deixar algo tão precioso no escritório na minha ausência. Cofres de bancos já foram arrombados, e por que o meu não seria? Nesse caso, em que posição terrível eu me encontraria! Resolvi, portanto, que pelos próximos dias eu carregaria sempre o estojo para todo lado comigo, para que ele jamais ficasse fora do meu alcance. Com essa intenção, chamei uma carruagem e rumei para a minha casa em Streatham, levando a joia. Não consegui respirar aliviado enquanto não a levei para cima e a tranquei na secretária do meu quarto.

"E agora falarei um pouco da minha casa, Sr. Holmes, pois quero que entenda completamente a situação. Meu cavalariço e meu pajem dormem fora da casa, e desde já podem ser descartados. Tenho três criadas que estão comigo há vários anos e cuja absoluta confiabilidade está acima de qualquer suspeita. Outra, Lucy Parr, a segunda camareira, só está conosco há alguns meses. Porém, seu caráter é excelente, e seu serviço sempre me satisfez. É uma garota muito bonita e atrai admiradores, que ocasionalmente rondam a casa. Esse é o único inconveniente que vejo nela, mas acreditamos que seja uma excelente mocinha sob todos os aspectos.

"Sobre a criadagem, é isso. Minha família é tão pequena que não levarei muito tempo para descrevê-la. Sou viúvo e tenho um filho único, Arthur. Ele é uma decepção para mim, Sr. Holmes, uma grave decepção. Não tenho dúvidas de que eu mesmo sou o culpado. As pessoas me dizem que o mimei demais. É provável que seja verdade. Quando minha querida esposa morreu, senti que ele era tudo o que eu amava. Não suportava ver o sorriso desaparecer nem por um momento do seu rosto. Nunca neguei um pedido seu. Talvez fosse melhor para nós dois se eu tivesse sido mais severo, mas minhas intenções eram boas.

"Naturalmente, eu tencionava que ele me substituísse no meu cargo, mas ele não se interessava por negócios. Era rebelde, indisciplinado, e, para dizer a verdade, eu não confiava em sua capacidade de administrar grandes quantias. Quando mais jovem, tornou-se membro de um clube aristocrático, e ali, por ter modos encantadores, logo ficou íntimo de vários homens com bolsos fundos e hábitos caros. Aprendeu a apostar alto em jogos de cartas e a perder dinheiro na pista de corrida, até ser obrigado a me procurar repetidamente e me implorar que lhe desse um adiantamento de sua mesada, para que pudesse quitar suas dívidas de honra. Tentou mais de uma vez se afastar das perigosas companhias que frequentava, mas toda vez a influência do seu amigo, Sir George Burnwell, era suficiente para atraí-lo de volta.

"E, de fato, não me espantava que um homem como Sir George Burnwell tivesse tanta influência sobre Arthur, pois frequentemente ele o trazia para a minha casa, e eu mesmo descobri que era difícil resistir à fascinação de sua personalidade. Ele é mais velho que Arthur, um homem que tem o mundo aos seus pés, já esteve em toda a parte, já viu de tudo, orador brilhante e possuidor de grande beleza pessoal. No entanto, quando penso nele friamente, longe de sua glamorosa presença, estou convencido, por seu discurso cínico e pelos olhares que já flagrei, de que ele é alguém de quem se deve desconfiar profundamente. É o que penso, e é o que pensa também minha pequena Mary, que tem uma rápida intuição feminina para o caráter das pessoas.

"E agora é só a ela que me falta descrever. É minha sobrinha; mas quando meu irmão morreu, há cinco anos, e a deixou sozinha no mundo, eu a adotei, e a considero minha filha desde então. Ela é um raio de sol na minha casa, doce, amorosa, linda, administradora e dona de casa maravilhosa, porém terna, discreta e gentil, como só uma mulher pode ser. É meu braço direito. Não sei o que eu faria sem ela. Só numa coisa ela contrariou meus desejos. Por duas vezes meu rapaz pediu sua mão, pois a ama com devoção, mas as duas vezes, ela recusou. Acho que, se havia alguém que poderia colocá-lo no caminho certo, seria ela, e esse casamento poderia ter mudado a vida dele; mas agora, ai de mim! É tarde demais, tarde demais para sempre!

"Agora, Sr. Holmes, já conhece as pessoas que vivem debaixo do meu teto, e continuarei com minha miserável história.

"Quando estávamos tomando café na sala de estar, naquela noite, após o jantar, contei para Arthur e Mary a minha experiência, e do precioso tesouro que tínhamos em casa, omitindo apenas o nome do meu cliente. Lucy Parr, que servira o café, já havia, tenho certeza, saído da sala; mas não posso jurar que a porta estava fechada. Mary e Arthur ficaram muito interessados e quiseram ver o famoso diadema, mas achei melhor não mexer nele.

"'Onde o guardou?', perguntou Arthur.

"'Na minha secretária.'

"'Bem, espero sinceramente que não roubem a casa durante a noite', ele disse.

"'Está trancada', respondi.

"'Ora, qualquer chave abre aquela secretária. Quando era menino, eu mesmo a abria com a chave do armário do quartinho.'

"Ele costumava falar de maneira rebelde com frequência, por isso não pensei muito no que dissera. Porém, ele me seguiu até meu quarto, naquela noite, com uma expressão muito grave.

"'Olhe, papai', ele disse, cabisbaixo, 'pode me dar duzentas libras?'

"'Não, não posso!', respondi rispidamente. 'Já fui generoso demais com você em matéria de dinheiro.'

"'O senhor tem sido muito gentil', ele disse, 'mas preciso desse dinheiro, senão nunca mais poderei aparecer no clube.'

"'E seria muito bom!', exclamei.

"'Sim, mas o senhor não vai querer que eu saia de lá desonrado', ele disse. 'Não posso suportar essa desonra. Preciso levantar o dinheiro de alguma forma, e se o senhor não me der, terei que tentar outros meios.'

"Eu estava furioso, pois aquele era o terceiro pedido no mês. 'Você não terá um tostão de mim', exclamei, e ele fez uma reverência e saiu do quarto sem mais uma palavra.

"Depois que ele saiu, abri minha secretária, certifiquei-me de que meu tesouro estava seguro e fechei-a de novo. Então comecei a andar pela casa, para ver se estava tudo trancado, uma tarefa que normalmente deixo para Mary, mas que achei melhor desempenhar pessoalmente, naquela noite. Ao descer a escada, vi a própria Mary perto da janela lateral do átrio, que ela fechou e travou quando me aproximei.

"'Diga, papai', ela falou, parecendo, eu achei, algo perturbada, 'o senhor deu permissão para que Lucy, a criada, saísse hoje à noite?'

"'Claro que não.'

"'Ela acaba de entrar pela porta dos fundos. Não tenho dúvidas de que só foi até o portão lateral falar com alguém, mas acho que isso não é seguro e precisa parar.'

"'Fale com ela amanhã de manhã, ou eu falarei, se você preferir. Tem certeza de que está tudo trancado?'

"'Absoluta, papai.'

"'Então, boa noite.' Eu a beijei e subi para meu quarto novamente, onde logo peguei no sono.

"Estou tentando relatar tudo, Sr. Holmes, que possa ter qualquer relevância para o caso, mas rogo que me pergunte sobre qualquer detalhe que não estiver claro."

— Pelo contrário, seu depoimento é singularmente lúcido.

— Chego a uma parte da minha história, agora, na qual quero ser especialmente lúcido. Não tenho o sono muito pesado, e minha ansiedade tendia, sem dúvida, a torná-lo ainda mais leve do que de costume. Por volta das duas da manhã, portanto, fui despertado por algum ruído na casa. Ele cessou antes que eu estivesse completamente acordado, mas deixou em seu rastro a impressão de que uma janela fora delicadamente fechada em algum lugar. Agucei os ouvidos e pus-me à escuta. De repente, para meu horror, ouvi o nítido som de passos cuidadosos no quarto ao lado. Saí da cama, palpitando de medo, e olhei do canto da porta do meu quarto.

"'Arthur!', gritei. 'Seu vilão! Larápio! Como ousa tocar nesse diadema?'

"O gás estava parcialmente aceso, como o deixei, e meu miserável rapaz, vestindo apenas calça e camisa, estava ao lado da luz, segurando o diadema. Parecia estar tentando apertá-lo ou dobrá-lo com toda a sua força. Quando gritei, ele o soltou e ficou pálido como a morte. Eu o peguei e o examinei. Um dos cantos dourados, com três dos berilos, havia desaparecido.

"'Seu traidor!', urrei, fora de mim de raiva. 'Você o destruiu! Você me desonrou para sempre! Onde estão as pedras que roubou?'

"'Que roubei?!', ele gritou.

"'Sim, ladrão!', rugi, sacudindo-o pelos ombros.

"'Não está faltando nenhuma. Não pode estar faltando nenhuma', ele disse.

"'Estão faltando três. E você sabe onde estão. Devo chamá-lo de mentiroso, além de ladrão? Não vi você tentando arrancar outro pedaço?'

"'O senhor já me chamou de todo tipo de nome', ele disse, 'e não vou mais suportar isso. Não direi mais nada sobre esse assunto, já que decidiu me insultar. Sairei de sua casa pela manhã e ganharei a vida sozinho no mundo.'

"'Você sairá daqui com a polícia!', gritei, quase louco de dor e de raiva. 'Quero essa história apurada a fundo.'

"'Não saberá nada da minha boca', ele disse, com uma paixão que eu não pensava que estivesse em sua natureza. 'Se preferir chamar a polícia, ela que descubra o que puder.'

"Àquela altura, a casa toda estava em polvorosa, pois, com a raiva, eu levantara a voz. Mary foi a primeira a correr para o meu quarto, e, ao ver o diadema e o rosto de Arthur, deduziu toda a história e, com um grito, caiu desmaiada no chão. Mandei a criada chamar a polícia e logo deixei a investigação em suas mãos. Quando o inspetor e um policial entraram na casa, Arthur, que ficara esperando, agastado, de braços cruzados, perguntou-me se era a minha intenção acusá-lo de furto. Respondi que aquele deixara de ser um assunto particular e se tornara público, já que o diadema danificado era um tesouro nacional. Eu estava determinado a deixar que a lei cumprisse seu papel em tudo.

"'Ao menos', ele disse, 'não deixe que me prendam imediatamente. Seria melhor para o senhor e também para mim se eu pudesse sair da casa por cinco minutos.'

"'Para poder fugir, ou talvez esconder o que roubou', eu disse. E então, dando-me conta da terrível posição em que eu estava, implorei para que ele lembrasse que não só minha honra, mas aquela de alguém muito maior do que eu, estava em jogo; e que ele corria o risco de produzir um escândalo que abalaria a nação. Poderia evitar tudo isso se apenas me contasse o que fizera com as três pedras desaparecidas.

"'É melhor encarar os fatos', eu disse; 'você foi flagrado em seu ato, e nenhuma confissão tornaria sua culpa mais hedionda. Se tentar fazer a reparação que está ao seu alcance, contando-nos onde estão os berilos, tudo será perdoado e esquecido.'

"'Guarde seu perdão para quem o pede', ele respondeu, desviando o rosto com um esgar de desprezo. Vi que ele estava endurecido demais para deixar que qualquer palavra minha o influenciasse. Só havia uma coisa a fazer. Chamei o inspetor e entreguei o meu filho. Uma busca foi feita imediatamente, não só em sua pessoa, mas também em seu quarto e em qualquer parte da casa onde ele pudesse ter escondido as joias; mas nem sinal delas foi encontrado, tampouco o desgraçado abriu sua boca, apesar de todas as nossas persuasões e ameaças. Hoje de manhã, ele foi transferido para uma cela, e eu, depois de passar por todas as formalidades policiais, corri até o senhor para implorar que use sua habilidade para desvendar o caso. A polícia confessou abertamente que, no momento, não pode fazer nada. O senhor tem permissão para as despesas que achar necessárias. Já ofereci uma recompensa de mil libras. Meu Deus, o que vou fazer! Perdi minha honra, minhas pedras e meu filho numa só noite. Oh, o que vou fazer!"

Ele apoiou as mãos nas têmporas e balançou para a frente e para trás, ninando-se como uma criança cuja agonia transcende as palavras.

Sherlock Holmes ficou em silêncio por alguns minutos, com o cenho franzido e os olhos pregados no fogo.

— O senhor recebe muitas visitas? — ele perguntou.

— Nenhuma, salvo do meu sócio com sua família, e, ocasionalmente, algum amigo de Arthur. Sir George Burnwell apareceu algumas vezes, nos últimos dias. Mais ninguém, acho.

— O senhor tem muitos compromissos sociais?

— Arthur tem. Mary e eu ficamos em casa. Não gostamos disso.

— Isso é incomum numa jovem.

— Ela é de natureza calma. Além disso, não é tão jovem. Tem 24 anos.

— Esse assunto, pelo que o senhor diz, parece ter sido um choque para ela também.

— Terrível! Está até mais abalada do que eu.

— Nem o senhor, nem ela têm qualquer dúvida da culpa do seu filho?

— Como poderíamos, quando o vi com meus próprios olhos, com o diadema nas mãos.

— Não considero isso uma prova conclusiva. O resto do diadema estava danificado?

— Sim, estava amassado.

— O senhor não acha, então, que ele pudesse estar tentando desamassá-lo?

— Que Deus abençoe o senhor! Está fazendo o que pode por mim e por ele. Mas é uma tarefa árdua demais. O que ele estava fazendo ali, então? Se seus motivos eram inocentes, por que ele não disse?

— Exatamente. E se ele é culpado, por que não inventou uma mentira? Seu silêncio, a meu ver, é uma faca de dois gumes. O caso tem vários aspectos singulares. O que a polícia achou do ruído que acordou o senhor?

— Eles acham que foi causado por Arthur, ao fechar a porta do seu quarto.

— Uma história provável! Como se um homem em vias de cometer um crime fosse bater a porta para acordar a casa inteira. O que disseram, então, sobre o desaparecimento dessas pedras?

— Ainda estão examinando o assoalho e a mobília, na esperança de encontrá-las.

— Pensaram em procurar fora da casa?

— Sim, revelaram uma energia extraordinária. Todo o jardim já foi minuciosamente examinado.

— Bem, caro senhor — disse Holmes —, não lhe parece óbvio, agora, que essa questão, na verdade, é muito mais profunda do que o senhor ou a polícia estavam inicialmente inclinados a achar? Parecia-lhe um caso simples; para mim, parece excessivamente complexo. Considere o que a sua teoria envolve. O senhor supõe que seu filho saiu da cama, entrou, com grande risco, no seu quarto, abriu sua secretária, tirou dela o diadema, quebrou, com a força das mãos, um pedacinho dele, foi a algum outro lugar, escondeu três das 39 pedras, com tamanha habilidade que agora ninguém consegue achá-las, e em seguida voltou com as outras 36 para o quarto onde estava exposto ao maior risco de ser flagrado. Eu lhe pergunto, o senhor acha essa teoria viável?

— Mas que outra há? — exclamou o banqueiro, com um gesto de desespero. — Se seus motivos eram inocentes, por que ele não os apresentou?

— É nossa tarefa descobrir isso — respondeu Holmes —; portanto, agora, se me permitir, Sr. Holder, partiremos para Streatham juntos, e devotaremos uma hora a um exame um pouco mais cuidadoso dos detalhes.

Meu amigo insistiu que eu os acompanhasse em sua expedição, o que fiz de bom grado, porque minha curiosidade e simpatia foram profundamente aguçadas pela história que ouvimos. Confesso que a culpa do filho do banqueiro afigurava-se-me tão óbvia quanto parecia ao seu desventurado pai; no entanto, eu tinha tamanha fé no julgamento de Holmes, que achava que devia existir alguma esperança, enquanto ele estivesse insatisfeito com a explicação aceita por todos. Ele mal disse uma palavra durante todo o trajeto até o bairro no sul, e ficou com o queixo apoiado no peito e o chapéu puxado sobre os olhos, perdido nos mais profundos pensamentos. Nosso cliente parecia ter se animado com o fino raio de esperança que lhe fora apresentado, e até entabulou uma conversa tangencial comigo sobre seus negócios. Uma curta viagem de trem e uma caminhada ainda mais curta nos trouxeram a Fairbank, a modesta residência do grande financista.

Fairbank era uma quadrada e ampla casa de pedra branca, um pouco afastada da estrada. Uma entrada dupla para carruagens e um gramado recoberto de neve se estendiam até um grande portão duplo de ferro que fechava o acesso. Do lado direito, havia um pequeno bosque que levava a um caminho estreito entre duas sebes bem podadas, que se estendiam da estrada até a porta da cozinha, e formavam a entrada de serviço. Do lado esquerdo, uma alameda levava até os estábulos, e não ficava dentro do terreno, pois era uma via pública, embora pouco usada. Holmes nos deixou na porta e andou lentamente em volta de toda a casa, diante da fachada, pelo acesso à entrada de serviço, e continuou até o jardim dos fundos e a ruazinha do estábulo. Ele demorou tanto que o Sr. Holder e eu entramos na sala de jantar e esperamos seu regresso diante da lareira. Estávamos sentados ali, em silêncio, quando a porta se abriu e uma jovem entrou. Sua estatura era pouco mais que mediana, esbelta, cabelos e olhos negros, que pareciam ainda mais escuros em contraste com a palidez absoluta de sua pele. Acho que nunca vi tal palidez cadavérica no rosto de uma mulher. Seus lábios também eram exangues, mas os olhos estavam injetados de tanto chorar. Ao entrar silenciosamente na sala, impressionou-me com um ar de sofrimento ainda maior do que o do banqueiro pela manhã, e era ainda mais marcante nela, porque tratava-se, evidentemente, de uma mulher de personalidade forte, com uma imensa capacidade de autocontrole. Ignorando minha presença, ela foi até seu tio e passou a mão em sua cabeça, num doce afago feminino.

— O senhor deu ordem para libertarem Arthur, não deu, papai? — ela perguntou.

— Não, não, minha menina, a questão deve ser apurada até o fim.

— Mas tenho tanta certeza de que ele é inocente. O senhor sabe como é o instinto feminino. Sei que ele não fez nada, e que o senhor vai se arrepender por ter agido tão severamente.

— Por que ele se cala, então, se é inocente?

— Quem sabe? Talvez por estar tão furioso pelo senhor ter suspeitado dele.

— Como poderia deixar de suspeitar dele, quando o vi com o diadema nas mãos?

— Oh, mas ele só o pegou para olhá-lo. Oh, por favor, aceite minha palavra de que ele é inocente. Esqueça o assunto e não diga mais nada. É tão horrível pensar no nosso querido Arthur na prisão!

— Jamais esquecerei o assunto até que as joias sejam encontradas, jamais, Mary! Seu afeto por Arthur cega você para as terríveis consequências que sofrerei. Em vez de abafar a história, trouxe um cavalheiro de Londres para investigá-la mais a fundo.

— Este cavalheiro? — ela perguntou, virando-se na minha direção.

— Não, o amigo dele. Queria ficar sozinho. Está na ruazinha do estábulo, agora.

— Na ruazinha do estábulo? — ela ergueu as sobrancelhas pretas. — O que espera encontrar lá? Ah! Suponho que esse seja ele. Acredito que o senhor conseguirá provar o que estou certa de que é verdade, que meu primo Arthur é inocente deste crime.

— Condivido totalmente a sua opinião, e confio, com a senhorita, que poderemos prová-la — respondeu Holmes, voltando ao capacho para bater a neve dos sapatos. — Acredito estar tendo a honra de me dirigir à Srta. Mary Holder. Posso lhe fazer algumas perguntas?

— Por favor, faça, senhor, se elas puderem ajudar a esclarecer esta horrível situação.

— Não ouviu nada noite passada?

— Nada, até que meu tio começou a falar alto. Ouvi isso e desci.

— A senhorita fechou todas as janelas e portas na noite anterior. Travou todas as janelas?

— Sim.

— Estavam todas travadas hoje de manhã?

— Sim.

— Uma das criadas tem um namorado? Acho que a senhorita comentou com seu tio, ontem à noite, que ela saiu para vê-lo?

— Sim, e é ela que serve na sala de estar, e pode ter ouvido os comentários do tio sobre o diadema.

— Entendo. A senhorita infere que ela pode ter ido contar ao namorado, e que os dois podem ter planejado o roubo.

— Mas de que adiantam todas essas teorias vagas — exclamou o banqueiro impacientemente —, quando eu já disse que vi Arthur com o diadema nas mãos?

— Espere um pouco, Sr. Holder. Precisamos falar mais sobre isso. Quanto a essa garota, Srta. Holder. Viu-a voltar pela porta da cozinha, presumo?

— Sim; quando fui ver se a porta estava trancada, encontrei-a entrando sorrateiramente. Também vi o homem na penumbra.

— Conhece-o?

— Oh, sim! É o verdureiro que traz nossas hortaliças. Seu nome é Francis Prosper.

— Ele ficou — disse Holmes — à esquerda da porta, ou seja, depois do ponto do caminho em que se chega à porta?

— Sim, ficou.

— E ele tem uma perna de pau?

Algo parecido com medo surgiu nos negros e expressivos olhos da jovem.

— Ora, o senhor é como um mágico — ela disse. — Como sabia disso? — Ela sorriu, mas não houve sorriso em resposta no rosto fino e ansioso de Holmes.

— Eu ficaria feliz em ir para o andar de cima, agora — ele disse. — Acho que vou querer ver o exterior da casa novamente. Talvez seja melhor eu olhar para as janelas mais baixas antes de subir.

Ele andou rapidamente de uma à outra, parando somente na maior, do átrio, que dava para a ruazinha do estábulo. Ele a abriu e fez um exame cuidadoso do parapeito com sua poderosa lente de aumento.

— Agora subiremos — ele disse finalmente.

A antecâmara do quarto do banqueiro era um comodozinho com mobília simples, um tapete cinza, uma grande secretária e um espelho alto. Holmes foi primeiro até a secretária e olhou fixamente para o trinco.

— Que chave foi usada para abri-la? — ele perguntou.

— A mesma que meu filho indicou, aquela do armário do quarto de despejo.

— Está com ela aqui?

— É aquela, sobre a penteadeira.

Sherlock Holmes a pegou e abriu a secretária.

— É um trinco silencioso — ele disse. — Não admira o senhor não ter acordado. Este estojo, presumo, contém o diadema. Precisamos olhá-lo. — Ele abriu o estojo, tirou o diadema e o pôs sobre a mesa. Era um exemplo magnífico da arte da ourivesaria, e as 36 pedras eram as mais lindas que eu já vira. Num lado do diadema, havia uma borda quebrada, e um canto contendo três pedras havia sido arrancado.

— Agora, Sr. Holder — disse Holmes —, aqui está o canto que corresponde ao outro, que foi tão infelizmente perdido. Rogo que o senhor o arranque.

O banqueiro se encolheu, horrorizado.

— Eu nem sonharia em tentar — disse ele.

— Então eu tentarei. — Holmes, de repente, usou sua força nele, mas sem resultados. — Senti-o ceder um pouco — ele disse —; mas, embora eu tenha dedos excepcionalmente fortes, precisaria de muito tempo para quebrá-lo. Um homem comum não conseguiria. Agora, o que acha que aconteceria se eu o quebrasse, Sr. Holder? Haveria um ruído como um tiro de pistola. Está me dizendo que tudo isso aconteceu a poucos metros da sua cama e o senhor não ouviu nada?

— Não sei o que pensar. Estou totalmente às escuras.

— Mas talvez tudo fique mais claro à medida que continuarmos. O que acha, Srta. Holder?

— Confesso que ainda estou perplexa, como meu tio.

— Seu filho estava sem sapatos ou chinelos quando o senhor o viu?

— Não trajava nada além de calça e camisa.

— Obrigado. Certamente fomos favorecidos com uma sorte extraordinária nesta investigação, e será inteiramente nossa culpa se não conseguirmos esclarecer o caso. Com sua permissão, Sr. Holder, continuarei agora minha investigação do lado de fora.

Ele saiu sozinho, a seu próprio pedido, explicando que quaisquer pegadas desnecessárias tornariam sua tarefa mais difícil. Por uma hora ou mais trabalhou, voltando, finalmente, com os sapatos carregados de neve e o semblante inescrutável de sempre.

— Acho que agora vi tudo o que há para ver, Sr. Holder — ele disse —; servirei melhor ao senhor voltando para meus aposentos.

— Mas as pedras, Sr. Holmes. Onde estão?

— Não sei dizer.

O banqueiro torceu as mãos.

— Nunca mais vou vê-las! — gritou. — E meu filho? O senhor me dá esperanças?

— Minha opinião não se alterou em nada.

— Então, pelo amor de Deus, que negócio sombrio foi esse que aconteceu na minha casa ontem à noite?

— Se o senhor me visitar nos meus aposentos na Baker Street amanhã de manhã, entre as 9h e 10h, ficarei feliz em fazer todo o possível para esclarecer o caso. Pelo que entendo, o senhor me dá carta branca para agir em seu nome, contanto que eu traga as pedras de volta, e o senhor não impõe limites na quantia que eu possa sacar.

— Eu daria minha fortuna para tê-las de volta.

— Muito bem. Investigarei o caso até amanhã. Adeus; é possível que eu precise regressar aqui novamente antes do anoitecer.

Para mim, era óbvio que meu colega já tirara suas conclusões sobre o caso, embora quais fossem, eu não conseguia nem imaginar. Várias vezes, durante nossa viagem de volta para casa, tentei sondá-lo sobre o assunto, mas ele sempre escorregava para algo diferente, até que finalmente desisti, em desespero. Ainda não eram 15h quando nos encontramos novamente em nossos aposentos. Ele correu para o seu quarto e desceu novamente alguns minutos depois, disfarçado de desocupado comum. Com o colarinho virado para cima, o puído casaco barato, lenço vermelho e botas velhas, era um exemplo perfeito da classe.

— Acho que isto vai servir — ele disse, olhando-se no vidro acima da lareira. — Gostaria de levar você comigo, Watson, mas temo que não seja possível. Posso estar na pista certa neste caso, ou apenas perdendo meu tempo, mas logo saberei qual dos dois. Espero estar de volta em algumas horas.
— Ele cortou uma fatia de carne do assado sobre o balcão, fez um sanduíche com dois pedaços de pão e, enfiando essa rude refeição no bolso, partiu em sua expedição.

Eu estava acabando de tomar meu chá quando ele voltou, evidentemente de ótimo humor, balançando na mão uma velha bota com elástico. Jogou-a num canto e se serviu de uma xícara de chá.

— Só estou aqui de passagem — ele disse. — Vou seguir adiante.

— Para onde?

— Oh, para o outro lado do West End. Posso demorar para voltar. Não me espere acordado, se eu tardar.

— Como está indo?

— Oh, mais ou menos. Não posso reclamar. Fui para Streatham depois que saí, mas não visitei a casa. É um excelente probleminha, e eu não o deixaria passar por nada. Porém, não posso ficar aqui de mexericos, preciso tirar estas roupas mal-afamadas e voltar à minha mui respeitável pessoa.

Eu podia ver, pela sua atitude, que ele tinha mais motivos de satisfação do que suas palavras indicavam. Seus olhos brilhavam, e havia até um toque de cor em suas bochechas amareladas. Ele subiu a escada rapidamente, e alguns minutos depois, ouvi a porta batendo, o que me revelou que ele saíra mais uma vez para sua agradável caçada.

Esperei até meia-noite, mas não houve nem sinal de seu regresso, por isso me recolhi aos meus aposentos. Não era incomum, para ele, ausentar-se por dias e noites a fio quando estava seguindo uma pista, portanto sua demora não me causou surpresa. Não sei a que horas chegou, mas quando desci para o desjejum, lá estava ele, com uma xícara de café numa mão e o jornal na outra, tão descansado e elegante quanto possível.

— Vai me perdoar se comecei sem você, Watson — ele disse — mas deve lembrar que nosso cliente marcou uma visita bem cedo esta manhã.

— Ora, já passa das nove horas — respondi. — Não ficaria surpreso se fosse ele agora. Acho que ouvi a campainha.

Era, de fato, nosso amigo financista. Fiquei chocado com a mudança que o acometera, porque seu rosto, que tinha naturalmente um formato largo e grande, estava agora murcho e caído, enquanto seu cabelo me pareceu no mínimo um tom mais branco. Ele entrou com um cansaço e uma letargia que eram até mais dolorosos do que a violência da manhã anterior, e desabou pesadamente na poltrona que puxei para ele.

— Não sei o que fiz para ser tão severamente castigado — ele disse. — Há apenas dois dias, eu era um homem feliz e próspero, sem uma só preocupação. Agora tenho pela frente uma vida solitária e desonrosa. Um sofrimento vem no encalço do outro. Minha sobrinha, Mary, me abandonou.

— Abandonou o senhor?

— Sim. Sua cama, hoje de manhã, estava intacta, seu quarto estava vazio, e havia um bilhete para mim na mesa da sala. Eu dissera a ela, noite passada, com sofrimento, e não com raiva, que se ela tivesse se casado com meu menino, tudo estaria bem com ele. Talvez tenha sido insensibilidade de minha parte dizer isso. É a essa frase que ela se refere neste bilhete:

> Caríssimo tio
>
> Sinto que eu lhe trouxe problemas, e que se eu tivesse agido de outra forma, este terrível infortúnio jamais teria acontecido. Não posso, com isso em mente, jamais ser feliz novamente sob seu teto, e sinto que devo deixá-lo para sempre. Não se preocupe com meu futuro, pois ele está assegurado, e acima de tudo, não me procure, porque seria inútil e um desserviço para mim. Na vida ou na morte, para sempre sua amorosa
>
> Mary

— O que ela pode querer dizer com este bilhete, Sr. Holmes? Acha que ele indica um suicídio?

— Não, não, nada disso. É, talvez, a melhor solução possível. Acredito, Sr. Holder, que o fim dos seus problemas se aproxima.

— Ha! O senhor diz isso! Ouviu alguma coisa, Sr. Holmes; sabe de alguma coisa! Onde estão as pedras?

— O senhor não consideraria mil libras um preço excessivo para cada uma delas?

— Eu pagaria dez mil.

— É desnecessário. Três mil irão bastar. E há uma pequena recompensa, imagino. Está com seu talão de cheques? Aqui está uma caneta. Melhor fazer um de quatro mil libras.

Com olhar atônito, o banqueiro preencheu o cheque solicitado, Holmes foi até sua escrivaninha, tirou um pequeno pedaço triangular de ouro com três pedras e o jogou sobre a mesa.

Com um grito de felicidade, nosso cliente o pegou.

— O senhor o achou! — ele gaguejou. — Estou salvo! Estou salvo!

A reação de alegria foi tão passional quanto fora seu sofrimento, e ele apertava as pedras recuperadas contra o peito.

— Há só mais uma coisa que ainda deve, Sr. Holder — disse Sherlock Holmes, um tanto rispidamente.

— Ainda devo?! — Ele pegou uma pena. — Diga a quantia e eu pagarei.

— Não, a dívida não é comigo. O senhor deve um pedido muito humilde de desculpas àquele nobre rapaz, seu filho, que se comportou, nesta situação, como me orgulharia de ver um filho meu se comportar, se um dia eu tiver um.

— Então não foi Arthur quem pegou as pedras?

— Já falei ontem, e repito hoje, que não foi.

— Tem certeza?! Então vamos correndo avisá-lo que a verdade veio à tona.

— Ele já sabe. Quando esclareci tudo, tive uma conversa com ele, e como se recusava a me contar a história, eu lhe contei, depois do que ele teve que confessar que eu estava certo e adicionar os poucos detalhes que ainda não estavam claros para mim. Sua notícia desta manhã, no entanto, pode convencê-lo a falar.

— Pelo amor de Deus, diga-me, então, que mistério extraordinário é esse!

— Farei isso, e mostrarei os passos que me levaram à sua solução. E deixe-me dizer, primeiro, o que acho mais difícil dizer e que o senhor achará difícil ouvir: havia um pacto entre Sir George Burnwell e sua sobrinha Mary. Eles fugiram juntos.

— Minha Mary? Impossível!

— Infelizmente, é mais do que possível; é certo. Nem o senhor, nem seu filho conheciam o verdadeiro caráter desse sujeito quando o aceitaram em seu círculo familiar. Ele é um dos homens mais perigosos da Inglaterra, jogador arruinado, malfeitor absolutamente desesperado, sem coração nem consciência. Sua sobrinha nada sabia sobre homens assim. Quando ele suspirou seus votos para ela, como fizera para mil outras antes, ela ficou lisonjeada, achando que fora a única a tocar seu coração. Só o diabo sabe o que ele disse, mas ela finalmente se tornou sua ferramenta, e se encontrava com ele quase toda noite.

— Não posso e não vou acreditar! — gritou o banqueiro, com o rosto lívido.

— Vou lhe contar, então, o que aconteceu em sua casa noite passada. Sua sobrinha, quando o senhor foi, como ela pensara, para o seu quarto, desceu e conversou com seu amante pela janela que dá para a ruazinha do estábulo. As pegadas dele haviam derretido toda a neve, de tanto tempo que ficou ali. Ela lhe falou do diadema. Sua cobiça perversa por ouro se acendeu com a notícia, e ele sujeitou a moça à sua vontade. Não tenho dúvidas de que ela amava o senhor, mas existem mulheres nas quais o amor de um amante extingue todos os outros amores, e acho que ela devia ser assim. Mal acabara de ouvir as instruções do rapaz quando viu o senhor descendo a escada, ao que fechou a janela rapidamente e falou do encontro de uma das criadas com seu amante da perna de pau, que era a mais pura verdade.

"Seu filho, Arthur, foi se deitar depois da conversa com o senhor, mas dormiu mal, inquieto com suas dívidas no clube. No meio da noite, ouviu passos suaves diante de sua porta, por isso se levantou, e olhando para fora, ficou surpreso ao ver a prima andando muito sorrateiramente pelo corredor, até desaparecer na sua antecâmara. Petrificado pelo assombro, o rapaz vestiu algumas roupas e esperou ali, no escuro, para ver no que daria essa estranha situação. Por fim, ela saiu novamente do quarto, e à luz da lâmpada do corredor, seu filho viu que ela levava o precioso diadema nas mãos. Ela desceu a escada, e ele, horrorizado, a seguiu e se escondeu atrás da cortina perto da porta do quarto do senhor, de onde podia ver o que acontecia no saguão, lá embaixo. Ele a viu abrindo a janela devagar, entregando o diadema para alguém nas sombras, e então fechando-a novamente e correndo de volta para o próprio quarto, passando bem perto de onde ele estava escondido atrás da cortina.

"Enquanto ela estivesse no local, ele não poderia fazer nada sem expor de forma horrível a mulher que amava. Mas assim que ela se foi, ele se deu conta do terrível infortúnio que aquilo seria para o senhor, e quão importante era repará-lo. Precipitou-se escada abaixo, como estava, descalço, abriu a janela, desabalou pela neve e correu pela ruazinha, onde via uma silhueta escura ao luar. Sir George Burnwell tentou fugir, mas Arthur o segurou, houve uma luta entre os dois, seu filho puxando um lado do diadema, e seu oponente, o outro. Na escaramuça, seu filho golpeou Sir George, produzindo um corte acima do olho. Então ouviu-se um estalo abrupto, e seu filho, vendo que tinha o diadema nas mãos, correu de volta, fechou a janela, subiu para o seu quarto, e acabara de notar que o diadema havia se amassado na luta e estava tentando desamassá-lo quando o senhor apareceu no local."

— Será possível? — balbuciou o banqueiro.

— O senhor, então, despertou-lhe a ira, insultando-o no momento em que ele sentia merecer seus mais calorosos agradecimentos. Arthur não podia explicar o verdadeiro estado das coisas sem trair alguém que, certamente, pouco merece a consideração dele. Assim, tomando a atitude mais cavalheiresca, preservou o segredo da prima.

— E foi por isso que ela gritou e desmaiou ao ver o diadema — exclamou o Sr. Holder. — Oh, meu Deus! Quão tolo e cego fui! E ele pedindo para sair por cinco minutos! O bom rapaz queria ver se o pedaço que faltava estava no local da briga. Quão cruelmente eu o injusticei!

— Quando cheguei a casa — continuou Holmes —, imediatamente andei ao redor dela com muito cuidado, para observar se havia pegadas na neve que pudessem me ajudar. Eu sabia que não nevava desde a noite anterior, e que também caíra uma forte geada que preservaria as marcas. Andei pelo acesso à entrada de serviço, mas o encontrei todo pisoteado e indiscernível. Pouco acima dele, no entanto, ao lado da porta da cozinha, uma mulher conversara com um homem, cujas pegadas redondas de um lado mostravam que ele tinha uma perna de pau. Eu conseguia até ver que eles haviam sido interrompidos, porque a mulher correra rapidamente para a porta, como as pegadas fundas na ponta e rasas no calcanhar demonstravam, enquanto Perna de Pau esperara um pouco e depois se afastara. Na época, pensei que esses seriam a criada e seu namorado, de quem o senhor já havia me falado, e a investigação provou que eram mesmo. Dei a volta no jardim sem ver nada além de pegadas aleatórias, que presumi serem da polícia; mas quando cheguei à ruazinha do estábulo, uma história muito longa e complexa estava escrita na neve à minha frente.

"Havia uma linha dupla de pegadas de um homem de botas, e uma segunda linha dupla que constatei, deliciado, pertencerem a um homem descalço. Imediatamente me convenci, pelo que o senhor me contara, de que este último era seu filho. O primeiro caminhara na ida e na volta, mas o outro correra velozmente, e como suas pegadas, em alguns lugares, se sobrepunham às marcas das botas, ficou óbvio que ele passara depois do primeiro. Eu as segui e descobri que levavam à janela do corredor, onde Botas derretera a neve ao ficar de pé, esperando. Então andei até a outra ponta, cem metros ou mais rua abaixo. Vi onde Botas se virara, onde a neve estava revirada, como se tivesse acontecido uma luta, e finalmente, onde algumas gotas de sangue caíram, para me mostrar que eu não estava enganado. Botas, então, correra pela rua, e mais uma mancha de sangue mostrava que era ele o ferido. Ao chegar à estrada, na outra ponta, descobri que a neve do chão fora raspada, por isso os rastros terminavam ali.

"Ao entrar na casa, no entanto, examinei com minha lupa, como o senhor se lembra, o parapeito e o caixilho da janela do corredor, e imediatamente pude ver que alguém saíra por ela. Podia discernir o contorno da parte de dentro de um pé molhado, apoiado ao entrar. Então comecei a ser capaz de formar uma opinião sobre o ocorrido. Um homem esperara do lado de fora da janela; alguém trouxera a joia; a ação fora observada pelo seu filho; ele perseguira o ladrão; lutara com ele; os dois puxaram o diadema, e a combinação de suas forças causou danos que nenhum dos dois, sozinho, poderia ter causado. Ele voltara com o troféu, mas deixara um fragmento nas garras do seu oponente. Até aí eu entendera. A questão agora era: quem era o homem e quem lhe trouxera o diadema?

"É um velho adágio meu que, quando excluímos o impossível, o que resta, por mais improvável que seja, deve ser a verdade. Bem, eu sabia que o senhor não havia pegado o diadema, portanto só restavam sua sobrinha e as criadas. Mas se fossem as criadas, por que seu filho se deixaria acusar no lugar delas? Não havia uma razão plausível. Como ele amava a prima, porém, essa era uma excelente explicação para o seu sigilo, ainda mais com um segredo tão desonroso. Quando lembrei que o senhor a vira perto da janela, e que ela desmaiara ao ver o diadema de novo, minha conjectura transformou-se em certeza.

"E quem poderia ser seu comparsa? Um amante, evidentemente, pois quem mais poderia suplantar o amor e a gratidão que ela deve sentir pelo senhor? Eu sabia que o senhor saía pouco, e que seu círculo de amizades era muito limitado. Mas entre elas havia a de Sir George Burnwell. Eu já ouvira falar dele como um homem de má reputação entre as mulheres. Devia ter sido ele que calçava aquelas botas e ficara com as pedras faltantes. Embora soubesse que Arthur o flagrara, ainda podia vangloriar-se de estar a salvo, já que o rapaz não podia dizer uma palavra sem comprometer a própria família.

"Bem, seu senso comum vai sugerir quais medidas tomei a seguir. Disfarçado de desocupado, fui até a casa de Sir George, consegui fazer amizade com seu criado, soube que seu patrão ferira a cabeça na noite anterior, e finalmente, pelo preço de seis xelins, certifiquei-me de tudo, comprando um velho par de sapatos dele. Com eles, voltei para Streatham e verifiquei que correspondiam exatamente às pegadas."

— Vi mesmo um vagabundo maltrapilho na rua ontem à noite — disse o Sr. Holder.

— Precisamente. Era eu. Descobri que já tinha o meu culpado, por isso voltei para casa e troquei de roupa. O papel que eu precisava desempenhar era delicado, pois eu entendia que um indiciamento deveria ser evitado, para que não houvesse um escândalo, e sabia que um vilão tão astuto nos deixaria de mãos atadas, nesse caso. Então fui vê-lo. De início, é claro, ele negou tudo. Mas quando contei todos os detalhes do que havia acontecido, ele tentou me intimidar e pegou um porrete da parede. Eu conhecia o meu oponente, porém, e encostei uma pistola na sua cabeça antes que pudesse atacar. Então ele ficou um pouco mais ponderado. Eu disse que pagaria pelas pedras, mil libras cada. Isso suscitou nele os primeiros sinais de arrependimento. "Maldição!", ele disse. "E eu vendi as três por seiscentas libras!" Logo consegui obter o endereço do receptador que as comprara, prometendo-lhe que ele não seria acusado. Fui para lá e, depois de muita barganha, recuperei nossas pedras por mil libras cada. Então visitei seu filho, contei-lhe que estava tudo bem, e finalmente, fui para a cama por volta das 2h, depois do que eu chamaria de um dia de trabalho duríssimo.

— Um dia que salvou a Inglaterra de um grande escândalo público — disse o banqueiro, levantando-se. — Senhor, não consigo encontrar palavras para lhe agradecer, mas verá que não sou ingrato pelo que fez. Sua habilidade, de fato, excedeu tudo o que ouvi sobre ela. E agora, preciso correr para meu querido rapaz e pedir perdão pela injustiça que cometi com ele. Quanto ao que o senhor me contou da pobre Mary, dói-me fundo no coração. Nem mesmo sua habilidade pode me informar onde ela está agora.

— Acho que podemos dizer com convicção — respondeu Holmes — que ela está onde Sir George Burnwell estiver. Também é certo que, quaisquer que sejam os pecados dela, logo receberão castigo mais que suficiente.

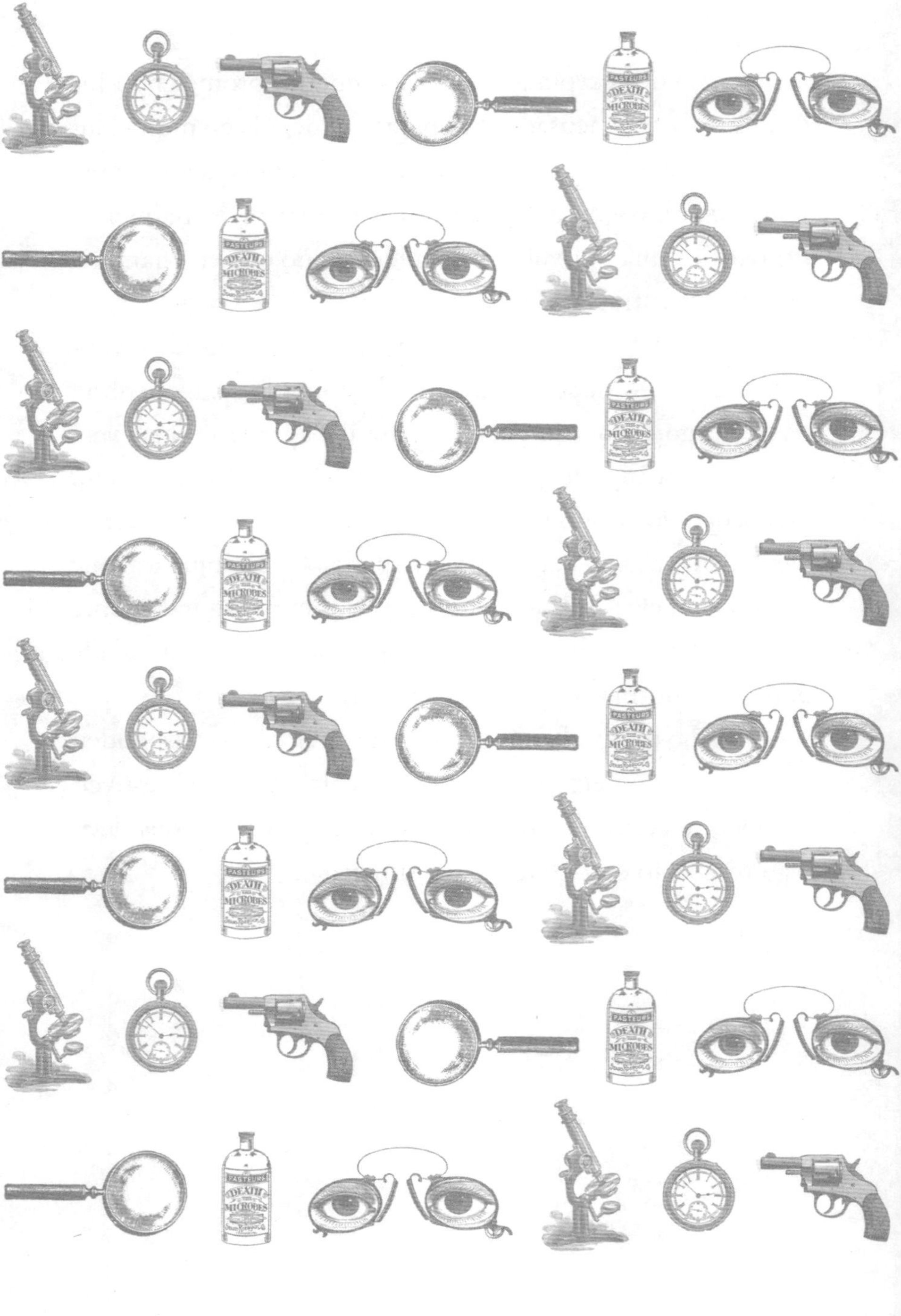
PASTEURS
DEATH
MICROBES

*doze*
# A AVENTURA DA CASA DAS FAIAS

— Para o homem que aprecia a arte pela arte — disse Sherlock Holmes, descartando o caderno de anúncios do *Daily Telegraph* —, muitas vezes, é de suas manifestações menos importantes e mais baixas que se deriva o prazer mais exacerbado. É-me agradável observar, Watson, que você tanto entendeu essa verdade que, nesses pequenos relatos dos nossos casos que você teve a bondade de esboçar e, devo dizer, ocasionalmente florear, deu menos destaque às muitas *causes célebres* e julgamentos sensacionais nos quais apareci, do que àqueles incidentes que podem ter sido triviais em si mesmos, mas que deram azo às habilidades de dedução e síntese lógica que tornei minha especialidade.

— No entanto — eu disse sorrindo —, não posso me considerar absolvido da acusação de sensacionalismo que foi desferida contra meus relatos.

— Você errou, talvez — ele observou, pegando uma brasa brilhante com a pinça e acendendo com ela o longo cachimbo de cerejeira que costumava substituir o de argila quando ele estava num humor contencioso, e não meditativo —; você errou, talvez, ao tentar dar cor e vida a cada um de seus textos, em vez de se limitar à tarefa de registrar o severo raciocínio da causa para o efeito que é, na verdade, a única característica notável da coisa toda.

— Acho que fiz total justiça a você nisso — comentei um tanto friamente, porque causava-me repulsa o egocentrismo que mais de uma vez eu já constatara ser um fator importante do caráter singular do meu amigo.

— Não, não é egoísmo ou presunção — ele disse, respondendo, como costumava fazer, aos meus pensamentos, em vez das minhas palavras. — Se exijo justiça para a minha arte, é por ela ser algo impessoal, algo independente de mim. O crime é comum. A lógica é rara. Portanto, seria na lógica, não no crime, que você deveria se concentrar. O que deveria ter sido um ciclo de palestras, você degradou numa série de contos.

Era uma manhã fria do início da primavera, e estávamos sentados, depois do desjejum, diante de um fogo reconfortante na velha sala da Baker Street. Uma espessa neblina se espalhava entre as fileiras de casas cinzentas, e as janelas do outro lado da rua pareciam borrões escuros e sem forma em meio aos véus pesados do nevoeiro amarelo. Nosso gás estava aceso e brilhava na toalha branca, fazendo cintilar a porcelana e o metal, pois a mesa ainda não fora limpa. Sherlock Holmes estivera a manhã toda silencioso, afundando continuamente no caderno de anúncios de vários jornais, até que, finalmente, parecendo abandonar sua busca, ressurgiu de humor nada doce para me passar sermão sobre minhas limitações literárias.

— Ao mesmo tempo — ele comentou, depois de uma pausa, durante a qual baforara seu longo cachimbo e fitara o fogo —, não acho que você se exponha a uma acusação de sensacionalismo, porque dos casos pelos quais você fez a gentileza de se interessar, uma boa parte não envolve crime nenhum, no sentido jurídico. O pequeno assunto em que me dispus a ajudar o rei da Boêmia, a singular experiência da Srta. Mary Sutherland, o problema relacionado com o homem do lábio deformado e o incidente do nobre solteiro eram todas questões que ficavam fora da jurisdição da lei. Mas evitando o sensacional, temo que você tenha beirado o trivial.

— O resultado final pode ter sido esse — respondi —, mas os métodos que usei foram novos e interessantes.

— Pfah, caro colega, o que se importa o público, o grande público inobservante, que mal consegue distinguir um tecelão pelo seu dente ou um tipógrafo por seu polegar esquerdo, com as nuances mais sutis da análise e da dedução! Mas, de fato, se você é trivial, não posso culpá-lo, pois os dias dos grandes casos acabaram. O homem, ou ao menos o homem criminoso, perdeu todo o empreendedorismo e a originalidade. Quanto à minha pequena prática, parece estar degenerando em uma agência para recuperar lápis perdidos e aconselhar jovens de colégios internos. De qualquer forma, acho que finalmente cheguei ao fundo do poço. Imagino que este bilhete que recebi hoje de manhã marque o meu perigeu. Leia-o! — Ele me lançou uma carta amassada.

O sobrescrito era de Montague Place, da noite anterior, e dizia o seguinte:

Caro Sr. Holmes
Estou bastante ansiosa para consultar o senhor sobre aceitar ou não um cargo que me foi oferecido de governanta. Aparecerei às 10h30, amanhã, se não for inconveniente.
Sinceramente sua,
Violet Hunter

— Conhece essa jovem? — perguntei.
— Eu não.
— Agora são 10h30.
— Sim, e não tenho dúvidas de que é ela tocando a campainha.
— Pode se revelar um caso mais interessante do que você pensa. Lembre-se do caso do carbúnculo azul, que parecia ser algo banal de início, e se desenvolveu numa investigação séria. Pode ser verdade neste caso também.
— Bem, vamos torcer para que seja. Mas nossas dúvidas

logo serão resolvidas, porque, a menos que eu esteja muito enganado, aí vem a pessoa em questão.

Enquanto ele falava, a porta se abriu e uma jovem entrou na sala. Usava trajes simples, mas elegantes, tinha um rosto brilhante e esperto, sardento como um ovo de maçarico, e a atitude despachada de uma mulher que precisa se virar sozinha no mundo.

— Vai me perdoar o incômodo — ela disse, quando meu colega se levantou para cumprimentá-la —, mas tive uma experiência muito estranha, e como não tenho pais nem parente algum a quem pedir conselhos, achei que talvez o senhor faria a gentileza de me dizer o que fazer.

— Por favor, sente-se, Srta. Hunter. Ficarei feliz em fazer tudo o que puder para lhe servir.

Eu podia ver que Holmes ficara favoravelmente impressionado pela atitude e discurso de sua nova cliente. Ele a olhou de alto a baixo em sua maneira inquisidora, e então se compôs, com as pálpebras abaixadas e as pontas dos dedos unidas, para ouvir sua história.

— Trabalhei como governanta por cinco anos — ela disse —, para a família do coronel Spence Munro, mas há dois meses o coronel recebeu uma comissão em Halifax, Nova Scotia, e levou seus filhos para a América consigo, de modo que me vi sem ocupação. Publiquei um anúncio e respondi a anúncios, mas sem sucesso. Por fim, o pouco dinheiro que eu poupara começou a se esgotar, e eu não sabia mais o que fazer.

"Existe uma conhecida agência para governantas no West End, chamada Westaway's, e eu sempre aparecia lá, semanalmente, para ver se alguma coisa que me aprouvesse havia surgido. Westaway é o nome da fundadora da empresa, mas na verdade ela é administrada pela Srta. Stoper. Ela fica sentada em sua saleta, e as mulheres que estão procurando emprego esperam numa antessala, e são chamadas uma a uma, momento em que ela consulta seus arquivos e vê se há algo que sirva para elas.

"Bem, quando a visitei, semana passada, fui chamada à saleta como de costume, mas descobri que a Srta. Stoper não estava sozinha. Um homem prodigiosamente corpulento, com um rosto muito sorridente e um grande e pesado queixo que formava dobras e mais dobras sobre seu pescoço estava ao lado dela, com um par de óculos sobre o nariz, olhando intensamente as moças que entravam. Quando entrei, ele teve um sobressalto na cadeira e se virou rapidamente para a Srta. Stoper.

"'Essa serve', ele disse; 'eu não poderia pedir nada melhor. Soberba! Soberba!' Ele parecia muito entusiasmado, e esfregava as mãos da forma mais animada. Parecia tão à vontade que era um prazer olhar para ele.

"'Está procurando emprego, senhorita?', ele perguntou.

"'Sim, senhor.'

"'Como governanta?'

"'Sim, senhor.'

"'E que remuneração pede?'

"'Eu ganhava quatro libras por mês no meu último emprego, com o coronel Spence Munro.'

"'Ora, ora! Exploração, pura exploração!', ele exclamou, erguendo as mãos roliças no ar, como alguém tomado por violenta paixão. 'Como alguém pode oferecer uma quantia tão irrisória a uma dama com tantos atrativos e habilidades?'

"'Minhas habilidades, senhor, podem ser menores do que imagina', eu disse. 'Um pouco de francês, um pouco de alemão, música, desenho...'

"'Ora, ora!', ele exclamou. 'Tudo isso é de somenos importância. A questão é: a senhorita tem ou não tem o porte e as maneiras de uma dama? Resumindo, é isso. Se não tem, não está capacitada para cuidar de uma criança que algum dia pode desempenhar um importante papel na história do país. Mas se tem, ora, então, como um cavalheiro poderia lhe pedir que aceitasse qualquer coisa abaixo de três cifras? Seu salário comigo, madame, começaria com cem libras anuais.'

"Pode imaginar, Sr. Holmes, que para mim, destituída como estava, tal oferta parecesse quase boa demais para ser verdade. O cavalheiro, no entanto, talvez por ver o ar de incredulidade estampado em meu rosto, abriu a carteira e tirou dela uma cédula.

"'Também é meu costume', ele disse, sorrindo da maneira mais agradável, até que seus olhos se tornaram duas fendas brilhantes em meio às dobras brancas do seu rosto, 'adiantar às minhas jovens metade do seu salário, para quaisquer despesinhas com a viagem e o vestuário.'

"Pareceu-me jamais ter conhecido um homem tão fascinante e gentil. Como eu já estava em dívida com meus comerciantes, o adiantamento era assaz conveniente; no entanto, havia algo pouco natural em toda a transação, que me fez querer saber mais antes de me empenhar completamente.

"'Posso perguntar onde o senhor mora?', eu disse.

"'Em Hampshire. Área rural encantadora. Na Casa das Faias, oito quilômetros depois de Winchester. É uma região adorável, querida jovem, e uma belíssima casa de campo antiga.'

"'E meus deveres, senhor? Gostaria de saber quais seriam.'

"'Um filho, um adorável capetinha de apenas 6 anos. Oh, se a senhorita pudesse vê-lo matando baratas com um chinelo! Pá! Pá! Pá! As três mortas num piscar de olhos!' Ele se recostou na cadeira e riu até seus olhos desaparecerem novamente.

"Fiquei um pouco assustada com a natureza da diversão da criança, mas a risada do pai me fez achar que talvez ele estivesse brincando.

"'Meus únicos deveres, então', perguntei, 'referem-se a cuidar de uma só criança?'

"'Não, não os únicos, não os únicos, minha cara jovem', ele exclamou. "Seu dever seria, como tenho certeza de que seu bom senso sugere, obedecer a quaisquer pequenas ordens que minha esposa lhe der, contanto que tais ordens possam ser obedecidas propriamente por uma dama. Não vê dificuldade nisso, certo?'

"'Ficarei feliz em ser útil.'

"'Pois bem. Ao se trajar, por exemplo. Somos adeptos dos modismos, sabe, mas temos bom coração. Se pedíssemos que a senhorita usasse algum vestido que lhe déssemos, não se oporia a esse nosso caprichozinho, certo?'

"'Não', eu disse, consideravelmente assombrada com suas palavras.

"'Ou a se sentar aqui, ou ali, isso não seria ofensivo para a senhorita?'

"'Oh, não.'

"'Ou a cortar seu cabelo bem curto antes de começar a trabalhar conosco?'

"Eu não conseguia acreditar nos meus ouvidos. Como pode observar, Sr. Holmes, meu cabelo é um tanto volumoso, e de um tom bastante peculiar de castanho. Já foi considerado artístico. Eu nem sonharia em sacrificá-lo de forma tão inesperada.

"'Temo que isso seja completamente impossível', eu disse. Ele estava me encarando ansiosamente com seus olhinhos, e notei que uma sombra passou por seu semblante quando falei.

"'Temo que isso seja completamente essencial', ele disse. 'É uma pequena mania de minha esposa, e as manias femininas, a senhorita sabe, as manias femininas devem ser obedecidas. Então não cortará seu cabelo?'

"'Não, senhor, realmente não posso', respondi firmemente.

"'Ah, muito bem; então isso encerra o assunto. É uma pena, pois nos outros aspectos, a senhorita teria servido muito bem. Nesse caso, Srta. Stoper, é melhor que eu examine mais algumas das suas jovens.'

"A gerente estivera ocupada com sua papelada durante todo esse tempo, sem dizer uma palavra a nenhum de nós, mas me olhava agora com tanto aborrecimento em seu rosto que não pude deixar de suspeitar que ela perdera uma bela comissão com minha recusa.

"'Deseja que eu mantenha seu nome nos arquivos?', ela perguntou.

"'Por favor, Srta. Stoper.'

"'Bem, realmente, parece-me um tanto inútil, considerando que a senhorita recusa as ofertas mais excelentes dessa forma', ela disse em tom seco. 'Não pode esperar que nos esforcemos para encontrar outra oportunidade como esta. Tenha um bom dia, Srta. Hunter.' Ela tocou um gongo sobre a mesa, e eu fui escoltada até a saída pelo pajem.

"Bem, Sr. Holmes, quando voltei para meus aposentos e vi minha despensa quase vazia, e duas ou três contas sobre a mesa, comecei a me perguntar se não teria feito uma bobagem muito grande. Afinal, se aquelas pessoas tinham estranhas manias e esperavam obediência nas coisas mais extraordinárias, pelo menos estavam dispostas a pagar por sua excentricidade. Poucas governantas na Inglaterra recebem cem libras por ano. Além disso, de que me servia meu cabelo? Muita gente fica melhor de cabelo curto, e talvez eu fosse assim também. No dia seguinte, eu estava inclinada a achar que cometera um erro, e no dia depois daquele, tive certeza disso. Eu quase engolira meu orgulho a ponto de voltar para a agência e perguntar se a vaga ainda estava aberta, quando recebi uma carta do próprio cavalheiro. Tenho-a aqui e vou lê-la para o senhor:

*Casa das Faias, perto de Winchester.*
CARA SRTA. HUNTER
A Srta. Stoper, muito gentilmente, me deu seu endereço, e escrevo daqui para lhe perguntar se reconsiderou sua decisão. Minha esposa está muito ansiosa para que a senhorita venha, porque sentiu-se muito atraída pela descrição que lhe fiz da senhorita. Estamos dispostos a pagar 30 libras por trimestre, ou 120 por ano, para compensar qualquer pequeno inconveniente que nossas manias possam lhe causar. Elas não são tão absurdas, afinal. Minha esposa aprecia um certo tom azul brilhante, e gostaria que a senhorita usasse um vestido dessa cor pela manhã. Não precisa, no entanto, se preocupar em comprá-lo, pois temos um que pertence à minha querida filha Alice (atualmente na Filadélfia), que, acredito eu, lhe cairia muito bem. Quanto a sentar-se aqui ou ali, ou divertir-se das maneiras indicadas, isso não precisa lhe causar nenhum inconveniente.

Com respeito ao seu cabelo, sem dúvida é uma pena, especialmente porque não pude deixar de notar sua beleza durante nossa breve conversa, mas temo que preciso continuar firme com relação a isso, e só espero que o aumento no salário possa recompensá-la por sua perda. Suas tarefas, com relação à criança, são bem leves. Bem, tente comparecer, e eu a encontrarei com a carruagem em Winchester. Avise-me em que trem virá. Sinceramente seu,

Jephro Rucastle

"Esta é a carta que acabo de receber, Sr. Holmes, e já decidi que aceitarei a oferta. Pensei, de qualquer forma, que antes de dar o passo final, seria melhor submeter todo o assunto à sua consideração."

— Bem, Srta. Hunter, se já se decidiu, isso encerra a questão — disse Holmes, sorrindo.

— Mas o senhor não me aconselha a recusar?

— Confesso que não é a ocupação à qual gostaria de ver uma irmã minha se candidatar.

— O que significa tudo aquilo, Sr. Holmes?

— Ah, não tenho dados. Não sei dizer. Talvez a senhorita mesma tenha formado alguma opinião?

— Bem, para mim, só existe uma explicação possível. O Sr. Rucastle parece ser um homem muito gentil e de boa índole. Não é possível que sua esposa seja uma lunática, que ele deseje conservar isso em segredo, temendo que ela seja internada num hospício, e para tanto satisfaça suas manias de todas as formas, para evitar que ela se descontrole?

— Essa é uma possível explicação; de fato, nas atuais circunstâncias, a mais provável. Mas, em todo caso, não parece ser uma boa casa para uma jovem.

— Mas o dinheiro, Sr. Holmes, o dinheiro!

— Bem, sim, claro que o salário é bom, bom demais. É isso que me incomoda. Por que deveriam lhe dar 120 libras por ano, quando poderiam escolher qualquer moça por 40? Deve haver algum forte motivo por trás disso.

— Pensei que, contando-lhe as circunstâncias, o senhor entenderia, depois, se eu quisesse sua ajuda. Vou me sentir muito mais forte se souber que o senhor está me apoiando.

— Oh, pode contar com isso. Garanto que seu probleminha promete ser o mais interessante que encontrei nos últimos meses. Há algo distintamente novo em alguns dos detalhes. Se a senhorita se encontrar em dúvida ou em perigo...

— Perigo! Que perigo o senhor prevê?

Holmes balançou a cabeça gravemente.

— Deixaria de ser um perigo se pudéssemos defini-lo — ele disse. — Mas a qualquer hora do dia ou da noite, bastará um telegrama para que eu vá ajudá-la.

— Isso é suficiente. — Ela se levantou bruscamente da poltrona, toda a ansiedade ausente do seu rosto. — Irei para

Hampshire bem tranquila, agora. Vou escrever para o Sr. Rucastle imediatamente, sacrificar meu pobre cabelo hoje à noite, e partir para Winchester amanhã. — Com algumas palavras de agradecimento para Holmes, ela nos desejou boa-noite e seguiu seu caminho.

— Pelo menos — eu disse, quando ouvimos seus passos rápidos e firmes descendo a escada —, ela parece uma jovem bem capaz de se cuidar sozinha.

— E vai precisar ser — disse Holmes gravemente. — Só se eu estiver muito enganado não saberemos dela em poucos dias.

Não transcorreu muito tempo antes que a previsão do meu amigo se concretizasse. Uma quinzena se passou, durante a qual vi meus pensamentos voltarem para ela frequentemente, e me perguntava em que estranho beco da experiência humana essa mulher solitária se perdera. O salário incomum, as condições curiosas, o trabalho leve, tudo apontava para algo anormal, mas se era só mania ou um complô, ou se o homem era um filantropo ou um vilão, não estava em meu poder determinar. Quanto a Holmes, observei que muitas vezes ele ficava por meia hora com o cenho franzido e um ar ausente, mas descartava o assunto com um gesto quando eu o mencionava.

— Dados! Dados! Dados! — exclamava, impaciente. — Não posso fazer tijolos sem barro. — Mesmo assim, sempre acabava resmungando que nenhuma irmã sua jamais deveria aceitar uma ocupação assim.

O telegrama que finalmente recebemos chegou tarde, uma noite, quando eu estava pensando em me recolher e Holmes se preparava para varar a noite numa daquelas pesquisas químicas que frequentemente o ocupavam, quando eu o deixava encurvado sobre uma retorta e um tubo de ensaio à noite, e o encontrava na mesma posição quando descia para o desjejum na manhã seguinte. Ele abriu o envelope amarelo, depois correu os olhos pela mensagem e a jogou para mim.

— Veja os horários dos trens no guia — ele disse, e voltou aos seus estudos químicos.

A convocação era breve e urgente.

> "Por favor, esteja no Hotel Black Swan, em Winchester, ao meio-dia de amanhã", dizia. "Venha! Não sei mais o que fazer.
>
> Hunter."

— Você irá comigo? — Holmes perguntou, olhando para cima.

— Eu gostaria.

— Olhe os horários, então.

— Há um trem às 9h30 — eu disse, consultando o meu guia. — Chega em Winchester às 11h30.

— Vai servir muito bem. Então talvez seja melhor adiar minha análise das acetonas, porque podemos precisar estar em forma amanhã de manhã.

Às 11h do dia seguinte, já estávamos bem a caminho da antiga capital inglesa. Holmes mergulhara de cabeça nos jornais matutinos, mas depois que passamos a fronteira com Hampshire, ele os largou e começou a admirar a paisagem. Era um dia ideal de primavera, com o céu azul-claro, salpicado de pequenas nuvens brancas que vagavam do oeste para o leste. O sol brilhava muito forte, mas havia um frio revigorante no ar que parecia aumentar nossa energia. Por todo o campo, até as colinas ao redor de Aldershot, os telhadinhos vermelhos e cinzentos das fazendolas brotavam por entre o verde-claro da nova folhagem.

— Não são frescas e lindas? — exclamei, com todo o entusiasmo de alguém que acaba de sair do nevoeiro da Baker Street.

Mas Holmes balançou a cabeça gravemente.

— Sabe, Watson — ele disse —, uma das maldições de uma mente com uma aptidão como a minha é que eu vejo tudo pelo prisma do meu assunto especial. Você vê essas casas espalhadas e fica impressionado com sua beleza. Eu olho para elas, e o único pensamento que me vem em mente é a sensação do seu isolamento, e da impunidade com a qual crimes podem ser cometidos aqui.

— Pelos céus! — exclamei. — Quem iria associar crimes a estas lindas fazendinhas?

— Elas sempre me enchem de certo horror. É minha crença, Watson, baseada em minha experiência, que os becos mais sórdidos e imundos de Londres não registram pecados mais hediondos do que esta alegre e linda zona rural.

— Você me horroriza!

— Mas o motivo é muito óbvio. A pressão da opinião pública pode lograr, numa cidade, o que a lei não consegue. Não existe viela tão abjeta que nela o grito de uma criança torturada, ou o ruído do golpe de um bêbado, não encontrem solidariedade e indignação entre os vizinhos; todo o maquinário da justiça está sempre tão próximo que uma palavra de reclamação pode acioná-lo, e do crime ao banco dos réus é só um passo. Mas veja estas casas solitárias, cada uma em seu campo, cheias, em sua maioria, de gente pobre e ignorante que pouco sabe da lei. Pense nos atos de crueldade infernal, na perversidade oculta que pode continuar, ano após ano, em tais lugares, sem ninguém ficar sabendo. Se esta dama que nos pediu ajuda tivesse ido morar em Winchester, eu não temeria por ela. São os oito quilômetros de zona rural que constituem o perigo. Ainda assim, está claro que ela não está pessoalmente ameaçada.

— Não. Se pode ir a Winchester nos encontrar, é livre para fugir.

— Exatamente. Ela tem sua liberdade.

— Qual *pode* ser o problema, então? Você não tem nenhuma explicação a oferecer?

— Pensei em sete explicações diferentes, cada uma das quais se encaixaria nos fatos que conhecemos até agora. Mas qual delas é a correta, só pode ser determinado pelas novas informações que sem dúvida encontraremos à nossa espera. Bem, aí está a torre da catedral, e logo ouviremos tudo o que a Srta. Hunter tem para contar.

O Hotel Black Swan é uma hospedaria de boa reputação na High Street, muito perto da estação, e ali encontramos a jovem à nossa espera. Ela reservara uma sala, e nosso almoço nos aguardava sobre a mesa.

— Estou tão encantada que os senhores tenham vindo — ela disse com sinceridade. — Foi muito gentil de sua parte; mas, realmente, não sei o que fazer. Seus conselhos serão totalmente inestimáveis para mim.

— Por favor, conte o que lhe aconteceu.

— Farei isso, e preciso ser breve, já que prometi ao Sr. Rucastle que voltaria antes das 15h. Recebi sua permissão para vir à cidade esta manhã, embora ele não saiba com que finalidade.

— Vamos ouvir tudo na devida ordem. — Holmes esticou as pernas longas e finas na direção do fogo e se posicionou para ouvir.

— Em primeiro lugar, devo dizer que realmente não recebi, de maneira geral, maus-tratos do Sr. e da Sra. Rucastle. É para fazer-lhes justiça que digo isso. Mas não consigo entendê-los, e não consigo ficar tranquila com eles.

— O que não consegue entender?

— Os motivos de sua conduta. Mas os senhores saberão de tudo exatamente como aconteceu. Quando cheguei, o Sr. Rucastle me encontrou aqui e me levou em sua carroça para a Casa das Faias. Ela fica, como ele disse, num lugar lindo, mas não é linda por si, pois é um grande bloco quadrado, caiado, mas todo manchado e desbotado pela umidade e o mau tempo. O terreno ao redor tem árvores em três dos lados, e num dos lados, um campo em declive que vai até a estrada para Southampton, que se curva a uns cem metros da entrada. Essa área em frente pertence à casa, mas a floresta ao redor faz parte da reserva de lorde Southerton. Um grupo de faias bem em frente à porta da sala deu ao lugar seu nome.

"Fui levada para lá pelo meu patrão, que estava amigável como sempre, e me apresentou, naquela noite, a esposa e o filho. Não havia verdade, Sr. Holmes, na conjectura que nos pareceu provável em seus aposentos na Baker Street. A Sra. Rucastle não é louca. Constatei que é uma mulher taciturna e pálida, muito mais jovem que o marido, de não mais do que 30 anos, acho, enquanto ele não deve ter menos de 45. Pela conversa dos dois, descobri que estão casados há uns sete anos, que ele era viúvo, e que sua filha única com a primeira esposa é a filha que foi para Filadélfia. O Sr. Rucastle me contou, em particular, que ela os deixou porque tinha uma aversão injustificada à madrasta. Como a filha não deveria ter menos do que 20 anos, posso imaginar que tenha ficado pouco à vontade no convívio com a jovem esposa do pai.

"A Sra. Rucastle me pareceu ser tão insípida mentalmente quanto era fisionomicamente. Não me impressionou nem favorável, nem desfavoravelmente. É uma nulidade. Foi fácil perceber que ela é apaixonadamente devotada ao marido e ao filhinho. Seus olhos cinza iam continuamente de um para o outro, notando cada mínima necessidade, e satisfazendo-a, se possível. Ele também é gentil com ela, do seu jeito bonachão e espalhafatoso, e de maneira geral, parecem um casal feliz. No entanto, ela tem algum sofrimento secreto, essa mulher. Muitas vezes ficava perdida em pensamentos, com um semblante de muita tristeza. Mais de uma vez, eu a surpreendi chorando. Às vezes eu achava que fosse a personalidade do filho que a oprimisse, porque nunca vi criaturinha mais mimada e de má índole. Ele é pequeno para a sua idade, com uma cabeça desproporcionalmente grande. Toda a sua vida parece se resumir a uma alternância de descontrolados ataques de exaltação e sombrios intervalos de depressão. Causar dor em qualquer criatura mais fraca do que ele parece ser sua única ideia de diversão, e ele demonstra um talento notável em planejar a captura de ratos, passarinhos e insetos. Mas prefiro não falar dessa criatura, Sr. Holmes, e, na verdade, o menino tem pouco a ver com minha história."

— Fico feliz com todos os detalhes — comentou meu amigo —, quer pareçam relevantes para a senhorita, quer não.

— Tentarei não omitir nada que seja importante. A única coisa desagradável na casa, que logo saltou-me aos olhos, é a aparência e a conduta dos serviçais. São apenas dois, um homem e sua esposa. Toller, pois esse é o seu nome, é um homem rude e simplório, de cabelo e costeletas grisalhas, perpetuamente cheirando a bebida. Por duas vezes, desde que cheguei, ele ficou bem bêbado, mas o Sr. Rucastle parece não dar a mínima. Sua esposa é uma mulher muito alta e forte, com um rosto amargo, tão taciturna quanto a Sra. Rucastle, e muito menos amigável. São um casal muito desagradável, mas felizmente eu passo a maior parte do tempo no quarto do menino e no meu, que ficam lado a lado em um canto da casa.

"Por dois dias, depois da minha chegada à Casa das Faias, minha vida foi muito tranquila; no terceiro, a Sra. Rucastle desceu logo depois do desjejum e cochichou algo para o marido.

"'Oh, sim', ele disse, virando-se para mim, 'somos muito gratos à sua pessoa, Srta. Hunter, por ceder aos nossos caprichos a ponto de cortar seu cabelo. Garanto que isso não afetou nem um pingo a sua beleza. Agora veremos como o vestido azul brilhante lhe cai. Vai encontrá-lo estendido na sua cama, e se tiver a bondade de vesti-lo, ambos ficaremos extremamente agradecidos.'

"O vestido que encontrei à minha espera era de um peculiar tom de azul. Era de material excelente, uma espécie de lã crua, mas tinha sinais inconfundíveis de que já fora usado antes. Não me cairia melhor se me tivessem medido para ajustá-lo. O Sr. e a Sra. Rucastle manifestaram um encanto, ao vê-lo, que me pareceu bastante exagerado em sua veemência. Estavam à minha espera na sala de estar, que é um salão muito grande, cobrindo toda a fachada da casa, com três janelas altas indo até o chão. Uma cadeira fora colocada perto da janela central, de costas para a mesma. Ali pediram que eu me sentasse, e então o Sr. Rucastle, andando para lá e para cá do outro lado da sala, começou a me contar algumas das histórias mais engraçadas que já ouvi. O senhor não pode imaginar como ele era cômico, e eu ri até cansar. A Sra. Rucastle, no entanto, que evidentemente não tem senso de humor, nem mesmo sorriu, mas ficou com as mãos no regaço e um semblante triste e ansioso. Depois de mais ou menos uma hora, o Sr. Rucastle comentou de repente que estava na hora de começar as tarefas do dia, e que eu podia me trocar e ir cuidar do pequeno Edward em seu quarto.

"Dois dias depois, esse mesmo ritual se repetiu, em circunstâncias exatamente iguais. Novamente pus meu vestido, novamente sentei-me na janela, e novamente ri com gosto das histórias engraçadas, das quais meu patrão tinha um repertório imenso, e que ele contava inimitavelmente. Então ele me deu um romance barato, e afastando minha poltrona um pouco para o lado, para que minha sombra não caísse sobre a página, implorou que eu lesse em voz alta. Li por cerca de dez minutos, começando no meio de um capítulo, e então, de repente, no meio de uma frase, ele mandou que eu parasse e fosse trocar de roupa.

"Pode facilmente imaginar, Sr. Holmes, quão curiosa fiquei sobre qual poderia ser o significado desse extraordinário ritual. Eles sempre tomavam muito cuidado, observei, em me virar de costas para a janela, por isso consumia-me o desejo de ver o que acontecia atrás de mim. De início, isso pareceu impossível, mas logo imaginei um meio. Meu espelho se quebrara, então tive uma ideia feliz, e escondi um pedaço do espelho no meu lenço. Na ocasião seguinte, no meio das risadas, levei o lenço aos olhos, e pude ver, com algumas manobras, tudo o que havia atrás de mim. Confesso que fiquei decepcionada. Não havia nada. Pelo menos essa foi minha primeira impressão. Olhando uma segunda vez, no entanto, percebi que havia um homem de pé na Southampton Road, um homenzinho barbudo de terno cinza, que parecia estar olhando na minha direção. A estrada é uma via importante, e normalmente há pessoas ali. Aquele homem, no entanto, estava apoiado na cerca do nosso campo e olhando claramente para cima. Baixei o lenço e olhei para a Sra. Rucastle, e descobri que seus olhos estavam pregados em mim, inquisidores. Ela não disse nada, mas estou convencida de que adivinhou que eu tinha um espelho na mão e que eu vira o que havia atrás de mim. Ela se levantou imediatamente.

"'Jephro', ela disse, 'um sujeito impertinente na estrada está olhando para a Srta. Hunter.'

"'Algum amigo seu, Srta. Hunter?', ele perguntou.

"'Não, não conheço ninguém aqui.'

"'Céus! Como é impertinente! Por gentileza, vire-se e mande-o embora com um gesto.'

"'Certamente seria melhor ignorá-lo.'

"'Não, não, assim ele ficará sempre rondando. Por gentileza, vire-se e mande-o embora com um gesto, assim.'

"Fiz o que ele pediu, e no mesmo instante a Sra. Rucastle baixou a persiana. Isso foi há uma semana, e desde então não sentei mais na janela, nem usei o vestido azul, nem vi o homem na estrada."

— Por favor, continue — disse Holmes. — Sua narrativa promete ser muito interessante.

— Temo que o senhor a achará um tanto desconexa, e talvez haja pouca relação entre os vários incidentes de que falo. No primeiro dia em que estive na Casa das Faias, o Sr. Rucastle me levou a uma pequena edícula que fica perto da porta da cozinha. Quando nos aproximamos, ouvi o tilintar agudo de uma corrente, e o som de um grande animal se mexendo.

"'Olhe ali!', disse o Sr. Rucastle, indicando uma fresta entre as tábuas. 'Não é uma beleza?'

"Olhei pela fresta e percebi dois olhos brilhantes, e uma figura indefinida encolhida na escuridão.

"'Não tenha medo', disse meu patrão, rindo do meu sobressalto. 'É só Carlo, meu *mastiff*. Chamo-o de meu, mas na verdade o velho Toller, meu cavalariço, é o único que consegue fazer alguma coisa com ele. Nós o alimentamos uma vez ao dia, e não muito, por isso ele está sempre afiado como um punhal. Toller o solta toda noite, e que Deus ajude o invasor em quem ele cravar as presas. Pelo amor de Deus, jamais, por motivo algum, ponha o pé fora de casa à noite, pois irá pagar com a vida.'

"O aviso não era à toa, porque duas noites mais tarde,

olhei por acaso pela janela do meu quarto por volta das duas da manhã. Era uma linda noite enluarada, e o gramado diante da casa estava recoberto de prata e quase tão claro quanto o dia. Eu estava arrebatada pela beleza pacífica da cena, quando percebi que algo se movia sob a sombra das faias. Quando saiu ao luar, vi o que era. Era um cão gigante, do tamanho de um bezerro, amarelo-escuro, com a mandíbula entreaberta, o focinho preto e grandes ossos saltados. Andava lentamente pela grama e desapareceu nas sombras do outro lado. Aquele pavoroso sentinela me causou um calafrio no coração que acho que nenhum ladrão teria causado.

"E agora, preciso contar uma estranha experiência. Eu havia, como o senhor sabe, cortado meu cabelo em Londres, e o guardei numa grande madeixa no fundo do meu baú. Uma noite, depois que o menino dormiu, comecei a me divertir examinando a mobília do meu quarto e reorganizando minhas coisinhas. Havia um velho gaveteiro no quarto com as duas gavetas de cima vazias e abertas, e a de baixo trancada. Guardei minhas roupas íntimas nas duas primeiras, e como ainda tinha muitas coisas para guardar, naturalmente fiquei irritada por não poder usar a terceira gaveta. Pensei que pudesse ter sido trancada por engano, por isso peguei o meu chaveiro e tentei abri-la. A primeira chave que provei encaixou perfeitamente, e abri a gaveta. Havia somente uma coisa dentro dela, mas tenho certeza de que os senhores jamais imaginariam o que era. Era a minha madeixa de cabelo.

"Eu o peguei e o examinei. Era do mesmo tom peculiar, e da mesma espessura. Mas então, a impossibilidade daquilo se intrometeu em minha mente. Como meu cabelo podia estar trancado na gaveta? Com mãos trêmulas, abri meu baú, esvaziei-o e tirei do fundo o meu cabelo. Pus as duas madeixas lado a lado, e posso garantir que eram idênticas. Não é extraordinário? Por mais que eu conjecturasse, não conseguia entender o que aquilo significava. Devolvi o estranho cabelo à gaveta e não disse nada sobre o fato para os Rucastle, porque senti que eu agira errado abrindo uma gaveta que eles trancaram.

"Sou naturalmente observadora, como pode ter notado, Sr. Holmes, e logo formei uma boa planta da casa toda na minha cabeça. Havia uma ala, porém, que parecia não ser habitada. Uma porta diante daquela que levava aos aposentos dos Toller dava acesso a essa suíte, mas estava invariavelmente trancada. Um dia, no entanto, quando eu subia a escada, encontrei o Sr. Rucastle saindo dessa porta, com as chaves na mão, e uma expressão no rosto que o transformava numa pessoa muito diferente do homem rotundo e jovial com o qual eu estava acostumada. Suas bochechas estavam vermelhas, seu cenho, franzido de raiva, e as veias de suas têmporas, saltadas com a emoção. Ele trancou a porta e passou por mim rapidamente, sem dizer palavra nem me olhar.

"Isso despertou minha curiosidade, por isso, ao sair para passear no jardim com o menino, dei a volta para o lado de onde eu podia ver as janelas daquela parte da casa. Eram quatro enfileiradas, três das quais estavam apenas sujas, enquanto a quarta tinha as folhas fechadas. Evidentemente, estavam todas vazias. Enquanto eu andava de um lado para o outro, olhando para elas ocasionalmente, o Sr. Rucastle veio falar comigo, alegre e jovial como sempre.

"'Ah!', ele disse. 'Não me ache rude por ter passado pela senhorita sem dizer nada, minha cara jovem. Eu estava preocupado com meus negócios.'

"Garanti que eu não estava ofendida. 'A propósito', eu disse, 'o senhor parece ter vários quartos extras aqui, e a janela de um deles tem as folhas fechadas.'

"Ele pareceu surpreso e, eu acho, um tanto assustado com meu comentário.

"'A fotografia é um dos meus passatempos', ele disse. 'Montei meu quarto escuro ali. Mas, meu Deus! Que jovem observadora contratamos. Quem poderia crer? Quem jamais poderia crer?' Ele falava em tom de gracejo, mas não havia graça em seus olhos quando me encarava. Li suspeita neles, e aborrecimento, mas nenhuma graça.

"Bem, Sr. Holmes, desde que compreendi que havia algo naqueles quartos que eu não podia saber, a vontade de visitá-los me inflamou. Não era mera curiosidade, embora a minha seja grande. Era mais uma sensação de dever, a sensação de que algo bom poderia resultar da minha entrada naquele lugar. Fala-se de instinto feminino; talvez o instinto feminino tenha me dado essa sensação. De qualquer forma, ela existia, e eu estava ativamente em guarda para qualquer oportunidade de passar pela porta proibida.

"Foi só ontem que a oportunidade se apresentou. Posso dizer que, além do Sr. Rucastle, Toller e sua esposa também fazem alguma coisa naqueles quartos desertos, e uma vez o vi carregando um grande saco de linho preto ao sair da porta. Recentemente, ele tem bebido muito, e ontem à noite estava muito ébrio; e quando subi a escada, topei com a chave na fechadura. Não tenho dúvidas de que ele a deixara ali. O Sr. e a Sra. Rucastle estavam lá embaixo, e o menino estava com eles, de modo que eu tinha uma oportunidade admirável. Girei delicadamente a chave na fechadura, abri a porta e entrei.

"Havia um pequeno corredor à minha frente, de paredes e chão nus, que virava à direita no final. Depois desse canto, havia três portas enfileiradas, a primeira e a terceira das quais estavam abertas. Cada uma levava a um quarto vazio, poeirento e triste, um com duas janelas e outro com uma, tão sujas que a luz do entardecer brilhava fracamente através delas. A porta do meio estava fechada, e do lado de fora havia sido fixada uma das travessas de uma cama de ferro, presa por um cadeado a um anel chumbado na parede numa ponta, e amarrada na outra com uma corda grossa. A própria porta estava trancada, e a chave não estava lá. Essa porta barricada correspondia claramente à janela com as folhas fechadas que se via lá fora, no entanto eu podia ver, pelo brilho por baixo dela, que o quarto não estava escuro. Evidentemente, havia uma claraboia que deixava entrar luz por cima. Enquanto eu estava no corredor, fitando a porta sinistra e me perguntando que segredo ela poderia guardar, subitamente ouvi o barulho de passos dentro do quarto e vi uma sombra passar de um lado para o outro na pequena fresta de luz fraca que brilhava debaixo da porta. Um terror louco e irracional surgiu em mim ao ver isso, Sr. Holmes. Meus nervos em frangalhos cederam de repente, e me virei e corri, corri como se alguma mão terrível estivesse atrás de mim, agarrando a bainha do meu vestido. Precipitei-me pelo corredor, porta afora, e diretamente nos braços do Sr. Rucastle, que estava esperando do lado de fora.

"'Então', ele disse, sorrindo, 'era a senhorita. Imaginei que deveria ser, quando vi a porta aberta.'

"'Oh, estou com tanto medo!', ofeguei.

"'Minha cara jovem! Minha cara jovem!' O senhor nem imagina como sua atitude era carinhosa e calmante. 'E o que foi que a assustou, minha cara jovem?'

"Mas sua voz era um pouco persuasiva demais. Ele exagerou. Fiquei atentamente em guarda contra ele.

"'Fui tola o suficiente para entrar na ala vazia', respondi. 'Mas ela é tão vazia e fantasmagórica nesta penumbra que fiquei com medo e saí correndo. Oh, tudo é tão silencioso lá dentro!'

"'Só isso?', ele disse, olhando-me intensamente.

"'Por quê? O que o senhor pensou?', perguntei.

"'Por que acha que eu tranco essa porta?'

"'Claro que não sei.'

"'Para manter longe as pessoas que não têm nada o que fazer ali. Entende?' Ele estava sorrindo da maneira mais amigável.

"'Com certeza, se eu soubesse...'

"'Bem, então agora a senhorita sabe. E se voltar a pôr os pés do outro lado dessa porta', nesse momento, de repente, o sorriso endureceu num esgar de fúria, e ele me olhou com a expressão de um demônio, 'vou jogá-la para o *mastiff*.'

"Fiquei tão apavorada que não sabia o que fazer. Acho que devo ter voltado correndo para o meu quarto. Não me lembro de nada até me encontrar deitada na minha cama, tremendo toda. Então pensei no senhor. Não posso continuar morando lá sem algum conselho. Estou com medo da casa, do homem, da mulher, dos criados, até da criança. Todos foram horríveis comigo. Se apenas eu pudesse trazer o senhor até aqui, tudo ficaria bem. Naturalmente, eu poderia ter fugido da casa, mas minha curiosidade é quase tão forte quanto o meu medo. Logo eu decidi. Enviaria um telegrama para o senhor. Pus meu chapéu e meu casaco, fui até a agência, que fica a uns 800 metros da casa, e depois voltei, sentindo-me muito mais calma. Uma dúvida horrível surgiu na minha mente quando me aproximei da porta, de que o cão poderia estar solto, mas lembrei que Toller bebera até perder os sentidos naquela noite, e eu sabia que ele era o único da casa que tinha qualquer influência sobre a besta-fera, ou que ousaria soltá-la. Entrei com segurança e fiquei acordada metade da noite, de tanta alegria com a ideia de ver o senhor. Não tive dificuldade em conseguir permissão para vir a Winchester hoje de manhã, mas preciso voltar antes das 15h, já que o Sr. e a Sra. Rucastle vão fazer uma visita, ficarão fora a tarde toda, e eu preciso cuidar do menino. Agora lhe contei todas as minhas aventuras, Sr. Holmes, e ficarei muito feliz se puder me contar o que tudo isso significa, e principalmente o que devo fazer."

Holmes e eu ouvíramos, enfeitiçados, aquela história extraordinária. Então meu amigo se levantou e andou de um lado para o outro na sala, com as mãos nos bolsos e uma expressão da mais profunda gravidade no rosto.

— Toller ainda está bêbado? — ele perguntou.

— Sim. Ouvi sua esposa dizendo à Sra. Rucastle que ela não podia fazer nada com ele.

— Isso é bom. E os Rucastle vão sair esta noite?

— Sim.

— Há um porão com uma fechadura boa e forte?

— Sim, a adega.

— Parece-me ter agido durante todo este caso como uma garota muito corajosa e sensata, Srta. Hunter. Acha que conseguiria realizar mais uma façanha? Eu não pediria isso se não a achasse uma mulher absolutamente excepcional.

— Vou tentar. O que é?

— Estaremos na Casa das Faias às 19h, meu amigo e eu. Os Rucastle terão saído, a essa hora, e Toller estará, esperamos, incapacitado. Só resta a Sra. Toller, que poderia dar o alerta. Se a senhorita puder mandá-la fazer alguma coisa no porão, e então trancá-la a chave, facilitaria as coisas imensamente.

— Farei isso.

— Excelente! Então apuraremos o caso por completo. Naturalmente, só há uma explicação possível. A senhorita foi levada para lá para interpretar alguém, e a verdadeira pessoa está presa naquele cômodo. Isso é óbvio. Quanto a quem seja essa prisioneira, não tenho dúvidas de que é a filha, a Srta. Alice Rucastle, se bem me lembro, que eles dizem que foi para a América. A senhorita foi escolhida, sem dúvida, por se parecer com ela na altura, silhueta e cor do cabelo. O dela foi cortado, muito possivelmente em decorrência de alguma doença que ela enfrentou, e assim, naturalmente, o seu também teve que ser sacrificado. Por um curioso acaso, a senhorita encontrou as madeixas dela. O homem na estrada era indubitavelmente algum amigo dela, possivelmente seu noivo, e sem dúvida, como a senhorita usava o vestido da garota e se parecia tanto com ela, ele se convenceu, por suas risadas, sempre que a via, e depois pelo seu gesto, que a Srta. Rucastle era perfeitamente feliz e não queria mais suas atenções. O cão é solto à noite para evitar que ele tente se comunicar com ela. Tudo isso está bastante claro. O aspecto mais grave do caso é a índole da criança.

— O que isso tem a ver com o resto, meu Deus? — exclamei.

— Meu caro Watson, você, como homem de medicina, está continuamente se informando sobre as tendências de uma criança por meio do estudo dos pais dela. Não vê que o contrário também se aplica? Frequentemente, obtive meu primeiro vislumbre real do caráter dos pais estudando seus filhos. A índole dessa criança é anormalmente cruel, meramente em nome da própria crueldade, e quer puxe isso ao seu risonho pai, como desconfio, ou à sua mãe, é um péssimo presságio para a pobre garota que está em poder deles.

— Tenho certeza de que tem razão, Sr. Holmes — exclamou nossa cliente. — Mil coisas me vêm à memória e me dão a certeza de que o senhor matou a charada. Oh, não percamos um instante mais em levar ajuda a essa pobre criatura.

— Precisamos ser circunspectos, pois lidamos com um homem muito astuto. Não podemos fazer nada até as 19h. A essa hora, encontraremos a senhorita, e não tardaremos em desvendar o mistério.

Cumprimos nossa palavra, porque eram 19h em ponto quando chegamos à Casa das Faias, depois de parar nossa carroça numa cervejaria à beira da estrada. O grupo de árvores, com suas folhas escuras brilhando como metal oxidado à luz do sol poente, era suficiente para indicar a casa, mesmo se a Srta. Hunter não estivesse sorrindo na porta.

— Conseguiu? — perguntou Holmes.

Um ruído alto de pancadas veio de algum lugar no subsolo.

— Essa é a Sra. Toller no porão — ela disse. — Seu marido está roncando no tapete da cozinha. Aqui estão as chaves, que são cópias das do Sr. Rucastle.

— Realmente saiu-se muito bem! — exclamou Holmes, com entusiasmo. — Agora mostre o caminho, e logo veremos o fim deste caso macabro.

Subimos a escada, destrancamos a porta, andamos por um corredor e nos vimos diante da barricada que a Srta. Hunter descrevera. Holmes cortou a corda e removeu a barra de metal. Em seguida, provou as várias chaves na fechadura, mas sem sucesso. Nenhum som vinha lá de dentro, e com o silêncio, o semblante de Holmes se fez sombrio.

— Espero que não seja tarde demais — ele disse. — Acho melhor, Srta. Hunter, nós dois entrarmos primeiro. Watson, force a porta com o ombro, e veremos se não conseguimos abrir caminho.

A porta era velha e carcomida, e logo cedeu aos nossos esforços combinados. Juntos, corremos para dentro do quarto. Estava vazio. Não havia mobília além de um pequeno catre de campanha, uma mesinha e um cesto de roupas. A claraboia estava aberta, e a prisioneira, desaparecida.

— Alguma vilania foi cometida aqui — disse Holmes —; aquela beleza de homem adivinhou as intenções da Srta. Hunter e levou embora sua vítima.

— Mas como?

— Pela claraboia. Logo veremos como conseguiu. — Ele se içou para o telhado. — Ah, sim — exclamou —, aqui está a ponta de uma longa escada encostada na calha. Foi assim que ele fez.

— Mas é impossível — disse a Srta. Hunter. — A escada não estava aí quando os Rucastle saíram.

— Ele voltou e fez isso. Estou dizendo que é um homem astuto e perigoso. Não ficaria muito surpreso se fossem os passos dele que ouço agora na escada. Acho, Watson, que seria bom você preparar sua pistola.

As palavras mal saíram de sua boca quando um homem assomou à porta do quarto, muito gordo e robusto, com um pesado bastão na mão. A Srta. Hunter gritou e se encolheu contra a parede ao vê-lo, mas Sherlock Holmes se adiantou e o enfrentou.

— Vilão! — ele gritou. — Onde está a sua filha?

O gorducho olhou ao redor, e depois para a claraboia aberta.

— Eu deveria perguntar isso — ele gritou —, ladrões! Bisbilhoteiros e ladrões! Peguei vocês, não? Estão em meu poder. Cuidarei de vocês! — Ele se virou e desabalou escada abaixo a toda velocidade.

— Ele foi buscar o cão! — gritou a Srta. Hunter.

— Tenho o meu revólver — eu disse.

— É melhor fechar a porta da entrada — exclamou Holmes, e todos juntos corremos escada abaixo. Mal havíamos chegado ao átrio quando ouvimos o latido de um cão, e então um grito de agonia, com um som horrível e preocupante, pavoroso de se ouvir. Um velho de rosto vermelho e membros trêmulos saiu, trôpego, de uma porta lateral.

— Meu Deus! — ele exclamou. — Alguém soltou o cachorro. Ele não come há dois dias. Rápido, rápido, ou será tarde demais!

Holmes e eu corremos para fora e demos a volta na casa, com Toller nos seguindo apressadamente. Lá estava a enorme fera faminta, seu focinho preto enterrado na garganta de Rucastle, que se contorcia e gritava no chão. Correndo, estourei os miolos do animal, e ele caiu com seus aguçados dentes brancos ainda cravados nas grandes dobras do pescoço do homem. Com muito esforço separamos os dois e eu carreguei Rucastle, vivo mas horrivelmente ferido, para dentro da casa. Nós o deitamos no sofá da sala, e depois de mandar o agora sóbrio Toller dar a notícia à sua esposa, fiz o que pude para aliviar a dor do ferido. Estávamos todos reunidos ao redor dele quando a porta se abriu, e uma mulher alta e magra entrou na sala.

— Sra. Toller! — exclamou a Srta. Hunter.

— Sim, senhorita. O Sr. Rucastle me soltou quando voltou, antes de subir para procurá-la. Ah, senhorita, é uma pena não ter me contado o que estava planejado, pois eu lhe diria que seus esforços seriam desperdiçados.

— Ha! — disse Holmes, olhando-a intensamente. — É evidente que a Sra. Toller sabe mais sobre esse caso do que qualquer outra pessoa.

— Sim, senhor, eu sei, e estou pronta para contar o que sei.

— Então, por favor, sente-se, e vamos ouvir, porque há alguns detalhes sobre os quais confesso ainda estar às escuras.

— Logo esclarecerei tudo ao senhor — ela disse —; e já teria feito isso antes, se pudesse ter saído do porão. Se a polícia for envolvida nisto, os senhores vão lembrar que fui sua amiga, e amiga da Srta. Alice também.

"Ela nunca foi feliz em casa, a Srta. Alice, depois que seu pai se casou de novo. Era sempre humilhada e nunca podia decidir nada, mas as coisas nunca foram realmente ruins, até que ela conheceu o Sr. Fowler na casa de uma amiga. Até onde pude averiguar, a Srta. Alice tinha direitos por testamento, mas era tão calma e paciente que nunca disse uma palavra sobre eles, e deixava tudo nas mãos do Sr. Rucastle. Ele sabia que podia contar com ela; mas quando surgiu a oportunidade de um marido se apresentar e pedir tudo o que a lei lhe garantia, então seu pai achou que era hora de dar um basta. Quis fazê-la assinar um documento dizendo que, casando-se ela ou não, ele poderia usar o dinheiro dela. Quando a Srta. Alice se recusou, ele continuou a atormentá-la até que ela teve febre cerebral, e por seis semanas ficou à beira da morte. Então, finalmente, ela melhorou, fraca como uma sombra, e com seu lindo cabelo cortado; mas isso não desencorajou seu pretendente, e ele continuou ao seu lado como só o homem mais sincero faria."

— Ah — disse Holmes —, acho que aquilo que a senhora teve a bondade de contar deixa a coisa bastante clara, e posso deduzir tudo o que falta. O Sr. Rucastle, então, presumo, resolveu usar seu sistema de aprisionamento?

— Sim, senhor.

— E trouxe a Srta. Hunter de Londres para se livrar da desagradável persistência do Sr. Fowler.

— Foi isso, senhor.

— Mas o Sr. Fowler, por ser perseverante, como todo bom marinheiro, fez um cerco à casa, e conhecendo a senhora, conseguiu, usando certos argumentos, metálicos ou não, convencê-la de que seus interesses eram iguais aos dele.

— O Sr. Fowler é um cavalheiro muito gentil e generoso — disse serenamente a Sra. Toller.

— E dessa maneira ele providenciou para que ao seu bom marido nunca faltasse bebida, e que uma escada estivesse pronta no momento em que seu patrão saísse.

— O senhor descreveu exatamente o que aconteceu.

— Parece que lhe devemos desculpas, Sra. Toller — disse Holmes —, visto que certamente esclareceu tudo o que nos intrigava. E aí vêm o médico local e a Sra. Rucastle, portanto, eu acho, Watson, que seria melhor acompanharmos a Srta. Hunter de volta a Winchester, pois parece que nosso *locus standi*,\* no momento, é um tanto questionável.

E assim foi resolvido o mistério da sinistra casa com as faias diante da porta. O Sr. Rucastle sobreviveu, mas ficou para sempre inválido, mantido vivo apenas pelos cuidados de sua devotada esposa. Eles ainda moram com seus velhos criados, que provavelmente sabem tanto do passado de Rucastle que lhe seja impossível livrar-se deles. O Sr. Fowler e a Srta. Rucastle se casaram, com permissão especial, em Southampton, no dia seguinte à fuga, e ele agora é responsável por um destacamento do governo na Ilha Maurício. Quanto à Srta. Violet Hunter, meu amigo Holmes, para minha decepção, posso dizer, não manifestou nenhum outro interesse depois que ela deixou de estar no centro de um dos seus problemas, e ela agora é diretora de uma escola particular em Walsall, onde acredito que tenha alcançado considerável sucesso.

---

\* "Posição", em latim no original. (N. T.)

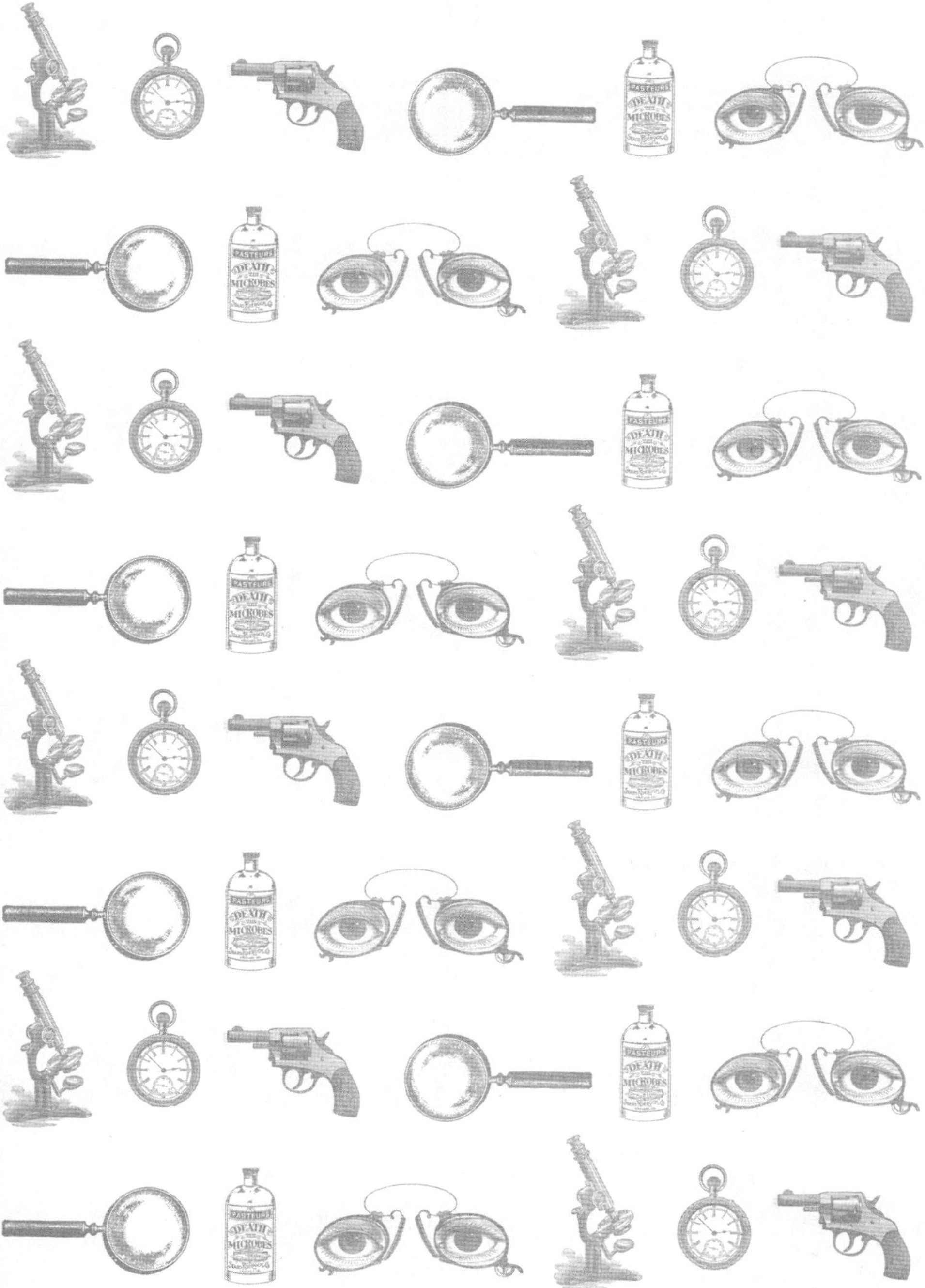
PASTEURS
DEATH
MICROBES

Este livro foi reimpresso em 2022 pela Editora Nacional,
impressão pela Gráfica Exklusiva.